CHRÉTIEN DE TROYES

LE CHEVALIER DE LA CHARRETTE
LANCELOT

ROMAN

TEXTE INTÉGRAL

Classiques Hachette

Texte original conforme au manuscrit de Guiot.
Traduction de Christiane VAISSADE.

Notes explicatives, questionnaires, bilans,
documents et parcours thématique

établis par

Christiane VAISSADE,
agrégée de Lettres modernes,
Inspecteur pédagogique régional.

La couverture de cet ouvrage a été réalisée avec l'aimable collaboration de la Comédie-Française.

Photographie : Philippe Sohiez.

Crédits et légendes photographiques :
p. 4 : photo G. Dagli Orti. p. 8 : BNF, ms. fr. 794, fol. 2A; photo BNF. p. 10 : photo Caisse nationale des monuments historiques. p. 20 : photo Giraudon. p. 21 : photo Namur. p. 24-25 : *L'Ystoire de Lancelot du Lac, la quête du Saint Graal, la mort d'Arthus* de Gautier Moab, XIVᵉ siècle; Paris, BNF; photo Édimédia. p. 30 : Cambrai 528; photo Artephot. p. 46 : photo J.-L. Charmet. p. 67 : fontaine; manuscrit gothique pour le *Livre du Cuer d'Amour Espris* de René d'Anjou; Vienne, Bibliothèque nationale; photo Artephot/Held. p. 69 : *Le Roman de Tristan. Le Roi Arthur. Le Saint Graal. Réception d'un chevalier. La Table Ronde*; détail d'une miniature d'un manuscrit du XVᵉ siècle; Chantilly, musée Condé; photo G. Dagli Orti. p. 86 : photo Artephot/Held. p. 91 : un soldat informe Guillaume de l'avance d'Harold; détail de la *Tapisserie de la reine Mathilde*, XIᵉ siècle, musée de Bayeux; cliché Hachette, photo Lubtchansky. p. 93 : Lancelot sur le Pont de l'Épée; enluminure du XIVᵉ siècle extraite d'une rédaction en prose de *Lancelot du Lac*; Paris, BNF; ms. fr. 115, fol. 367 V°; photo Hachette. p. 100 : Guillaume le Conquérant se fait amener son cheval; cliché Hachette, photo Lubtchansky. p. 102 : ms. 3480, fol. 77; cliché Hachette, photo BNF. p. 106 : tournoi; enluminure pour *Perceval le Gallois* de Chrétien de Troyes, avec continuation par Gaucher de Dourdan, XIVᵉ siècle; ms. fr. 1453, fol. 39; Paris, BNF. p. 107 : un croisé, XIIIᵉ siècle; *Westminster Psalter*, Londres, British Museum; Royal ms. 2A XXII, fol. 220; photo British Museum. p. 111 : Lancelot terrassant Méléagant; *Livre de Lancelot du Lac*, XVᵉ siècle; photo Namur. p. 113 : retour du guerrier; *Roman de Lancelot* (1274); BNF, 2911, ms. fr. 342, fol. 87; cliché Hachette, photo BNF. p. 116 : chevalier habillé pour le tournoi; photo Namur. p. 117 : victoire de Heinrich von Frauenberg sur son adversaire; ms. Codex Manesse, Suisse; Heidelberg, Universitätsbibliothek; photo Artephot/Held. p. 129 : Schenke von Limburg reçoit un casque de sa dame; ms. Codex Manesse, Suisse; Heidelberg, Universitätsbibliothek; photo Artephot/Held. p. 136 : photo Pix/M. Beaugeois. p. 137 : photo Artephot/Nimatallah. p. 142 : trouvère jouant d'un instrument pour la reine Marie; Recueil de poésies françaises, XIIIᵉ siècle : bibliothèque de l'Arsenal, ms. 3142, fol. 1; photo Namur. p. 149 : combat des chevaliers contre les Infidèles; fresque de Cressac; documentation Hachette. p. 169 : tournoi du roi René; BNF, ms. fr. 2695, fol. 51 V; photo Namur. p. 170 : un tournoi; Renaud de Montauban; Paris, bibliothèque de l'Arsenal; photo Namur. p. 174 : *Roman du Graal*; Atelier de Jean Mansel, XVᵉ siècle; Dijon, bibliothèque Municipale, ms. 527, fol. 40 V°; photo J. Vigne. p. 198 : détail d'une enluminure pour *Le Chevalier au Lion* de Chrétien de Troyes; BNF, ms. fr. 1433, fol. 69 V ; cliché Hachette, photo BNF. p. 199 : chevalier et sa dame; *Roman de la Poire*, XIIIᵉ siècle; Paris, BNF; photo Artephot/ADPC. p. 211 : un chevalier protège l'Église; Mozac (Puy-de-Dôme); photo E.M. Janet-Lecaisne. p. 220 : photo Artephot. p. 235 : photo Hachette/BNF.

Les mots suivis du signe (•) sont définis dans le lexique, p. 251.
– Les mots suivis du signe (*) sont expliqués dans le glossaire des termes littéraires, p. 253.
– Les titres courants de la présente édition renvoient aux numéros de vers du texte original, afin de permettre au lecteur de s'y reporter, le cas échéant.

REMERCIEMENTS
L'auteur tient à remercier tout particulièrement M. Jean TROTIN, Inspecteur général des Lettres, de sa précieuse relecture de la traduction.

Moine écrivant sur une tablette.
Manuscrit du XIIᵉ siècle provenant de Coimbra. Porto, bibliothèque municipale.

Au moment où Chrétien « entreprend » la composition du <u>Chevalier de la Charrette</u> (écrit entre 1171 et 1180), le règne de Louis VII s'achève. En 1171, le roi n'est encore qu'un roi suzerain, ses vassaux sont de puissants seigneurs divisés par de solides rivalités. Le roi d'Angleterre est aussi le plus influent des barons français, mais son pouvoir est fragilisé par la rébellion de ses fils.

Les silhouettes du monde de Logres, ou de Gorre, n'ont sans doute rien à envier à cet univers féodal de cours rivales et jalouses : jeunes chevaliers impétueux, fils rebelles, roi immobile qui ne sait guère que se résigner, « bien obligé de supporter [la] situation, s'il ne peut y remédier »...

Néanmoins ce récit n'est rien moins qu'une chronique, qu'elle fût historique ou d'actualité. De l'auteur, nous ne savons presque rien, sinon qu'il se nomme Chrétien et est originaire de Troyes. Il s'efface volontiers derrière un narrateur qui met en scène un espace arthurien remarquablement exploité. Ses personnages, les chevaliers de la Table Ronde, participent d'une vaste fresque dont chaque roman donne à voir un extrait, isole un tableau, moment d'une vie. L'aventure ainsi individualisée fait d'un personnage le héros d'un conte. Yvain, Lancelot, Gauvain se connaissent et se retrouvent hors scène.

<u>Le Chevalier de la Charrette</u> et <u>Le Chevalier au Lion</u> ont été écrits simultanément, dit-on. Ainsi, Yvain, dans son propre roman (<u>Le Chevalier au Lion</u>), cherche-t-il vainement son ami Gauvain, « parti à la recherche de la reine » dans l'autre conte. La fiction de la simultanéité d'action accrédite celle de l'écriture.

La thématique de l'amour courtois parcourt les deux aventures, sans nullement conduire au même scénario. Chrétien vivait alors à Troyes, où la comtesse Marie de Champagne animait une cour brillante et ouverte aux idées courtoises, qu'elle encourageait. <u>La Charrette</u>, ouvrage de commande dont elle a donné la matière, lui est dédiée. Mais Chrétien n'est pas « romancier » au sens où nous l'entendons. Il est aussi notre premier trouvère, auteur de chansons courtoises. Il a également adapté <u>Les Métamorphoses</u> d'Ovide, et écrit à propos « du roi Marc et d'Yseut la blonde » (<u>Érec et Énide</u>). Il serait vain de chercher à formaliser son talent par une terminologie moderne. Ses « romans » tiennent du merveilleux, de la poésie autant que du conte, et nous suivons encore avec délice ce chevalier fasciné devant la fontaine où « on avait oublié, je ne sais qui, un peigne d'ivoire doré ».

Longue pièce de sept mille vers, *Le Chevalier de la Charrette* ne saurait s'inscrire dans un genre unique. Il participe à la fois du poème, du récit d'aventures, du conte et du roman.

POÉSIE	RÉCIT D'AVENTURES	CONTE	ROMAN MODERNE
– L'écriture : distiques d'octosyllabes avec rimes et assonances. – La richesse des sonorités de certains passages («le peigne d'ivoire», «la nuit d'amour», «les recherches de la jeune fille à la mule fauve»).	– Un texte narratif, un héros prédominant. – Une succession de péripéties. – Une thématique centrale (la quête de la reine). – Les caractéristiques du «héros de série».	– Des éléments merveilleux («l'anneau magique», «la lance enflammée», «le lit périlleux»). – Des personnages surnaturels : • les demoiselles sont apparentées à des fées, • les nains sont des êtres maléfiques, envoyés du diable, • Méléagant a une stature de géant. – Un schéma narratif qui comporte adjuvants* et opposants*. – La tonalité générale est profondément manichéenne. – Peu d'analyse psychologique des personnages.	– Présence d'un narrateur. – Une fiction. – Un texte narratif long. – Importance accordée aux personnages plus qu'aux événements.

Des cinq «romans» de Chrétien, Le Chevalier de la Charrette est sans conteste le plus original : c'est dans son prologue que l'auteur admet faire œuvre créatrice, en un temps où l'écrivain n'était qu'un «adaptateur» des œuvres antiques. Chrétien a ici «entrepris d'écrire» un récit, il le souligne, rompant avec la formule usuelle qui disait plus simplement «mettre en roman» (en français).

C'est aussi le plus courtois : laissé inachevé – le héros abandonné à l'oubli dans sa tour –, ce récit illustre merveilleusement le dilemme de l'amour courtois. L'amour de la dame gouverne tout et chacun. Mais, par-delà, la vie du héros a-t-elle un sens ? Le récit est profondément ancré dans les jeux littéraires alors en vogue dans les cours princières.

Le «sens» en est enfin bien singulier : l'aventure suit le cheminement d'une quête double, ambivalente et cependant méconnue de celui même qui la poursuit, persuadé «ne rien chercher d'autre que retrouver la reine». Le chevalier ignore, ou veut ignorer, la dimension collective de son aventure.

La richesse d'un tel récit, pour le lecteur moderne comme pour le lecteur médiéval, tient dans sa «conjointure», ce prodigieux agencement de sept mille vers tissés de péripéties multiples, liées les unes aux autres, échos réitérés de loin en loin : aucun détail de ce merveilleux ensemble n'est gratuit.

La fortune nouvelle que connut le Lancelot en prose au xiiie siècle atteste le succès que rencontra le héros en son temps. Dès la naissance du roman en prose (vers 1220), la gigantesque trilogie Lancelot-Graal reprend à sa charge l'ensemble des aventures arthuriennes et installe Lancelot au centre de cette vaste fresque construite sur le mode biographique. Le ou les auteur(s) ont jugé nécessaire de combler vides et ellipses laissés par le narrateur-poète du xiie siècle et de doter Lancelot d'un passé et d'un devenir. Passant du vers à la prose, le récit subit de considérables amplifications.

Au cœur d'une œuvre majeure, ce «roman» n'en est pas un, il est beaucoup plus : merveilleux et poésie, humour et sérieux. À la différence du roman en prose, le récit de Chrétien suspend le temps, le temps de «quelques pas» dans la vie de Lancelot. Riche succession de tableaux, cette lecture est une fabuleuse mise en images.

Lancelot franchit le Pont de l'Épée.
Coffret d'ivoire du XIIIᵉ siècle. Londres, Victoria and Albert Museum.

AVERTISSEMENT

Le manuscrit

Nous avons retenu l'édition bilingue de Charles Méla (« Lettres Gothiques ») comme référence pour le texte original. Nous conformant à la majorité des critiques, nous avons ainsi travaillé sur le texte de la copie de Guiot tel qu'il a été usuellement retenu. Seules deux variantes diffèrent du texte original cité en référence, ces quelques vers paraissant ici appelés par le sens.

La traduction

Elle vise à restituer au plus près, et en prose, un texte dont la langue a perdu toute lisibilité pour le lecteur moderne. Ce récit de plus de sept mille vers, destiné à une lecture orale, ne comportait pas d'autre coupe que celles des folios de manuscrit : la grande souplesse de la lecture à haute voix permettait de l'interrompre à volonté entre deux tableaux. La théâtralité est en effet la caractéristique essentielle de ce texte qui se lit comme une succession d'images. C'est pourquoi, dans un objectif de lisibilité, nous avons retenu deux principes :
• *le découpage* : il fournit des repères visuels et nous est apparu comme indispensable pour effectuer une lecture cursive ou fragmentée. Inévitablement arbitraire, il suit toutefois le mouvement du texte. Éléments du décor et succession de tableaux en sont les seuls critères ; les scènes s'agencent en un prologue et treize séquences, comme autant d'actes.

• *la fidélité aux temps verbaux* : le changement de temps est fréquent et le recours au présent de narration usuel. Privilégiant le texte original, nous avons adopté le parti de son oralité et tenté de sauvegarder l'alternance des temps (présent/passé) car elle est un guide précieux : tout changement de temps signe un changement de perspective. Nous avons souhaité placer le lecteur au plus près de la situation du lecteur médiéval et lui rappeler qu'il était surtout auditeur : la succession des différents tableaux lui était ainsi immédiatement perceptible, le passage au présent soulignant les moments qui méritaient le plus d'attention. Ces variations renforcent enfin la tonalité poétique du texte.

Les extraits en langue originale

Il nous a paru nécessaire d'inviter le lecteur « profane » à goûter la saveur du texte et de lui permettre d'apprécier dans leur authenticité les passages clés, que nous reproduisons dans leur version originale. Les extraits sont reproduits en page paire, leur traduction étant présentée en regard, en page impaire.
Prologue : vers 1 à 29 *(pp. 12-13)*
Charrette : vers 321 à 379 *(pp. 22 à 25)*
Passage du Pont de l'Épée : vers 3003 à 3117 *(pp. 88 à 93)*
Premier combat avec Méléagant : vers 3584 à 3757 *(pp. 108 à 117)*
Nuit d'amour : vers 4650 à 4686 *(pp. 138-139)*
Tournoi de Noauz : vers 5963 à 6027 *(pp. 168 à 171)*

it que ma d
de chanpaign
vialt q̃roman
a seue anpraig
ie lanprendrai
mlt uolentie
come cil qui
est suens ant

e quan cil puet el monde ferre
aux rien de losange auant trere
es ter sanpoist antremetre
l iuolsist losenge metre
r deist z iel tesmoignasse
ce est la dame q̃passe
otes celes q̃sont uiuanz
t con li sunt passe les uanz
uante en mai ou en auril
for ie ne sui mie cil

Enluminure pour Le Chevalier de la Charrette *de Chrétien de Troyes. Paris, BNF.*

LE CHEVALIER
DE LA CHARRETTE

LANCELOT

de

CHRÉTIEN DE TROYES

Puis que ma dame de Chanpaigne
Vialt que romans a feire anpraigne,
Je l'anprendrai molt volentiers
4 Come cil qui est cuens antiers
De quanqu'il puet el monde feire
Sanz rien de losange avant treire.
Mes tex s'an poïst antremetre
8 Qui i volsist losenge metre,
Si deïst, et jel tesmoignasse,
Que ce est la dame qui passe
Totes celes qui sont vivanz,
12 Si con les funs passe li vanz
Qui vante en mai ou en avril.
Par foi, je ne sui mie cil
Qui vuelle losangier sa dame,
16 Dirai je : tant come une jame
Vaut de pelles et de sardines,
Vaut la contesse de reïnes?
Naie, je n'en dirai [ja] rien,
20 S'est il voirs maleoit gré mien,
Mes tant dirai ge que mialz oevre
Ses comandemanz an ceste oevre
Que sans ne painne que g'i mete.
24 Del *Chevalier de la charrete*
Comance Crestïens son livre,
Matiere et san li done et livre
La contesse et il s'antremet
28 De panser, que gueres n'i met
Fors sa painne et s'antancïon,

Puisque ma dame[1] de Champagne veut que j'entre-
prenne un récit en français, c'est donc bien volontiers
que je vais me lancer dans cette entreprise, en homme
qui lui est totalement dévoué en tout ce qu'il fait en ce
5 monde, et je le ferai sans chercher à y glisser la moindre
flatterie. Tel autre à ma place se mettrait à l'ouvrage avec
l'intention d'y placer quelque propos flatteur : il dirait
par exemple, et j'en pourrais témoigner, que c'est la
dame qui surpasse toutes les dames de ce monde,
10 comme surpasse les vents la brise qui vente en mai ou en
avril. Par ma foi, je ne suis pas de ceux qui cherchent
l'occasion de flatter leur dame. Dirai-je : autant une
pierre précieuse vaut de perles et de sardoines[2], autant la
comtesse vaut-elle de reines ? Non vraiment, je ne dirai
15 rien de tel, même si c'est bien la vérité, que je le veuille
ou non. Mais je dirai simplement que ses ordres font
plus en cette œuvre que toute imagination ou toute
peine que je pourrais y mettre.

C'est *Le Chevalier de la Charrette* dont Chrétien
20 commence le livre : la comtesse lui en donne l'idée, et lui
entreprend la mise en forme, sans guère y ajouter que sa
peine et son application.

---

1. *dame* : est à entendre ici au sens de « dame suzeraine » et de mécène. Il s'agit de
la comtesse Marie de Champagne, commanditaire de l'œuvre.
2. *sardoines* : pierres précieuses restées à l'état brut.

Questions

Compréhension

• Un acte d'allégeance

1. *Recherchez quelques informations sur la comtesse Marie de Champagne (consultez «Écrire au temps de Chrétien», en fin d'ouvrage). En quoi l'identité de la commanditaire est-elle susceptible d'éclairer la lecture? Quelle est la thématique attendue?*

• Une forme nouvelle : le «roman»

2. *Recherchez ce que signifient les termes «écrivain» et «roman» au XIIᵉ siècle. Caractérisez l'originalité de Chrétien de Troyes.*

3. *«Faire un roman» suppose une plus grande part d'invention qu'une «mise en roman». Ces distinctions sont explicitées par la fin du prologue. Tentez de définir, à partir du texte, la signification nouvelle et originale ici esquissée pour le terme «roman».*

• Un axe directeur fortement suggéré

4. *Comment la thématique courtoise, suggérée par l'allégeance au mécène, est-elle aussi esquissée par la nature et la tonalité du prologue?*

5. *La richesse de ce passage permet de deviner quel sera l'espace choisi pour le récit : indiquez à quel public est destiné ce «conte». Où doit-il être lu? Que savez-vous de l'espace social au XIIᵉ siècle et notamment de la chevalerie?*

Écriture

6. *Ce texte est destiné à une lecture orale : quels indices le montrent?*

7. *En quoi ce texte, dépassant la simple dédicace, est-il un acte d'allégeance (éléments lexicaux et syntaxiques)?*

8. *Analysez la composition de cette entrée en matière. Pourquoi la plus grande partie en est-elle consacrée à l'éloge de la dame, alors que l'auteur se défend de faire le moindre compliment? Quelle peut être la fonction de l'hyperbole dans cette prétendue dénégation de l'auteur (v. 14; l. 12)?*

9. *Comment expliquez-vous la rupture d'énonciation et le changement de ton qui marquent les trois dernières lignes?*

Et il raconte qu'un jour d'Ascension, le roi Arthur avait tenu une cour magnifique et belle, autant qu'il l'aimait, magnificence qui convenait à un roi. Après le repas, le roi ne se leva pas d'entre ses compagnons. La salle était remplie de barons, la reine était là aussi. Il y avait là parmi eux, ce me semble, nombre de belles dames courtoises qui savaient bien s'exprimer en français. Keu[1], qui avait fait le service des tables, mangeait avec les connétables. Alors qu'il était assis à table, surgit un chevalier qui se présenta à la cour revêtu de tout son équipement, armé de pied en cap. C'est dans pareille tenue qu'il s'en vint trouver le roi, assis au milieu de ses barons. Sans le saluer, il lui dit .

— Roi Arthur, je retiens prisonniers des chevaliers, des dames et des jeunes filles attachés à ta terre et à ta maison. Mais ce n'est pas pour te les rendre que je viens t'en porter des nouvelles : je tiens à te dire au contraire, et à te faire savoir, que tu n'as ni la force ni les richesses nécessaires pour pouvoir me les reprendre. Sache-le bien : tu mourras sans jamais avoir pu leur venir en aide.

Le roi répond qu'il est bien obligé de supporter cette situation, s'il ne peut y remédier, mais il en est profondément accablé. Le chevalier feint alors de vouloir s'en aller. Il fait demi-tour, sans s'attarder davantage devant le roi, et gagne la porte de la salle. Cependant il ne descend pas les marches, il s'arrête et, du seuil, il lance ces mots :

— Roi, si par hasard il existe à ta cour un seul chevalier assez digne de ta confiance pour que tu oses lui confier mission de conduire la reine à ma suite, dans ce bois là-bas où je m'en vais, alors je l'y attendrai et je m'engage à te rendre les prisonniers qui sont retenus sur ma terre s'il parvient à me la reprendre, et s'il réussit à la ramener.

Ils furent nombreux dans le palais à entendre ces paroles et toute la cour en fut bouleversée. La nouvelle parvint aux oreilles de Keu, qui mangeait avec les

---

1. *Keu* : le sénéchal. Le sénéchal est le premier officier de la maison royale. Il remplace le roi et dirige l'armée en son absence. Le service de la table est sous la responsabilité du sénéchal. C'est au demeurant une tâche noble à la cour.

officiers de bouche [1]. Il abandonne son repas, se précipite
vers le roi et se met à lui dire, comme en proie à la
60 colère :
— Roi, j'ai longtemps été attaché à ton service, je t'ai
longtemps servi de mon mieux avec loyauté. Maintenant
je prends congé* de toi, je vais m'en aller pour ne plus
jamais te servir : je n'ai ni le vouloir ni l'envie de te servir
65 dorénavant.

Le roi est atterré par ce qu'il entend, mais, s'étant assez
ressaisi pour pouvoir lui répondre, il lui demande aussitôt :
— Parlez-vous sérieusement ou est-ce une plaisanterie ?
70 — Cher roi, mon seigneur, je n'ai nul souci de plaisanter en ce moment ! répond Keu. Mais, je vous l'assure, je
prends congé tout de suite. Je ne vous demande aucune
récompense ni aucun dédommagement pour mon service. C'est ainsi, j'ai pris la décision de partir sans plus
75 attendre.
— Êtes-vous fâché ou contrarié, que vous vouliez ainsi
partir ? dit le roi. Sénéchal, gardez vos habitudes, demeu-
rez à la cour. Sachez-le bien, je n'ai rien en ce monde
que je ne vous donne sur-le-champ pour vous garder.
80 — Sire, c'est inutile, fait-il, même un setier [2] d'or fin par
jour, je ne le prendrais pas.

Voici le roi au comble du désespoir. Il est allé trouver
la reine :
— Dame, fait-il, vous ne savez pas ce que me demande
85 le sénéchal ? Il me demande congé et dit qu'il ne restera
pas davantage à ma cour, j'ignore pourquoi. Mais ce qu'il
ne veut pas faire pour moi, il le fera aussitôt si vous,
vous l'en priez. Allez donc le trouver, ma chère dame !
Puisqu'il ne daigne pas rester pour moi, priez-le de rester
90 pour vous, et, s'il le faut, jetez-vous à ses pieds, car je ne
pourrais plus jamais goûter un instant de bonheur si je
venais à perdre sa compagnie.

Le roi envoie la reine trouver le sénéchal et elle y va.

---

1. *officiers de bouche* : il s'agit des hommes d'armes qui avaient eu la charge du
repas, ce qui est un honneur.
2. *setier* : mesure de capacité pour le grain.

16

Elle le trouva parmi les autres et quand elle fut arrivée
95 devant lui, elle lui dit :

— Keu, vous me voyez très contrariée, il vous faut le
savoir, par ce que l'on m'a rapporté à votre sujet. On m'a
dit, et j'en suis bien triste, que vous voulez quitter le roi.
D'où vous vient cette idée ? Que comptez-vous faire ? Je
100 ne retrouve plus chez vous cette sagesse et cette courtoisie à laquelle vous m'aviez habituée. Je vous prie de
rester, Keu, restez, je vous en prie.

— Dame, fait-il, pardonnez-moi, mais je ne resterai en
aucun cas.

105 Et la reine le supplie à nouveau, de même que tous les
chevaliers. Mais Keu lui dit qu'elle se fatigue en pure
perte. La reine se laisse alors tomber, de tout son haut, à
ses pieds. Keu lui demande de se relever, mais elle dit
qu'elle n'en fera rien : elle ne se relèvera pas tant qu'il ne
110 lui aura pas accordé ce qu'elle veut. Alors Keu promet
qu'il va rester, mais à la condition que le roi lui accorde
par avance tout ce qu'il demanderait, et qu'elle en fasse
de même.

— Keu, répond-elle, quoi que ce soit, nous vous l'ac-
115 corderons, lui comme moi. Maintenant venez, nous
allons lui dire que dans ces conditions vous restez.

Keu suit la reine, ils s'en sont allés trouver le roi :

— Sire, dit la reine, j'ai retenu Keu, mais avec bien du
mal. Je vous le ramène, mais à une condition : vous ferez
120 ce qu'il vous dira.

Le roi laissa échapper un soupir de joie et assura qu'il
satisferait toutes ses exigences.

— Sire, dit alors Keu, sachez ce que je veux et quel est le
don que vous m'avez accordé. Je me considère comme très
125 heureux puisque je l'aurai grâce à vous. Sire, c'est la reine
ici présente que vous avez accepté de me remettre : nous
irons retrouver le chevalier qui nous attend dans la forêt.

Le roi est consterné, mais lui confie néanmoins la mission, car il n'a jamais manqué à sa parole. Mais il le fit à
130 contrecœur et avec grande tristesse, comme on pouvait
le lire sur son visage. La reine était tout aussi consternée.
Tous à la cour disent que la demande de Keu n'est
qu'orgueil, arrogance et folie. Le roi prend la reine par la
main tout en lui disant :

135   – Dame, il vous faut sans conteste partir avec Keu.
Ce dernier de rétorquer :
    – Eh bien! Remettez-la-moi! Ne vous inquiétez pas, je
la ramènerai saine et sauve!
Le roi la lui remet et celui-ci l'emmène.
140   Tout le monde quitte le palais à leur suite, il n'en est
pas un seul qui ne soit très inquiet. Et le sénéchal fut
vite revêtu de son armure, sachez-le, et on eut tôt fait
d'amener son cheval au milieu de la cour; il y avait à
côté un palefroi*, comme il convient à une reine. La reine
145 s'approche de ce palefroi qui n'était ni ombrageux, ni
dur de bouche. Triste et abattue, la reine se met en selle
tout en poussant de profonds soupirs et dit tout bas,
pour ne pas être entendue :
    – Ah, ami, si vous saviez... Jamais, j'en suis sûre, vous
150 ne me laisseriez emmener d'un seul pas sans opposer la
moindre résistance!
    Elle pensait avoir parlé tout bas, mais le comte Gui-
nable, qui se tenait à ses côtés tandis qu'elle montait
en selle, l'avait entendue. Au moment de son départ,
155 ceux qui assistaient à la scène poussèrent des cris aussi
déchirants que s'ils l'avaient vue morte, gisant dans son
cercueil. C'est qu'on ne croit pas qu'elle revienne
jamais de toute sa vie : le sénéchal en proie à son
orgueil l'emmène là où l'autre l'attend. Mais au milieu
160 de l'affliction générale, personne ne se montrait assez
touché pour proposer de les suivre, quand enfin
monseigneur Gauvain prit son oncle à part pour lui
dire :
    – Sire, vous venez vraiment d'agir en enfant et je m'en
165 étonne vivement; mais, si vous vouliez bien me faire
confiance et m'écouter, nous nous lancerions tous deux à
leur poursuite pendant qu'ils sont encore proches. Nous
accompagnera qui voudra. Pour ma part, je ne saurais
plus attendre pour courir après eux : ce serait un singu-
170 lier manque de courtoisie que de ne pas le faire, ne
serait-ce que pour nous assurer du sort réservé à la reine
et voir comment Keu va s'en tirer.
    – Ah, mon cher neveu, allons-y. Vous venez de parler
en vrai chevalier courtois, et puisque vous avez pris l'ini-
175 tiative, à vous de commander : faites sortir les chevaux et

demandez qu'on leur mette frein et selle, ainsi n'aurons-
nous plus qu'à partir.

On a tôt fait de leur amener les chevaux, déjà sellés et
harnachés. Le roi saute en selle le premier, puis c'est au
180 tour de monseigneur Gauvain, et tous les autres enfin de
suivre à qui mieux mieux. Chacun voulait être de la partie, mais chacun selon sa mode : certains portaient leur
armure, la plupart ne la portaient pas. Monseigneur Gauvain, lui, était équipé pour le combat et faisait en outre
185 mener sur sa droite deux destriers* conduits par des
écuyers. Alors qu'ils approchaient de la forêt, ils en
virent surgir le cheval de Keu. Ils l'ont bien reconnu et
ont vu que les rênes étaient toutes deux cassées. Le cheval avançait sans cavalier : l'étrivière* était tachée de sang
190 et, à l'arrière de la selle, l'arçon* avait été brisé et mis en
pièces. L'inquiétude se lisait dans tous les regards, on
échangeait des signes, on se poussait du coude.

Monseigneur Gauvain chevauchait bien loin devant,
précédant toute l'équipée. Il ne tarda guère à voir venir
195 un chevalier, au pas, sur un cheval harassé de fatigue,
haletant et ruisselant de sueur. Le chevalier salua le premier : monseigneur Gauvain lui rendit son salut. Et le
chevalier, qui avait reconnu monseigneur Gauvain, s'ar-
rêta et lui dit :
200   — Seigneur, vous le voyez, mon cheval est tout ruisselant de sueur et n'est plus bon à rien. Ces deux destriers,
je crois, sont à vous : puis-je vous demander de me prêter ou me donner l'un des deux, celui que vous voulez?
Je saurai vous remercier de ce service, vous en avez ma
205 parole.

— Choisissez donc celui qui vous plaît le mieux,
répondit monseigneur Gauvain. Mais le chevalier, qui en
avait si grand besoin, ne s'attarda pas à chercher quel
était le meilleur, le plus grand ni le plus fort. Il eut tôt
210 fait de monter sur celui qui était le plus proche de lui et
de le lancer promptement au galop, abandonnant là le
sien qui s'écroula, mort, tant il l'avait fatigué et surmené
ce jour-là. Sans jamais s'arrêter, le chevalier s'en va tout
armé dans la forêt tandis que monseigneur Gauvain se
215 lance à sa poursuite et le pourchasse avec acharnement
jusqu'au bas d'une colline. Après avoir longtemps galopé,

le voilà qui retrouve mort le destrier* qu'il avait donné au chevalier. Il s'aperçut que tout autour le sol était piétiné, labouré de traces de sabots, et jonché de débris de lan-
220 ces* et d'écus* brisés. Selon toute vraisemblance, plusieurs chevaliers s'étaient livré là une belle bataille. Mécontent de ne pas en avoir été, il ne s'attarda pas et préféra poursuivre à vive allure. Le hasard lui fit alors retrouver le chevalier tout seul, à pied, en armes*, le
225 heaume* lacé, l'écu au cou, l'épée ceinte. Il venait de rejoindre une charrette.

Miniature pour Lancelot du Lac. *Manuscrit français du XIIIe siècle. Paris, bibliothèque de l'Arsenal.*

[ARMURE] — 84 —

figures 8 et 9, cependant nous les classons ici parce qu'ils montrent la manière de mettre la cotte de mailles ou la broigne de la fin du XIIᵉ siècle, aussi bien que celle du XIIIᵉ.

Le beau *Psautier* latin de la Bibliothèque nationale, de 1200 [1],

13

montre, dans une de ses miniatures, un Goliath armé comme un chevalier des premières années du XIIIᵉ siècle. Son haubert de mailles (fig. 13) est court, fendu en quatre au bas, avec bordure ornée. Le camail est disposé comme celui présenté figure 8. Le hiaumet est pourvu d'un nasal fixe. L'écu est long, en amande, l'épée large au talon. Les jambes sont garnies de mailles sur le tibia, lacées par

Description de l'armure d'un chevalier du XIIᵉ siècle.

21

De ce servoit charrete lores
Don li pilori servent ores,
Et en chascune boene vile,
324 Ou or on a plus de III mile,
N'en avoit a cel tans que une,
Et cele estoit a ces comune,
Ausi con li pilori sont,
328 Qui traïson ou murtre font,
Et a ces qui sont chanp cheü,
Et as larrons qui ont eü
Autrui avoir par larrecin
332 Ou tolu par force an chemin.
Qui a forfet estoit repris,
S'estoit sor la charrete mis
Et menez par totes les rues,
336 S'avoit totes enors perdues,
Ne puis n'estoit a cort oïz
Ne enorez ne conjoïz.
Por ce qu'a cel tens furent tex
340 Les charretes et si cruex,
Fu premiers dit : Quant tu verras
Charrete et tu l'ancontreras,
Fei croiz sor toi et te sovaigne
344 De Deu, que max ne t'an avaigne.
Li chevaliers a pié, sanz lance,
Aprés la charrete s'avance
Et voit un nain sor les limons,
348 Qui tenoit come charretons
Une longue verge an sa main
Et li chevaliers dit au nain :
«Nains, fet il, por Deu, car me di
352 Se tu as veü par ici
Passer ma dame la reïne.»
Li nains cuiverz de pute orine
Ne l'en vost noveles conter,
356 Einz li dist : «Se tu viax monter
Sor la charrete que je main,
Savoir porras jusqu'a demain
Que la reïne est devenue.»
360 Tantost a sa voie tenue,
[Qu'il ne l'atant ne pas ne ore.

22

Les charrettes avaient alors le même usage que les piloris de nos jours. Dans chaque bonne ville où on en trouve aujourd'hui plus de trois mille, on n'en comptait
230 alors qu'une seule : tout comme nos piloris aujourd'hui, elle servait aussi bien pour les traîtres que pour les assassins, les vaincus en combat judiciaire, les voleurs et les bandits de grand chemin. Tout criminel pris sur le fait était mis sur la charrette et promené par toutes les rues.
235 Il s'était mis tout entier hors la loi, n'était plus admis à la cour, et ne recevait plus marques d'honneur ni de bienvenue. Voilà le triste emploi des charrettes en ce temps-là, et ce fut l'origine de ce dicton ; «*Quand charrette verras et rencontreras, fais ton signe de croix et de*
240 *Dieu souviens-toi, qui du malheur te gardera.*» Le chevalier, qui n'avait plus ni monture ni lance•, s'approche de la charrette et aperçoit un nain installé sur les brancards, tenant une longue baguette à la main comme le font les charretiers. Il l'interpelle :
245 – Nain, pour l'amour de Dieu, dis-moi donc si tu as vu passer par ici ma dame la reine.

Ce nain ignoble, misérable engeance, ne voulut pas lui répondre. Au lieu de cela, il se contenta de lui dire :

– Si tu veux monter dans ma charrette, tu pourras savoir
250 d'ici demain ce que la reine est devenue. Sur ces mots, il continua son chemin sans l'attendre même un instant.

Tant solemant deus pas demore.]
Li chevaliers que il n'i monte.
364 Mar le fist et mar en ot honte
Que maintenant sus ne sailli,
Qu'ils s'an tendra por mal bailli.
Mes Reisons, qui d'Amors se part,
368 Li dit que del monter se gart,
Si le chastie et si l'anseigne
Que rien ne face ne anpreigne
Dom il ait honte ne reproche.
372 N'est pas el cuer mes an la boche
Reisons qui ce dire li ose,
Mes Amors est el cuer anclose,
Qui li comande et semont
376 Que tost an la charrete mont.
Amors le vialt et il i saut,
Que de la honte ne li chaut
Puis qu'Amors le comande et vialt.

Et le temps seulement de faire deux pas, le chevalier hésite un peu avant de monter : ce fut bien là son malheur! Comme il a eu tort d'hésiter et d'avoir honte! Il
255 aurait dû au contraire bondir immédiatement dans la charrette. Comme il va le payer cher! Mais c'est que Raison, qui s'oppose à Amour, lui dit de bien se garder de monter. Elle le chapitre et le sermonne : qu'il n'aille surtout pas s'engager dans quelque mauvaise situation qui
260 lui vaudrait un jour blâme et déshonneur! Ce n'est pas du fond du cœur, mais de la bouche que Raison se hasarde à parler ainsi. Amour au contraire, en son cœur enclos, le presse de monter au plus vite dans la charrette. Amour le veut : le chevalier s'y élance d'un bond. Peu lui
265 importe la honte puisque tel est le bon vouloir d'Amour.

Lancelot monte dans la charrette conduite par le nain.
Miniature du xiv siècle. Paris, BNF.

Monseigneur Gauvain, piquant des deux, se lance à vive allure à la poursuite de la charrette. En y trouvant assis le chevalier, il demeure d'abord stupéfait, puis, se tournant vers le nain, il l'interroge :

270 – Nain, dis-moi ce qui est arrivé à la reine, si tu le sais.

Et le nain de répondre :

– Si tu éprouves pour toi-même autant de haine que ce chevalier assis dans ma charrette, alors monte avec lui
275 si tu en as envie, je t'emmènerai avec lui.

En l'entendant, monseigneur Gauvain jugea que c'était folie et refusa tout net : quel marché de dupes que d'échanger son cheval contre une charrette!

– Mais va donc! Tu pourras bien aller où tu veux, je te
280 suivrai partout où tu iras, lance-t-il.

Sur ces mots, ils se mettent en route : l'un à cheval, les deux autres sur la charrette, ils allaient de concert. À la tombée de la nuit, ils arrivèrent devant un château, et ce château, sachez-le, était aussi imposant que beau. Ils
285 entrent tous trois par l'une des portes. Au spectacle du chevalier ainsi véhiculé par le nabot, la stupéfaction se peint sur les visages, mais les gens du château, au lieu de chercher discrètement plus ample information, se mettent à le couvrir d'insultes : ce fut un concert de
290 huées, tous, petits et grands, vieillards comme enfants, l'escortent à grands cris à travers le dédale des rues. Le chevalier entend pleuvoir sur lui quolibets et injures. Et tous d'interroger. «À quel supplice va-t-on livrer ce chevalier? Va-t-il être écorché vif, pendu, noyé ou bien brûlé
295 sur un bûcher d'épines? Dis-le-nous, nain, dis-le, toi qui le traînes ainsi dans ta charrette, de quel crime l'a-t-on trouvé coupable? Est-il convaincu de vol? Est-ce un assassin, ou le vaincu d'un combat judiciaire?»

Le nain garde un silence total, ne répond ni oui ni
300 non. Il conduit le chevalier au logis• qui l'attend pour la nuit, tandis que Gauvain le suit de près. Il se dirige vers une tour qui, d'un côté, donnait de plain-pied dans la ville; de l'autre côté, elle dominait des prairies en contrebas, car elle était bâtie sur la crête d'un grand rocher
305 brun taillé à pic sur toute sa hauteur. Gauvain, toujours à cheval, pénètre dans la tour à la suite de la

charrette. Dans la salle, ils rencontrèrent une demoiselle
à la mise fort élégante et d'une beauté sans égale dans
toute la contrée. Ils voient s'approcher avec elle deux
310 belles et gracieuses demoiselles. Sitôt qu'elles virent monseigneur Gauvain, elles vinrent le saluer en lui faisant
chaleureux accueil. Elles tentèrent bien de savoir qui
était ce chevalier :
— Nain, quel crime a donc commis ce chevalier que tu
315 mènes comme s'il était impotent?
Le gueux se refuse à toute explication. Il se contente
de faire descendre le chevalier de la charrette, puis
tourne les talons. On ne sut pas où il était parti. Monseigneur Gauvain, à son tour posa pied à terre, et des
320 valets* s'empressèrent de venir leur ôter leur armure. La
demoiselle leur fit apporter deux manteaux doublés de
vair* qu'ils revêtirent. À l'heure du souper, ils trouvèrent
un repas soigneusement préparé. La demoiselle prit place
à côté de monseigneur Gauvain. Ils auraient bien pu aller
325 chercher ailleurs meilleur accueil : c'eût été en pure
perte! Toute la soirée la demoiselle s'employa en effet à
leur dispenser force égards et amabilités, leur tenant
compagnie de la plus charmante manière. Quand la veillée eut assez duré, on leur prépara deux lits, hauts et
330 longs, au milieu de la salle; à côté, il y en avait déjà un
autre, plus grand et plus luxueux : si l'on en croit le
conte, ce lit promettait tous les délices imaginables. À
l'heure du coucher, la demoiselle conduisit ses deux
hôtes vers les deux beaux lits spacieux qu'elle leur dési-
335 gna en précisant :
— C'est à votre intention que l'on a préparé ces deux
lits que voilà. Mais quant à celui qui se trouve de ce
côté-ci, personne ne s'y couche qui ne l'ait d'abord
mérité. Il n'est pas pour vous.
340 Et le chevalier, celui qui était arrivé dans la charrette,
de répliquer aussitôt qu'il faisait fi de l'interdiction de la
demoiselle :
— Dites-moi pour quelle raison ce lit nous est interdit,
demanda-t-il. La demoiselle n'eut pas à réfléchir, car elle
345 avait déjà une réponse toute prête :
— Ce n'est sûrement pas à vous de poser des questions! Tout chevalier qui est monté sur une charrette est

déshonoré par le monde entier. Il serait donc particulièrement malvenu de sa part de se mêler de ceci et plus
350 encore de prétendre prendre ce lit. Il pourrait avoir à
s'en repentir bien vite. Ce n'est certainement pas pour
que vous y dormiez que je l'ai fait si magnifiquement
préparer. Voilà qui vous coûterait cher, quand bien
même vous n'en auriez eu que l'intention.
355   – Eh bien, c'est ce que vous verrez d'ici peu! répliqua-
t-il.
       – Ce que je verrai?
       – Oui, parfaitement.
       – Alors, on va bien voir.
360   – Sur ma tête, je ne sais qui va devoir s'en repentir, dit
le chevalier. Mais, à qui n'en déplaise, j'ai la ferme intention de coucher dans ce lit et de m'y reposer à mon aise.
       À peine avait-il enlevé ses chausses* qu'il s'étendit dans
ce lit, plus long et plus haut que les autres d'une demi-
365 aune. Il se glissa sous une couverture de soie jaune
constellée d'or. La doublure, loin d'être une vulgaire
fourrure de vair* toute râpée, était en pure zibeline.
C'était vraiment une couverture digne d'un roi qu'il avait
sur lui! Et quant à la couche, ce n'était certainement pas
370 du chaume, de la paille ni de vieilles nattes que l'on avait
utilisés pour la faire.
       À minuit, une lance* jaillit comme la foudre des lattes
du toit, la lame pointée vers le bas . elle faillit lui traverser le flanc de part en part, cousant en quelque sorte le
375 chevalier à la couverture, aux draps blancs et à la couche
sur laquelle il était étendu. Cette lance portait un pennon
enflammé : le feu prit à la couverture, aux draps, puis
gagna tout le lit. Le fer de la lance, lui, frôle le chevalier
au côté, lui enlevant un peu de peau sans le blesser
380 vraiment. Le chevalier s'est redressé, il éteint le feu, et
saisit la lance qu'il jette au beau milieu de la salle. Il
n'a pas quitté son lit pour autant : il s'est recouché, au
contraire, et a retrouvé un sommeil aussi paisible que
précédemment.

Questions

Compréhension

• **La cour du roi Arthur (l. 23 à 35)**

1. *Quels sont les contrastes qui, d'emblée, peuvent surprendre le lecteur?*

2. *D'après les indices relevés dans le texte, tentez de définir le code qui règle la vie à la cour du roi Arthur.*

• **Le défi du chevalier arrogant (l. 36 à 177)**

3. *Comment concevez-vous l'attitude du roi? Pouvez-vous tenter d'en trouver une explication en vous référant aux usages féodaux alors en vigueur? À ce propos, reportez-vous à l'article « Chevalier » de l'Index thématique.*

4. *Keu est l'un des personnages bien connus de la cour du roi Arthur. L'auteur fait allusion à son mauvais caractère : en quoi est-ce important ici?*

5. *Le don contraignant est un motif récurrent de ce récit. Quelle définition pouvez-vous en esquisser à la lecture de ce seul passage?*

6. *Qui peut être tenu pour le vrai responsable de l'enlèvement de la reine?*

• **La forêt (l. 178 à 226)**

7. *Comment l'auteur suscite-t-il l'inquiétude et crée-t-il le suspense?*

8. *Pourquoi le chevalier suscite-t-il un tel intérêt chez Gauvain, au point que ce dernier se lance à sa poursuite? Comment interpréter le regret de Gauvain de n'avoir pas pris part au combat?*

• **La charrette (l. 227 à 320)**

9. *Commentez l'image évoquée par le titre à partir de cet épisode. En quoi la charrette représente-t-elle l'antithèse des valeurs chevaleresques?*

10. *Le débat allégorisé d'Amour et de Raison : où vont les préférences de l'auteur?*

Écriture

• **La charrette (l. 227 à 320)**

11. *Analysez ou justifiez la variation des procédés d'écriture : on passe sans transition d'une narration qui ménage les effets de*

surprise à une description interrompue par une longue parenthèse d'auteur (l. 227 à 240).

12. *L'épisode de la charrette a donné son titre au récit. Quelle impression l'auteur parvient-il à créer ici? par quels procédés (éléments de description, énonciation* discours)?*

13. *Mettez en évidence le caractère impressionniste de la description de la charrette.*

14. *La présence de l'auteur: quel est l'intérêt de cette longue parenthèse (l. 227 à 240), tant pour le lecteur moderne que pour le lecteur-auditeur contemporain de Chrétien de Troyes?*

● **Le lit périlleux (l. 320 à 385).**

15. *L'habileté de l'auteur-conteur: observez les lignes 372 à 385: quel est l'effet produit? Quelle est la fonction de ce passage pour la suite du récit?*

Moine écrivant. Miniature d'un lectionnaire de Saint-André-du-Cateau, fin du XIe siècle.

Bilan

L'action

• Ce que nous savons

Une fête réunit la cour du roi Arthur. L'irruption d'un chevalier inconnu, fort arrogant, interrompt soudain les réjouissances : il annonce au roi qu'il retient prisonniers nombre de ses gens et ne les libérera que s'il accepte son défi. Ce défi, malheureusement, engage la reine : le sénéchal Keu le relève par bravade et perd contre l'inconnu en combat singulier. Il est donc fait prisonnier avec la reine, qu'il escortait : la scène se déplace de la cour vers la forêt. Gauvain, le neveu d'Arthur, entreprend de les poursuivre et distance si bien ses compagnons que l'espace du récit se referme autour de lui : la cour et le roi sont momentanément oubliés.

Au premier plan ne restent que les deux héros de ce récit d'aventures qui commence : Gauvain et un mystérieux chevalier qu'il vient de rencontrer. Tous deux sont à la recherche de la reine. C'est le début de leurs aventures et l'amorce d'un récit de chevalerie. Seul trait insolite, le déshonneur qu'accepte d'emblée le mystérieux chevalier : il monte dans une charrette, comme un criminel, et donne dès lors une étrange coloration à la quête chevaleresque. Le rideau du premier jour tombe sur ces deux étranges « compagnons » de route : le gîte de la nuit est le théâtre d'un prodige qui présage bien des péripéties pour la suite de leurs aventures.

• À quoi nous attendre ?

1. La thématique courtoise, suggérée par le nom du mécène, laisse présager un motif amoureux. Quels en sont les premiers indices ?

2. L'espace du récit est bien circonscrit : l'auteur met en scène des chevaliers à la cour du roi Arthur, temps mythique. Il est donc facile d'imaginer la transposition naturellement opérée : Chrétien de Troyes peut aisément emprunter ses personnages au milieu de cour du XIIe siècle.

3. Le ton du récit est défini : ce sera un récit d'aventures chevaleresques. La charrette donne toutefois un caractère inhabituel à ce type de récit : quelle en sera la conséquence, du point de vue du sens à donner à l'œuvre ?

4. Quel est ici le motif de la quête chevaleresque ?

Les personnages

• Ce que nous savons

Arthur, le roi, est à peine entrevu. Ses «premiers» chevaliers lui portent assistance, comme il se doit : Keu, le sénéchal, orgueilleux et impulsif, conduit finalement la reine à sa perte pour avoir été trop audacieux. Son rôle est aussitôt occulté pour faire place à Gauvain, le neveu du roi. Chevalier vaillant et sensé, ce dernier sait où est son devoir et se substitue au roi pour le défendre, le servir et partir rechercher la reine.

Chevalier dévoué, il est décontenancé par l'attitude insolite d'un mystérieux chevalier rencontré en forêt : vaillant, rapide à la course et résistant au combat, il paraît poursuivre la même quête que lui. Il serait un parfait chevalier s'il ne manquait gravement au code de l'honneur : il accepte de monter dans la charrette des réprouvés et brave, le soir, les lois de l'hospitalité.

La charrette, troisième personnage en quelque sorte, est le premier guide des deux héros sur la droite voie de leur aventure. Première péripétie, elle est une terrible marque d'infamie.

• À quoi nous attendre?

1. La charrette impose une évolution nécessaire pour le chevalier mystérieux : laquelle?

2. Les deux chevaliers paraissent ne pas se connaître et pourtant ils poursuivent une même quête. Que pouvons-nous dès lors attendre de leur rencontre?

3. La Lance merveilleuse est un premier signe pour désigner un chevalier hors du commun. Que laisse augurer, pour la suite de ses aventures, la particularité de ce personnage ainsi distingué tant par un signe d'élection que par le sceau du déshonneur?

385 Le lendemain matin au lever du jour, la demoiselle de la tour, qui leur avait fait préparer une messe, les fit réveiller et se lever. Quand on leur eut chanté la messe, le chevalier, celui qui s'était assis dans la charrette, s'approcha des fenêtres qui donnaient sur la prairie et, perdu
390 dans ses pensées, il parcourait du regard les prés en contrebas. La jeune fille était venue à la fenêtre voisine et écouta un bon moment les propos qu'en secret messire Gauvain lui tenait à voix basse. J'ignore de quoi ils parlaient; mais, tandis qu'ils étaient ainsi à la fenêtre, ils
395 virent soudain passer en bas dans la prairie, le long de la rivière, une litière. Un chevalier y était couché. À côté, trois demoiselles pleuraient et se répandaient en lamentations. La litière était suivie d'un cortège mené par un chevalier de grande taille qui conduisait une belle dame
400 à sa gauche. De la fenêtre le chevalier la reconnut : c'était la reine! Alors il ne cessa plus de la suivre du regard, aussi longtemps qu'il le put, à la fois subjugué et charmé par cette vision. Quand il lui fut devenu impossible de la voir, il voulut se laisser tomber dans le vide : penché à la
405 fenêtre, il basculait déjà à demi, quand monseigneur Gauvain l'aperçut, le tira en arrière et lui dit :
   – De grâce, monseigneur, calmez-vous. Par Dieu, n'allez plus jamais vous mettre en tête de faire pareille folie! Vous avez bien tort de haïr votre vie.
410   – Mais non, il a raison, interrompit la demoiselle. Le bruit de son triste sort ne s'est-il pas répandu partout? Maintenant qu'il est monté dans la charrette, il ne peut plus que souhaiter la mort : mieux vaut pour lui être mort que vif, car sa vie est désormais vouée à l'opprobre
415 et au malheur.
   Sur ces mots les chevaliers demandèrent leurs armures et s'en revêtirent. La demoiselle leur consentit alors un beau geste, noble et généreux : en gage de sympathie et d'amitié, elle offrit un cheval et une lance* au chevalier
420 qu'elle avait tant raillé et rudoyé. Les chevaliers prirent tous deux congé* en hommes courtois et bien élevés. Après avoir salué la demoiselle, ils se mettent en route dans la direction suivie par le cortège. Mais cette fois ils sortirent du château sans être interpellés par quiconque.
425 Ils se hâtent vers l'endroit où ils avaient vu passer la

reine. Toutefois ils n'ont pas pu rattraper le cortège, lancé
à bride abattue. Ils quittent les prés pour entrer dans un
plessis[1] où ils trouvent un chemin empierré. Ils l'ont
suivi longtemps dans la forêt. On était peut-être déjà aux
430 premières lueurs du jour quand ils rencontrèrent une
demoiselle à un carrefour. Ils la saluent tous deux et chacun la prie, l'implore même de leur dire où la reine a été
emmenée, si par hasard elle le savait. Elle leur répond
avec finesse :
435 — Si vous vous engagiez à me faire certaine promesse,
je pourrais alors sûrement vous mettre sur le bon chemin
et vous indiquer la direction à suivre ; je pourrais même
vous indiquer le nom du pays où elle va et celui du chevalier qui l'emmène. Ce serait toutefois une entreprise
440 très difficile que de vouloir entrer dans ce pays. Avant de
réussir à y entrer, qui essaierait de le faire connaîtrait de
rudes épreuves.
Monseigneur Gauvain de répliquer :
— Demoiselle, devant Dieu, je vous le promets sans
445 réserve : quand bon vous semblera, je me mettrai à votre
service et ferai pour vous tout ce qui est en mon pouvoir.
Dites-moi seulement la vérité.
Pour ce qui est du chevalier qui était dans la charrette,
il ne dit pas seulement, lui, qu'il promet tout ce qui est
450 en son pouvoir : fort de l'audacieuse générosité que lui
souffle Amour, il affirme bien haut qu'il s'engage plutôt à
faire tout ce qu'elle voudra, sans la moindre hésitation, et
il s'en remet à son bon désir.
— Je vais donc tout vous dire, répond la demoiselle,
455 qui commence son récit : par ma foi, seigneurs, c'est
Méléagant qui l'a prise. C'est un chevalier d'une taille et
d'une force hors du commun, fils du roi de Gorre, et il
l'a conduite au royaume d'où nul étranger ne revient
jamais : tous sont contraints d'y rester, condamnés à la
460 servitude et à l'exil.
Ils la pressent à nouveau de questions :

---

1. *plessis* : enclos, portion de forêt entourée d'une haie vive.

– Demoiselle, où se trouve donc ce pays ? Où en trouver le chemin ?

– Je vais vous le dire, répond-elle. Mais, sachez-le,
465 vous allez rencontrer nombre d'obstacles et de pièges, car il n'est pas aisé d'y entrer sans l'autorisation du roi, qui s'appelle Bademagu. On peut toutefois y accéder par deux passages aussi dangereux et terrifiants l'un que l'autre. On appelle le premier le Pont sous l'Eau, parce
470 qu'il est totalement immergé ; il y a autant d'eau au-dessus qu'au-dessous de ce pont, ni plus ni moins ; il se trouve exactement à mi-profondeur et ne mesure pas plus d'un pied et demi de large, tout autant qu'en épaisseur. Voilà un mets qu'il vaut mieux refuser ! C'est toute-
475 fois le moins dangereux des deux. Encore que je vous passe nombre d'aventures qui peuvent arriver entre les deux. L'autre pont est bien pire et de loin le plus dangereux : personne ne l'a jamais franchi, il est tranchant comme le fil d'une épée. C'est pourquoi tout le monde le
480 connaît sous le nom de Pont de l'Épée. Voilà, je vous ai dit toute la vérité, autant que je le puis.

Mais ils l'interrogent encore :

– Demoiselle, si vous le voulez bien, montrez-nous ces deux chemins.

485 – Voici le chemin qui mène tout droit au Pont sous l'Eau, tandis que celui-là conduit au Pont de l'Épée, répond-elle.

Le chevalier qui avait été charretier fait alors cette proposition :

490 – Seigneur, c'est sans arrière-pensée que je vous offre le choix : prenez l'un de ces deux chemins et laissez-moi l'autre. Prenez celui que vous préférez.

– Par ma foi, répond monseigneur Gauvain, ils sont tous deux bien dangereux et risqués. Je ne peux pas faire
495 pareil choix de manière raisonnable. Je ne sais trop lequel prendre. Mais je ne peux pas vous faire attendre alors que vous m'avez laissé choisir : je me décide pour le Pont sous l'Eau.

– C'est donc à moi qu'il revient d'aller au Pont de
500 l'Épée, sans plus épiloguer, rétorque le second, voilà qui me convient.

Le moment est venu de se séparer tous les trois. C'est

très sincèrement que les deux chevaliers se recommandent mutuellement à Dieu. Les voyant sur le
505 point de partir, la demoiselle leur rappelle leur
promesse :
— Chacun de vous me doit une récompense, quand il
me plaira de le demander, ne l'oubliez pas!
— Non, nous ne l'oublierons pas, chère amie,
510 répondent-ils d'une seule voix.
Chacun part alors de son côté. Celui de la charrette
s'abîme dans ses pensées, en homme qui n'a ni force
ni défense envers Amour son maître. Il est tellement
pris par ses pensées qu'il en vient à oublier qui il est :
515 il ne sait plus s'il est ou s'il n'est pas, il a oublié son
nom, il ne sait plus s'il est armé ou non, il ne sait où
il va ni d'où il vient. Il ne se souvient de rien, sinon
d'une seule personne, qui lui a fait oublier toutes les
autres. À elle seule il pense si profondément qu'il n'en-
520 tend, ne voit ni ne comprend plus rien. Pendant ce
temps, son cheval l'emporte à vive allure, évitant
détours et mauvais chemins, coupant au plus droit.
Son galop le conduit d'aventure dans une lande où se
trouvait un gué. Sur l'autre rive, un chevalier en
525 armes• montait la garde. Une demoiselle, venue sur un
palefroi•, se tenait à ses côtés. L'heure de none• était
déjà passée, mais le chevalier restait enfermé dans ses
pensées, sans s'en laisser distraire et sans donner le
moindre signe de fatigue. Le cheval, qui avait grand
530 soif, aperçoit la belle eau claire du gué et court aussitôt dans cette direction. Celui qui se trouvait sur
l'autre rive s'écrie :
— Chevalier, je suis le gardien de ce gué et je vous
interdis d'y passer.
535 Mais le chevalier ne le comprend ni ne l'écoute, il était
perdu dans ses pensées. Pendant ce temps son cheval
s'est élancé vers l'eau. L'autre lui crie de l'écarter du gué,
disant que ce serait plus prudent de sa part, car on ne
passait pas par là. Il jure sur sa propre vie qu'il le frappe-
540 rait s'il venait à entrer dans le gué. Mais le chevalier ne
l'entend pas. Et le gardien de s'époumonner pour la troisième fois :
— Chevalier, ne vous engagez pas dans le gué, ne

bravez pas mon interdiction, sinon, je le jure sur ma tête,
545 je vous attaquerai dès que je vous verrai y entrer.

Toujours absorbé dans ses pensées, le chevalier ne
l'entend pas davantage. Sur ces entrefaites, le cheval,
abandonnant la rive, a sauté à l'eau et se met à boire à
grands traits. L'autre le prévient : il va le payer, son écu•
550 ne suffira plus désormais à le protéger, ni le haubert•
qu'il a sur le dos. Il lance aussitôt son cheval, le pousse à
plein galop et, lui assenant un coup terrible, il fait tomber au beau milieu du gué le chevalier qui avait osé braver son interdiction. Sa lance• et son écu en furent tous
555 deux projetés dans un même envol. Au contact de l'eau,
le chevalier sursaute : il se relève d'un bond, complètement hébété, exactement comme quelqu'un qui vient de
se réveiller : il entend, il voit, et il se demande qui a bien
pu le frapper. Apercevant soudain le chevalier gardien du
560 gué, il lui crie alors :

— Vassal•, pourquoi m'avez-vous frappé ? dites-le-moi.
Je ne savais seulement pas que vous étiez là devant moi
et je ne vous avais rien fait de mal.

— Que si, par ma foi ! Ne vous êtes-vous pas assez
565 moqué de moi ? Je vous avais pourtant à trois reprises
interdit le passage du gué, hurlant aussi fort que je le
pouvais pour vous en avertir. Allons, vous m'avez bien
entendu vous prévenir, au moins deux fois si ce n'est
trois. Et cependant vous y êtes entré, malgré mes aver-
570 tissements. Je vous avais bien dit que je vous attaquerais
aussitôt si je vous voyais avancer dans l'eau.

La riposte du chevalier ne se fait pas attendre :
— Au diable donc qui vous a jamais vu ou entendu, et
que je sois maudit moi-même ! C'est bien possible que
575 vous m'ayez interdit le gué, mais alors j'étais plongé dans
mes pensées. Mal vous en a pris d'agir ainsi, sachez-le, et
vous le verriez bien si seulement, d'une main, je pouvais
vous saisir par la bride de votre cheval !

— Et que m'arriverait-il donc ? Tu vas pouvoir le faire
580 tout de suite si tu oses l'attraper. Tes menaces emplies
d'orgueil ne valent pas plus à mes yeux qu'une poignée
de cendres.

— Je ne demande pas mieux, rétorque notre chevalier.
Quoi qu'il arrive, je voudrais déjà te tenir.

585   L'autre s'avance alors au milieu du gué : notre chevalier le saisit de la main gauche par la rêne et de la main
droite par la cuisse. Il le traîne, le tire et l'étreint si fort
que son assaillant en gémit, croit qu'on lui arrache la
cuisse du corps. Il le supplie d'arrêter, implorant :

590   – Chevalier, s'il te plaît, combattons d'égal à égal.
Prends ton bouclier, ton cheval et ta lance•, et battons-
nous en combat singulier.

    – Par ma foi, je n'en ferai rien, car je suis persuadé
que tu vas t'enfuir dès que je t'aurai relâché.

595   L'autre se sentit offensé de l'entendre parler ainsi, et
renouvela sa proposition :

    – Chevalier, sois sans crainte, monte sur ton cheval. Je
t'en donne loyalement ma parole, je ne vais pas chercher
à m'enfuir. Tes propos sont une insulte, tu m'as offensé.

600   Notre chevalier de reprendre :

    – Alors, jure-le-moi, fais-m'en d'abord le serment!
Jure-moi, je l'exige, de ne pas prendre la fuite en t'esqui-
vant, et de ne pas me toucher ni t'approcher de moi
avant de me voir en selle. Je fais déjà preuve d'une belle

605 générosité en te laissant repartir alors que je te tiens!

    Il jura donc, car il n'avait pas le choix. Rassuré par ce
serment, notre chevalier va reprendre son écu• et sa
lance qui flottaient au milieu du gué et avaient déjà été
entraînés loin vers l'aval. Il revient ensuite chercher son

610 cheval. Quand ce fut fait et qu'il fut de nouveau en
selle, il saisit le bouclier par les courroies et place sa
lance en appui sur le feutre•. Ils se précipitent alors
l'un vers l'autre à grand galop. Le chevalier du gué
attaque le premier son adversaire et ses coups sont

615 d'une telle violence qu'il en fait voler sa lance en éclats.
Le second riposte si bien qu'il l'envoie s'écraser au
milieu du gué où il disparaît sous l'eau qui se referme
sur lui. Notre habile chevalier recule alors et descend de
cheval : il se sentait bien de taille à chasser devant lui

620 cent autres individus de cette espèce. Il dégaine son
épée d'acier tandis que l'autre, se relevant d'un bond,
tire à son tour la sienne, une épée bonne et flam-
boyante. Les voilà luttant corps à corps. L'or des écus
étincelle quand ils les tendent au-devant d'eux pour s'en

625 protéger. On voit les épées à l'œuvre, elles ferraillent

sans trêve ni repos. Ils n'hésitent pas à se donner
des coups terribles. Mais la bataille se prolonge et le
chevalier de la charrette en conçoit un vif sentiment de honte : il se dit qu'il aura bien du mal à
630 tenir l'engagement pris au début de sa route, s'il lui
faut tant de temps pour venir à bout d'un seul chevalier. Si la veille encore, pense-t-il, il en avait rencontré
cent de cette espèce, ils n'auraient pu lui résister, il en
est sûr. Il ressent une vive amertume à se voir si peu
635 vaillant qu'il gaspille ses coups et perd sa journée. Il
fond alors sur son adversaire et le harcèle tant que ce
dernier finit par lâcher prise et s'enfuir. Ce faisant il lui
laisse le gué, à son grand désespoir, et lui en livre donc
le passage. Notre chevalier pourtant continue la pour-
640 suite, jusqu'à ce que l'autre tombe sur les mains. Notre
charretier le rattrape alors et jure sur tout l'univers que
l'autre a été bien mal avisé de le faire tomber dans le
gué : malheur à lui de l'avoir arraché à ses pensées! La
demoiselle qui accompagnait le chevalier du gué n'en-
645 tend que trop bien ces menaces. Épouvantée, elle le
supplie de renoncer pour elle à le tuer. Non, il va bel et
bien le tuer, lui répond-il, car même pour elle il ne
peut pardonner à qui lui a infligé un tel affront. Il
s'avance vers lui, l'épée nue. Paralysé par la peur, le
650 malheureux implorait à son tour :
— Pour l'amour de Dieu et pour moi, accordez-lui cette
grâce que je vous demande moi aussi!
— Dieu m'en soit témoin, répond-il, si honteusement
que l'on m'ait traité, quand on m'a demandé grâce en
655 invoquant Dieu, jamais je n'ai refusé de l'accorder, mais
une seule et unique fois, pour l'amour de Dieu qui est
juste. J'aurai donc pitié de toi aussi. Je ne peux te refuser
ta grâce puisque tu me l'as demandée. Mais d'abord pro-
mets-moi de te constituer prisonnier, là où je voudrai,
660 quand je te le demanderai.
L'autre en fit donc serment, mais il lui en coûtait ter-
riblement. La demoiselle intervint encore une fois :
— Chevalier, tu as fait la preuve de ta générosité : il t'a
demandé grâce, et tu la lui as accordée. Si tu as jamais
665 libéré un prisonnier, libère celui-ci pour moi. Tiens-le
pour quitte de la prison, et je m'engage en retour à t'en

remercier comme il te plaira, le moment venu, du mieux
que je le pourrai.

À ces paroles, il comprit qui elle était et lui accorda la
670 liberté du prisonnier. De son côté, elle en était fort gênée
car elle pensait avoir été reconnue, or elle ne le souhai
tait pas.

Notre chevalier s'empresse de partir. Tous deux le
recommandent à Dieu et lui demandent congé*. Il
675 s'éloigne donc et poursuit sa route jusque bien après
l'heure de vêpres*. Il rencontra alors une charmante et
belle demoiselle, à la mise élégante, qui venait vers lui.
La demoiselle le salue en personne sage et bien élevée, et
lui à son tour répond à son salut :
680 – Que Dieu vous donne santé et bonheur, demoiselle!

– Seigneur, ma demeure, près d'ici, est prête pour
vous recevoir, si vous le souhaitez, ajoute-t-elle alors.
Mais je vous offre de vous héberger à la condition que
vous partagiez ma couche, voilà toute ma proposition.
685 J'en connais plus d'un qui, devant une offre semblable,
lui auraient mille fois rendu grâces. Mais lui en fut tout
rembruni et lui répondit sur un tout autre ton :

– Demoiselle, je vous remercie de l'accueil que vous
me réservez dans votre maison, je l'apprécie beaucoup;
690 mais pour ce qui est de celui que vous m'offrez dans
votre lit, je m'en passerais aisément, si vous le vouliez
bien.

– Non, répliqua-t-elle, ce sera cela ou rien, sur la prunelle de mes yeux!
695 Lui, faute de mieux, accepte sa proposition, mais le
cœur lourd. Si la blessure est déjà si vive maintenant,
quelle douleur ce sera alors au moment du coucher!
Comme il va décevoir et peiner la demoiselle qui
l'emmène! Mais peut-être est-elle à ce point éprise de lui
700 qu'elle ne voudra pas l'en déclarer quitte?

Comme il s'était engagé à accepter son bon vouloir, la
demoiselle le conduisit jusqu'à une enceinte fortifiée, si
belle qu'on n'en avait jamais vu de telle, serait-on allé
jusqu'en Thessalie. Elle était protégée par de hauts murs
705 et un fossé d'eau profonde qui en faisaient le tour
complet. À l'intérieur il n'y avait d'autre homme que
celui qu'elle y amenait. Elle y avait fait bâtir pour son

habitation personnelle un bon nombre de chambres spa-
cieuses et une grande salle très vaste. Chevauchant le
710 long d'une rivière, ils parviennent à cette demeure. On
avait abaissé un pont-levis pour les laisser passer. Fran-
chissant le pont, ils sont entrés et ont trouvé ouverte la
grande salle couverte d'un toit de tuiles. La porte étant
ouverte, ils entrent et voient une table dressée, recou-
715 verte d'une nappe longue et large : on avait déjà apporté
les plats, disposé les chandelles tout allumées dans les
chandeliers, et des hanaps[1] en argent doré avec deux
pots généreusement remplis, l'un de vin de mûre, l'autre
d'un vin blanc capiteux. Près de la table, au bout d'un
720 banc, ils trouvèrent deux bassins d'eau chaude pour se
laver les mains et, à l'autre bout, une belle serviette
blanche, très propre, joliment brodée, pour se les
essuyer. Mais on n'apercevait pas le moindre valet*, servi-
teur ni écuyer. Le chevalier ôte donc lui-même son écu*
725 du cou et le suspend à un crochet, prend sa lance* et la
range en haut d'un râtelier. Il saute alors à bas de son
cheval et la demoiselle du sien; le chevalier a fort appré-
cié que la demoiselle n'ait pas attendu son aide pour
mettre pied à terre. À peine eut-elle posé pied à terre
730 qu'elle courut sans plus attendre vers une chambre d'où
elle rapporta un manteau d'écarlate; elle le posa sur les
épaules de son hôte. La salle n'était nullement dans l'obs-
curité, et pourtant on voyait déjà briller les étoiles au-
dehors; c'est qu'on avait allumé tant de grosses torches,
735 massives et torsadées qu'il faisait grande clarté à
l'intérieur.

– Ami, lui dit-elle après lui avoir attaché au cou le
manteau, voici l'eau et la serviette : il n'y a personne ici
pour vous les présenter, puisque, vous voyez bien, il n'y
740 a que moi. Lavez-vous les mains et asseyez-vous quand
vous voulez. L'heure et le repas nous y invitent, comme
vous pouvez le voir.

Le chevalier se lave les mains et va bien volontiers s'asseoir, à sa convenance; elle fait de même et prend place à

---

1. *hanap* : sorte de vase à boire, habituellement muni d'un couvercle.

745 côté de lui. Ils mangèrent et burent ensemble, jusqu'à ce qu'il fût temps de se lever de table. Quand ils eurent quitté la table, la jeune fille dit alors au chevalier :

— Seigneur, allez donc dehors vous distraire, si vous le voulez bien, et n'y restez pas trop longtemps, s'il vous
750 plaît : juste le temps qu'il me faut, selon vous, pour me coucher. Ne soyez pas fâché : il sera temps alors de venir me rejoindre si vous voulez tenir votre promesse.

— Je la tiendrai, et je reviendrai donc quand je penserai qu'il est temps, lui répond-il.

755 Il sort et reste un bon moment à s'attarder dans la cour. Mais il lui faut bien revenir, car il est lié par son engagement. Il retourne dans la salle, mais n'y trouve pas celle qui se dit son amie : elle n'était plus là. Ne la voyant plus et ne la trouvant pas, il se dit : «Où qu'elle
760 puisse être, je la chercherai jusqu'à ce que je la trouve.» Lié par sa promesse, il se lance sans plus attendre à sa recherche. Alors qu'il entre dans une chambre, il entend les cris aigus d'une jeune fille : c'était précisément la voix de celle avec qui il avait promis de se coucher. Voyant
765 alors ouverte la porte d'une autre chambre, il s'avance de ce côté et au milieu de la pièce, juste devant ses yeux, voilà la scène qu'il découvre : un chevalier avait renversé la demoiselle en travers du lit, la robe largement troussée. Elle, certaine qu'il allait venir à son secours, criait
770 très fort :

— Au secours! Au secours! chevalier, toi qui es mon hôte! Si tu ne me débarrasses pas de ce misérable qui est sur moi, je ne trouverai personne pour le faire, et si tu ne me portes pas vite secours, il va me déshonorer là,
775 sous tes yeux. Or c'est à toi de coucher avec moi, comme tu l'as promis. Va-t-il donc m'imposer de force ce qu'il veut, là sous tes yeux? Noble chevalier, je t'en prie, viens vite à mon secours!

Celui-ci voit que l'odieux individu tenait la demoiselle
780 découverte jusqu'au nombril, il en est plein de honte à les voir, cet homme nu et la demoiselle nue contre lui. Mais cela n'éveillait en lui ni désir ni jalousie. La porte était au demeurant défendue par des gardiens bien armés : deux chevaliers qui tenaient leur épée dégainée,
785 et derrière eux se tenaient quatre hommes d'armes

brandissant chacun une hache si grande qu'on aurait pu s'en servir pour trancher l'échine d'une vache tout aussi facilement que la racine d'un genévrier ou d'un genêt. Le chevalier s'arrête au pas de la porte et s'interroge :

790 « Dieu, que vais-je bien pouvoir faire? Je suis parti pour une noble cause, et d'importance : retrouver la reine Guenièvre. Ce n'est donc pas le moment d'avoir un cœur de lièvre, alors que j'ai entrepris pareille quête. Si Lâcheté me prête son cœur et si je l'écoute, je n'attein-

795 drai jamais mon but. Honte à moi si je m'arrête là! M'arrêter! Mais à ce seul mot je me sens plein de mépris pour moi-même, j'ai le cœur plein d'une noire tristesse. Oui, j'en éprouve tant de honte et de souffrance que je voudrais mourir, c'est tout ce que je mérite pour m'être

800 tant attardé. Que Dieu n'ait jamais pitié de moi si c'est l'orgueil qui me fait dire que j'aime mieux mourir avec honneur que vivre dans la honte! Si le chemin était libre et si ces misérables me donnaient l'autorisation de passer sans s'y opposer, où serait alors mon mérite? Dans ces

805 conditions, le plus lâche des hommes serait bien lui aussi capable de franchir cette porte, c'est certain. Mais j'en-tends cette malheureuse qui ne cesse de m'appeler à l'aide, et de me rappeler ma promesse en m'accablant de cruels reproches. »

810 Il s'approche alors de la porte, se risque à passer la tête et le cou en levant les yeux vers le plafond : il voit s'abattre sur lui les deux épées et recule vivement, mais les chevaliers ne pouvaient plus contenir leur élan et les lames sont venues frapper le sol avec une telle violence

815 qu'elles volèrent toutes deux en morceaux. Les voyant brisées, le chevalier attache moins d'importance aux haches, qui lui paraissent moins redoutables maintenant, et se lance au beau milieu, jouant des coudes : il bous-cule d'abord l'un des hommes d'armes, puis un autre.

820 Les deux plus proches, il les attaque des coudes et des bras, de sorte qu'il les expédie à terre. Le troisième l'a manqué, mais l'estocade du quatrième l'atteint, fend son manteau, déchire sa chemise* et sa chair, le blessant suffi-samment à l'épaule pour en faire perler des gouttes de

825 sang. Mais il n'est pas question de s'attarder : sans se plaindre de sa blessure, il poursuit au contraire à plus

longues enjambées, agrippe enfin par les tempes le
ribaud qui faisait violence à son hôtesse. Il va pouvoir
s'acquitter de son engagement avant de s'en aller. Bon gré
830 mal gré, il contraint l'agresseur à se redresser, mais
l'homme d'armes qui l'avait manqué la première fois
revient déjà à la charge et lève à nouveau sa hache, bien
convaincu de lui fendre le crâne jusqu'aux dents : alors
notre chevalier, habile et prompt à se défendre, brandit
835 devant lui le ribaud en guise de bouclier, et c'est lui que
la hache vient frapper, à la jointure de l'épaule et du cou
qui se séparent. Notre chevalier s'empare de sa hache
qu'il a tôt fait de lui arracher des poings et laisse là
l'homme qu'il tenait, car il lui fallait se défendre : tous
840 ensemble, les deux chevaliers et les trois sergents armés
de haches entreprennent de lui livrer un assaut farouche.
Lui vient se placer d'un bond entre le lit et le mur, puis
les apostrophe :
– Or çà, vous tous! Venez m'attaquer! Vous pourriez
845 bien être vingt-sept, maintenant que j'ai trouvé ce refuge,
vous aurez de quoi combattre à satiété, et ce n'est pas
vous qui m'en lasserez.
La demoiselle, qui l'observait, l'interrompit alors :
– Par la prunelle de mes yeux! Vous n'aurez plus rien
850 à redouter désormais partout où je serai!
Sur ces mots, elle renvoie aussitôt chevaliers et
hommes d'armes qui s'éloignent promptement sans dis-
cuter. La demoiselle reprend :
– Seigneur, vous m'avez bien défendue contre les gens
855 de ma maison. Venez donc maintenant, je vous emmène.
Les voilà qui reviennent dans la salle main dans la
main, mais cela ne lui plaisait guère, car il se serait bien
passé de cette compagnie. Au milieu de la salle on avait
préparé un lit : les draps étaient d'une propreté impec-
860 cable, blancs, larges et fins au toucher. La couche n'était
pas faite de paille coupée menu ni de rêches étoffes. On
avait étendu dessus une couverture faite de deux étoffes
de soie diaprée. La demoiselle vient s'y coucher, mais
sans ôter sa chemise•, tandis que le chevalier s'est décidé
865 à grand-peine à retirer ses chausses• et à se dévêtir. Il ne
peut s'empêcher d'avoir des sueurs d'angoisse, toutefois
au plus fort de son angoisse sa promesse vient à bout de

lui et brise sa résistance. Y est-il donc forcé? Oui, pour
ainsi dire, car c'est par force qu'il lui faut se mettre au lit
870 avec la demoiselle : sa promesse l'y engage et l'exige. Il se
couche sans empressement, mais ne retire pas sa che-
mise•, pas plus qu'elle ne l'avait fait. Il se garde bien de
la toucher, se tient au contraire à bonne distance, couché
sur le dos, et ne souffle mot, comme un frère convers[1] à
875 qui la règle interdit de parler dès qu'il est allongé sur son
lit. Il ne tourne pas une seule fois son regard, ni vers elle
ni d'un autre côté. Il ne parvient pas à lui faire bonne
figure. Pourquoi? Parce que son cœur s'y refuse; elle
était pourtant belle et charmante. Mais tout le monde
880 n'est pas également attiré ni séduit par tout ce qui est
beau et charmant. Le chevalier n'a qu'un cœur, et
encore ne lui appartient-il plus, puisqu'il l'a confié à
quelqu'un, et qu'il ne peut donc plus le prêter à une
autre. C'est Amour qui le cantonne en un seul lieu,
885 Amour qui gouverne tous les cœurs. Tous? Non, seulement ceux qu'il tient en assez haute estime. Doit donc en
être jugé d'autant plus estimable celui qu'Amour daigne
gouverner. Amour avait en telle estime le cœur de ce
chevalier qu'il le tenait sous son emprise plus que tout
890 autre au monde, ce qui était pour le chevalier un grand
motif de fierté; aussi ne vais-je nullement le blâmer de se
dispenser de faire ce qu'Amour lui défend et de s'efforcer
de faire ce qu'il souhaite. La jeune fille le voit bien, elle
le comprend : il hait sa compagnie, il s'en dispenserait
895 volontiers, il ne lui demanderait rien de plus, puisqu'il
ne cherche pas à la toucher. Alors elle lui dit :
— Seigneur, si vous ne m'en voulez pas, je vais vous
quitter pour aller me coucher dans ma chambre; vous
vous sentirez plus à l'aise; je ne crois pas, en effet, que
900 vous preniez grand plaisir à vous divertir avec moi ni à
me tenir compagnie. Ne prenez pas cela pour grossièreté,
si je vous dis le fond de ma pensée. Passez donc le reste
de la nuit à vous reposer, car vous avez déjà si bien tenu
votre promesse à mon égard que je n'ai pas le droit de

---

1. *frère convers* : moine chargé des travaux d'entretien et de jardinage dans un
monastère.

905 vous demander plus. Aussi vais-je vous recommander à
Dieu et puis je m'en irai.

Elle se lève alors. Le chevalier n'en est nullement peiné
et il la laisse bien volontiers partir, comme le fait un
homme qui a donné son cœur à une autre. La demoiselle
910 s'en aperçoit et le voit bien. Arrivée dans sa chambre, elle
se couche toute nue[1], poursuivant ses réflexions :
«Depuis le premier chevalier que j'ai connu, je n'en ai
trouvé aucun qui vaille seulement le tiers d'un denier
angevin, hormis celui-ci. Si j'ai bien compris et si mon
915 intuition est bonne, il poursuit en effet un dessein ambi-
tieux, qui comporte plus de difficultés et de dangers que
jamais aucun chevalier n'en a affrontés jusqu'ici. Dieu lui
permette d'en venir à bout!» Elle s'endormit alors et
resta couchée jusqu'au lever du jour.

Une fontaine. Miniature du XVe siècle pour Le Chevalier au Lion
de Chrétien de Troyes. Paris, BNF.

---

1. *toute nue* : à l'époque de Chrétien, il était d'usage de dormir nu; la situation
précédente n'était, en revanche, pas habituelle.

Compréhension

• **La tour (l. 385 à 429)**

1. *Comment expliquez-vous l'attitude nouvelle du héros? Quel est le mot clé autour duquel s'ordonne la description?*

2. *La métaphore du regard et de l'inaccessibilité de la dame est empruntée à la poésie lyrique courtoise. Dans quelle mesure échappe-t-elle ici à cette tradition?*

3. *Le double jeu de regards : une mise en abyme.*
– *Qui observe cette scène? Sur qui convergent les regards du lecteur?*
– *Suivez le regard du chevalier du début à la fin de la scène : comment concourt-il à l'intensité dramatique?*

4. *Expliquez le changement d'attitude de la demoiselle, de la veille au matin, et précisez la portée symbolique de son geste de courtoisie.*

• **Le carrefour (l. 429 à 501)**

5. *Dans quelle mesure ce passage est-il à la fois clôture et relance? Conclusion d'une séquence narrative, il offre aussi une anticipation riche de sens pour la suite du récit.*

6. *Nous retrouvons le motif du don et du* contredon. *Comparez avec le premier (don contraignant).*

7. *Les divergences s'accentuent entre les deux chevaliers. Le texte ne prête pas à une analyse psychologique des personnages, mais permet toutefois de cerner deux caractères différents : tentez de les préciser à partir des indices relevés depuis le début du récit.*

• **Le gué (l. 502 à 676)**

8. *Quel motif emprunté à l'épisode de la tour revient pour être ici développé et amplifié?*

9. *La négation de la quête chevaleresque : quels en sont les indices?*

10. *En vous aidant de la suite du passage, dites si l'auteur a souhaité faire une réelle caricature de son héros ou simplement lui donner une sorte d'avertissement complice. Justifiez votre réponse.*

11. *Il existe ici une certaine connivence avec le lecteur. Pourquoi? Quelle peut être la portée d'un tel passage? Quelle «orientation» de lecture donne-t-il pour la suite?*

• **Le château de la demoiselle entreprenante (l. 676 à 919)**

12. *Peut-on établir un parallèle entre l'épisode de la charrette et la soirée imposée au chevalier?*

13. *La «promesse» (l. 695) reprend le motif du* don contraignant. *Analysez la particularité de cette dernière.*

14. *Par quels éléments du texte le lecteur est-il entraîné dans un monde plus surnaturel que réel? Quels traits pourraient laisser supposer que cette quatrième demoiselle est une fée?*

15. *Quelle pourrait être, dans ce contexte, la fonction de la mise en scène imaginée par la demoiselle?*

Écriture

• **La tour (l. 385 à 429)**

16. *Quelle est la tonalité de ce passage?*

17. *Après avoir relu le passage qui précède, peut-on parler ici de «suite» de la séquence narrative? Comment est soulignée la rupture de la trame narrative?*

18. *L'habileté technique : analysez comment, dans ce passage, l'auteur parvient à maintenir l'attention du lecteur-auditeur et à relancer le récit.*

• **Le carrefour (l. 429 à 501)**

19. *La concision de l'information tranche soudain avec le mystère des précédentes énigmes laissées à la sagacité du lecteur. En vous appuyant sur une observation précise du texte (lexique, discours), essayez de définir la fonction de ce passage pour le récit.*

• **Le gué (l. 502 à 676)**

20. *L'auteur teinte ce passage d'une note d'humour : analysez-le en vous reportant au texte. Quelle est ici la fonction du rire?*

21. *Comment se développe, dans l'écriture, le motif de l'absence au monde?*

22. *De quel point de vue est observée la scène?*

23. *Quelle est la fonction de la présence du narrateur?*

• **Le château de la demoiselle (l. 676 à 919)**

24. *Quel effet produit la rupture du système d'énonciation (l. 865 à 896)? Comment la présence du narrateur est-elle soulignée?*

25. *L'art des contrastes : relevez les différents changements de «plan» opérés. Quel est l'effet recherché auprès du lecteur?*

920 Dès que percent les premières lueurs de l'aube, elle
s'éveille et se lève. De son côté, le chevalier se réveille
aussi, s'habille, se prépare et revêt son armure sans
attendre qu'on vienne l'aider. La demoiselle le rejoint et,
le voyant déjà tout équipé, lui lance :

925   – Que ce jour qui commence vous soit favorable!
     – Qu'il le soit pour vous également, dit à son tour le
chevalier, ajoutant qu'il lui tardait bien que l'on sorte son
cheval. La demoiselle le fit amener et dit :
     – Seigneur, je vous accompagnerais sur une bonne
930 partie de chemin, si vous osiez m'emmener et m'escorter
selon les us et coutumes instaurés jadis, bien avant nous,
au royaume de Logres.
     En ce temps-là, la coutume exigeait que tout chevalier
qui venait à rencontrer seule une jeune fille, qu'elle fût
935 noble ou non, s'interdît de lui manquer de respect tout
autant que de se trancher la gorge, s'il voulait conserver
sa réputation. Sinon, s'il lui faisait violence, il était à
jamais déshonoré dans toutes les cours. En revanche, si
elle était acompagnée, tout autre chevalier que celui qui
940 l'escortait pouvait, s'il le voulait, la disputer au premier
en combat singulier; s'il venait à la conquérir par les
armes•, il pouvait alors disposer d'elle à sa guise sans
encourir ni honte ni blâme. C'est pourquoi la jeune fille
lui dit que s'il en avait le courage et acceptait de l'escor-
945 ter conformément à cette coutume, de sorte qu'on ne pût
lui nuire, elle s'en irait avec lui. Il lui répondit :
     – Jamais personne ne vous fera de mal, je vous le pro-
mets, avant de m'en avoir fait d'abord.
     – Dans ce cas, je veux partir avec vous, fait-elle.
950   Elle fit seller son palefroi•, ce qui fut aussitôt fait. On
lui a sorti son palefroi, avec le cheval pour le chevalier.
Ils montent tous deux en selle, sans besoin d'écuyer, et
s'en vont à vive allure. Elle engage la conversation, mais
il ne se soucie nullement de ce qu'elle peut bien lui dire,
955 et ne répond pas : penser lui plaît, parler l'ennuie.
Amour bien souvent lui rouvre la plaie qu'il lui a faite.
On ne lui a jamais appliqué d'emplâtre pour guérir sa
blessure et lui permettre de recouvrer la santé, car il n'en
a nulle envie, il ne veut pas plus d'emplâtre que de
960 médecin tant que son mal n'empire pas. Mais voilà bien

au contraire ce qu'il rechercherait plutôt! Ils continuèrent par routes et sentiers, poursuivant tout droit leur chemin, et arrivèrent à proximité d'une fontaine*. La fontaine se trouvait au milieu d'une prairie, bordée d'un
965 bloc de pierre. Sur cette pierre, quelqu'un, je ne sais qui, avait oublié un peigne d'ivoire doré. Jamais depuis le temps d'Ysoré[1] ni sage ni fou n'en avait vu de si beau. Aux dents du peigne étaient restés accrochés des cheveux de celle qui s'en était servi et il y en avait bien une
970 demi-poignée.

Quand la demoiselle aperçoit la fontaine et voit la pierre, elle veut empêcher le chevalier de les voir et prend donc un autre chemin. Lui qui s'abandonne avec délice à ses aimables pensées ne remarque pas immédia-
975 tement qu'elle s'écartait du chemin. Mais quand il s'en rend compte, il craint d'avoir été abusé, croyant qu'elle s'éloignait et sortait du chemin pour éviter quelque danger :

— Arrêtez-vous, demoiselle, s'écrie-t-il, vous vous
980 trompez de route. Venez par ici. Jamais personne, me semble-t-il, n'a trouvé la bonne direction en s'écartant de ce chemin-ci.

— Seigneur, nous continuerons mieux par ici, je le sais bien, répond la jeune fille.
985 — Demoiselle, je ne sais pas, moi, ce que vous pensez, mais vous voyez bien que nous sommes ici sur le bon chemin, que tout le monde emprunte. Maintenant que je m'y suis engagé, je ne vais sûrement pas prendre une autre direction. Allez, s'il vous plaît, venez par ici car je
990 vais continuer sur cette route.

Alors, tout en avançant, ils arrivent à la pierre et ils voient le peigne.

— Aussi loin que remontent mes souvenirs, dit le chevalier, jamais je n'ai vu d'aussi beau peigne que celui-ci.
995 — Donnez-le-moi, demande la jeune fille.

— Bien volontiers, demoiselle, répond-il. Il se baisse

---

1. *Ysoré* : géant sarrasin tué sous les murs de Paris par Guillaume d'Orange. Son souvenir subsisterait dans le nom actuel d'une rue parisienne, rue de la Tombe-Issoire.

alors et le prend. Quand il l'a en main, il le regarde longuement et admire les cheveux. Sa compagne se met à
rire. La voyant rire, il lui demande de lui dire pourquoi.
1000 La demoiselle répond :

– Ne m'en demandez pas plus, je ne vous en dirai rien
pour le moment.

– Pourquoi ?

– Parce que je n'en ai pas envie.

1005 À ces mots, il la conjure, en homme persuadé qu'entre
ami et amie, ou amie et ami, on ne peut en aucun cas
manquer à sa parole.

– S'il existe quelqu'un que vous aimez de tout votre
cœur, demoiselle, en son nom je vous conjure et je
1010 vous supplie de ne pas me cacher votre secret plus
longtemps.

– Vous mettez vraiment trop d'insistance dans votre
prière ! Soit, dit-elle, je vais vous le dire, sans vous mentir en rien. Ce peigne, pour autant que je le sache, appar-
1015 tenait à la reine, j'en suis sûre. Et vous pouvez m'en
croire, ces cheveux si beaux, si blonds et si brillants qui
sont restés accrochés aux dents du peigne viennent de la
chevelure de la reine. C'est le seul pré qui les ait vus
pousser.

1020 Et le chevalier de lui répondre :

– Par ma foi, il y a beaucoup de reines et de rois ! De
laquelle voulez-vous parler ?

– Ma foi, seigneur, de la femme du roi Arthur.

Quand le chevalier entend cela, ses forces viennent à
1025 lui manquer et il ne peut s'empêcher de chanceler. Il est
contraint de s'appuyer devant lui, sur l'arçon* de la selle ;
quand la demoiselle s'en aperçoit, elle en reste interdite,
stupéfaite, et craint qu'il ne tombe de cheval. Si elle eut
peur, ne l'en blâmez pas, elle crut qu'il s'était évanoui. Il
1030 l'était d'ailleurs, pour ainsi dire, il s'en fallait de peu de
chose : il ressentait au cœur une telle douleur qu'il en
perdit ses couleurs et l'usage de la parole un bon
moment. La jeune fille descendit alors de cheval et courut aussi vite qu'elle le pouvait pour le retenir dans sa
1035 chute et le secourir, car pour rien au monde elle n'aurait
voulu le voir tomber à terre. En la voyant il se sentit
honteux et lui demanda :

– Pour quelle raison êtes-vous venue ici au-devant de moi?

1040 Ne croyez pas que la demoiselle lui avoue la vraie raison, il en aurait éprouvé honte et angoisse. Il aurait été peiné et gêné si elle lui avait dévoilé la vérité. Aussi s'est-elle bien gardée de dire toute la vérité, mais lui a dit ceci, en femme pleine de délicatesse :

1045 – Seigneur, je viens chercher ce peigne, voilà pourquoi j'ai mis pied à terre; j'ai une telle envie de l'avoir que j'ai bien cru ne jamais l'avoir assez tôt.

Et le chevalier, qui veut bien qu'elle ait le peigne, le lui donne, mais en retire d'abord les cheveux avec tant 1050 de délicatesse qu'il n'en rompt aucun. Jamais regard humain ne verra autant honorer aucun objet comme il se met à les adorer : il les caresse cent mille fois et plus, les porte à ses yeux, à sa bouche, à son front et à son visage. Il s'en amuse de toutes les façons : c'est pour lui un 1055 grand bonheur, une grande richesse; il les serre sur sa poitrine, près du cœur, glissés entre sa chemise* et sa chair. Il ne les aurait pas échangés contre un plein char d'émeraudes et d'escarboucles[1]. Il croyait qu'il ne risquait plus désormais ni ulcère ni autre maladie. Il méprise 1060 maintenant le diamargariton, la pleuriche et la thériaque[2], et même les prières à saint Martin et à saint Jacques : il a une telle confiance en ces cheveux qu'il n'a plus besoin de leur aide. Mais quelle était donc la vertu de ces cheveux? On va me prendre pour un menteur ou 1065 pour un fou si j'en dis la vérité : quand la foire du Lendit[3] bat son plein, au moment où il y a le plus de marchandises, eh bien! le chevalier les refuserait toutes, c'est certain, si en échange il lui fallait n'avoir pas trouvé ces cheveux. Et si vous me pressez de dire toute la vérité, 1070 alors sachez que l'or cent mille fois affiné, cent mille fois refondu, paraîtrait plus obscur que n'est la nuit par rapport à la plus belle journée d'été que nous ayons eue

---

1. *escarboucle* : pierre précieuse qui a beaucoup d'éclat.
2. *le diamargariton, la pleuriche et la thériaque* : autant de noms pittoresques tirés de la pharmacopée.
3. *foire du Lendit* : foire annuelle qui se tenait au mois de juin, près de Saint-Denis.

cette année si on voyait l'or et les cheveux placés l'un à
côté de l'autre. Mais pourquoi retarder mon récit ? La
1075 jeune fille est prompte à se remettre en selle, emportant
le peigne avec elle. Le chevalier, lui, goûte l'ivresse du
bonheur à serrer ainsi ces cheveux sur son cœur. Après
la plaine ils arrivent à une forêt et prennent un chemin
de traverse, mais la voie va en se rétrécissant et il leur
1080 faut avancer l'un derrière l'autre, car il était impossible
de mener deux chevaux de front. La jeune fille, précédant son hôte, file tout droit et à vive allure. À l'endroit
où la voie était la plus étroite, ils voient arriver un chevalier. La demoiselle a eu tôt fait de le reconnaître, du plus
1085 loin qu'elle l'aperçut, et dit alors :
   — Seigneur chevalier, voyez-vous celui qui vient à
notre rencontre tout armé et prêt pour la bataille ? Il croit
bien en toute certitude m'emmener avec lui, sans rencontrer aucune résistance. Je sais bien que c'est son
1090 intention, parce qu'il m'aime, ce en quoi il ne se montre
pas raisonnable : qu'il vienne lui-même ou qu'il m'envoie
ses messagers, il y a bien longtemps qu'il m'adresse des
prières d'amour. Mais mon amour lui est refusé, car pour
rien au monde je ne pourrais l'aimer. Que Dieu me
1095 vienne en aide, je préférerais mourir plutôt que l'aimer
de quelque manière que ce fût. Je sais bien qu'en ce
moment même il est au comble de la joie et exulte
comme s'il m'avait déjà toute à lui. Mais maintenant je
vais voir ce que vous allez faire, maintenant on va pou-
1100 voir juger de ce que sera votre prouesse. Maintenant je
vais voir, et on va pouvoir juger si ce sera pour moi une
protection suffisante que d'être escortée par vous ! Si
vous êtes capable de me protéger, alors je dirai sans
mentir que vous êtes un preux, et de grande valeur.
1105 — Allez, allez ! lui répondit-il, et ces seuls mots ont le
même sens que s'il avait dit : « Peu m'importe tout ce
que vous m'avez dit, vous vous inquiétez pour rien. »
   Tandis qu'ils sont ainsi occupés à parler, l'autre chevalier, sans perdre un instant, se dirigeait vers eux deux, il
1110 était seul et venait à leur rencontre au grand galop. Il a
d'autant plus envie de se hâter qu'il est persuadé de ne
pas perdre son temps, et se tient pour bienheureux de
voir devant lui l'être qu'il aime le plus au monde. Dès

qu'il est assez près de la demoiselle, il la salue avec des
1115 mots qui lui viennent du fond du cœur et pas seulement
du bout des lèvres, lui disant :

– Que l'être que je désire le plus, qui me donne si peu
de joie et m'accable de tant de douleur, soit le bienvenu,
d'où qu'il vienne!

1120 Il ne serait pas correct de la part de la demoiselle de se
montrer si avare de paroles qu'elle ne lui rendrait pas
son salut, au moins du bout des lèvres. Le chevalier attacha grand prix à ce salut de la demoiselle, qui ne lui
avait pourtant pas sali la bouche et ne lui avait rien
1125 coûté. Viendrait-il juste de sortir vainqueur d'une fort
belle joute en un tournoi qu'il n'en aurait pas tiré tant de
fierté, et n'aurait pas jugé avoir conquis autant d'honneur
ni autant de gloire. Comme il n'en tire que plus de glo-
riole et d'estime pour lui-même, il saisit par la bride le
1130 cheval de la demoiselle et dit à celle-ci :

– Maintenant je vais vous emmener avec moi. Aujour-
d'hui j'ai vogué sans écueil et me voici arrivé à bon port.
Me voilà délivré de mes soucis : après avoir échappé aux
périls, me voici parvenu au port, après le malheur voici
1135 venir les réjouissances, après la grave maladie c'est la
parfaite santé. J'ai maintenant tout ce que je désire,
puisque je vous trouve en si belle occasion que je peux
vous emmener tout de suite sans encourir de honte.

– Que de paroles inutiles, dit-elle, vous voyez bien
1140 que je suis escortée par ce chevalier que voici.

– Vraiment, voilà une bien piètre escorte, fait-il, je
vous emmène immédiatement. Ce chevalier, j'en suis sûr,
aurait mangé un muid• de sel avant d'oser se battre avec
moi pour vous défendre; je ne crois pas avoir jamais vu
1145 d'homme contre lequel je ne puisse vous conquérir. Et
puisque je vous trouve ici à ma disposition, cela peut
bien l'ennuyer et lui déplaire, je vais vous emmener sous
ses yeux; à lui de faire de son mieux!

Notre chevalier ne se met pas en colère en entendant
1150 ces rodomontades, et au lieu de cela, sans railler, sans se
vanter, il commence à lui disputer la demoiselle en
répliquant :

– Seigneur, n'allez pas si vite, ne gaspillez pas ainsi vos
paroles et parlez avec un peu de mesure. On ne vous

1155 enlèvera pas vos droits, quand vous en aurez. Mais c'est
sous mon escorte, vous allez bientôt le savoir, que cette
jeune fille est venue ici. Laissez-la partir, vous l'avez trop
retenue, elle n'a rien à craindre de vous pour l'instant.

Mais l'autre dit qu'il préfère qu'on le brûle plutôt que
1160 de ne pas l'emmener, y fût-elle opposée. Notre chevalier
lui répond alors :

— Ce serait lâcheté que de vous la laisser emmener. Je
me battrais d'abord, sachez-le bien. Mais si nous voulions
nous battre dans les règles, nous ne le pourrions pas dans
1165 ce chemin, quels que soient nos efforts. Gagnons plutôt
une route dégagée, une prairie ou une lande.

L'autre répond qu'il ne demande pas mieux :

— Oui, j'en suis bien d'accord. Sur ce point vous n'avez
pas tort, le chemin est trop étroit. Mon cheval va déjà se
1170 trouver trop à l'étroit pour que je puisse lui faire faire
demi-tour, car je crains qu'il se brise la cuisse.

Il fait alors demi-tour avec de grandes difficultés, mais
il y parvient sans blesser son cheval et sans se faire lui-
même le moindre mal.

1175 — Je suis vraiment très contrarié que notre rencontre
n'ait pas eu lieu sur un terrain plus spacieux et devant
des spectateurs, car j'aurais bien aimé que l'on pût voir
lequel de nous deux se battait le mieux. Mais venez
donc, nous allons en chercher un, nous trouverons près
1180 d'ici une étendue bien dégagée, longue et large.

Ils s'en vont aussitôt jusqu'à une prairie où l'on voyait
des jeunes filles, des chevaliers et des demoiselles en
train de jouer à des jeux divers, comme y invitait ce lieu
agréable. Ils ne se consacraient pas tous à des divertisse-
1185 ments frivoles, certains jouaient au trictrac[1], aux échecs,
les uns aux dés, les autres au double-six[2], ou encore à la
mine[3]. Voilà quels étaient leurs jeux pour la plupart.
Quant aux autres, ils revenaient aux jeux de leur enfance
avec ballets, rondes et danses ; ils chantaient, faisaient

---

1. *trictrac* : jeu stratégique, variante des jeux de tables (du nom des tablettes utilisées). Il tire son nom du bruit des dés sur le bois du support.
2. *double-six* : jeu de hasard où l'on cherche à obtenir un six avec deux dés.
3. *mine* : jeu de dés. Terme collectif, du nom du plateau sur lequel on jetait les dés.

1190 des culbutes, sautaient ou encore s'entraînaient à la lutte.
À l'autre bout de la prairie il y avait un chevalier d'un
certain âge, monté sur un cheval d'Espagne à robe brune
dont les rênes et la selle étaient dorés; il avait les cheveux grisonnants. Il se tenait une main au côté pour se
1195 donner une contenance; comme il faisait beau, il était
vêtu d'une simple tunique et il regardait les jeux et les
danses, un manteau d'écarlate doublé de vair* jeté sur les
épaules. D'un autre côté, près d'un sentier, on pouvait
compter jusqu'à vingt-trois hommes en armes*, montés
1200 sur de bons chevaux irlandais. À l'arrivée du trio, tous
interrompent leurs amusements et on se met à s'écrier
partout à travers prés :
— Voyez, voyez le chevalier qui a été emmené dans la
charrette! Que personne ne songe à jouer tant qu'il sera
1205 là. Maudit soit qui voudrait jouer, maudit qui accepterait
de jouer tant qu'il sera ici!
Entre-temps voici qu'arrive devant le chevalier aux
cheveux blancs son fils, celui précisément qui aimait la
demoiselle et qui la considérait déjà comme sienne. Il
1210 s'écria :
— Seigneur, je suis rempli de joie, et qui veut l'apprendre n'a qu'à écouter : Dieu m'a donné ce que j'ai
toujours le plus désiré. M'aurait-il couronné roi qu'il ne
m'aurait pas fait un aussi beau présent, je lui en aurais
1215 été moins reconnaissant et je n'y aurais pas tant gagné,
car ce gain est bel et bon.
— Je ne sais si elle est déjà à toi, dit le chevalier à son
fils. Lequel lui réplique aussitôt :
— Vous ne le savez pas? Vous ne le voyez donc pas?
1220 Par Dieu, seigneur, n'en doutez pas, vous voyez bien que
je la tiens. Je l'ai rencontrée dans cette forêt d'où je viens,
alors qu'elle y passait. Je suis sûr que c'est Dieu qui me
l'a amenée, je l'ai donc prise comme un bien qui m'était
destiné.
1225 — Je ne suis pas sûr qu'il te la donne si vite, ce chevalier que je vois venir derrière toi. Il vient te la disputer,
ce me semble.
Tandis qu'ils échangeaient ces propos, toutes les
danses s'étaient arrêtées à la vue du chevalier : on n'en-
1230 tendait plus ni jeu ni joie, on avait tout cessé en signe

d'hostilité et de mépris. Mais le chevalier se hâtait de venir rejoindre la jeune fille qu'il suivait de près :

— Laissez cette demoiselle, chevalier, vous n'avez aucun droit sur elle, dit-il. Si vous avez l'audace de
1235 continuer, je prendrai à l'instant sa défense contre vous.

Le vieux chevalier s'interpose alors :

— N'avais-je donc pas bien deviné? Cher fils, ne retiens pas plus cette jeune fille, laisse-la-lui.

Cette proposition ne fut pas du tout du goût de ce
1240 dernier, qui jura qu'il ne la céderait en rien, ajoutant :

— Que plus jamais Dieu ne me donne aucune joie si c'est pour la lui rendre! Je la possède et continuerai à la posséder comme un bien faisant partie de mon fief. Il faudra d'abord que soient rompues la bretelle et les cour-
1245 roies de mon écu*, et que j'aie perdu toute confiance en ma force, en mon armure, en mon épée et en ma lance* avant que je ne lui abandonne mon amie.

— Je ne te laisserai pas combattre, quoi que tu dises, répliqua le père, tu te fies trop en ta prouesse, fais plutôt
1250 ce que je t'ordonne.

Le fils répond avec orgueil :

— Comment? Suis-je un enfant à qui on peut faire peur? Je ne crains pas de m'en vanter : par le monde que la mer environne, et parmi le grand nombre de cheva-
1255 liers qu'on y trouve, il n'en existe pas un seul qui soit assez fort pour que je la lui abandonne et que je ne sois en outre sûr de réduire à merci en un rien de temps.

— Je te l'accorde, cher fils, c'est là ce que tu crois, tant tu te fies en ta force, repartit son père. Mais aujourd'hui
1260 je ne veux ni ne voudrai que tu te mesures avec ce chevalier.

— Quelle honte ce serait pour moi si j'écoutais vos conseils, s'écria le fils. Maudit soit qui vous écoutera et à cause de vous renoncera au lieu de livrer un combat
1265 acharné! Il est bien vrai qu'on fait mal ses affaires en famille; ailleurs je pourrais plus facilement marchander car vous, vous cherchez à me tromper. Je suis bien sûr que chez des inconnus je réussirais bien mieux : jamais un étranger ne me détournerait de mon dessein, alors
1270 que vous, vous me multipliez les difficultés et les embûches. Il me tient d'autant plus à cœur que vous me

l'avez reproché, car, vous le savez bien, qui blâme le désir de quelqu'un, homme ou femme, ne fait que l'atti-ser et l'enflammer plus encore. Mais si vous me faites un
1275 tant soit peu fléchir, que Dieu me prive de joie à tout jamais! Je vais bien plutôt me battre, malgré vous.

— Par la foi que je dois à saint Pierre l'apôtre, fait le père, je vois bien décidément qu'aucune prière ne servira à rien. C'est en pure perte que je te sermonne, mais j'au-
1280 rai vite fait de trouver un moyen de faire que, quel que soit ton désir, tu te plies au mien, car tu n'auras pas le dessus.

Il appelle aussitôt les chevaliers pour qu'ils le rejoignent et leur ordonne de s'emparer de son fils qu'il
1285 ne peut faire obéir par la raison, et explique :

— Je suis prêt à le faire attacher plutôt que de le laisser combattre. Vous êtes mes hommes, tous autant que vous êtes, vous me devez donc amour et fidélité. Sur tout ce que vous tenez de moi, je vous l'ordonne et vous en prie
1290 tout à la fois. Il est en train de commettre une grande folie, j'en suis sûr, et c'est qu'il se laisse emporter par son orgueil démesuré s'il refuse d'obéir à mes ordres.

Eux de lui dire qu'ils vont le saisir et qu'une fois qu'ils le tiendront, l'envie de combattre va lui passer et qu'il
1295 sera bien obligé alors, même s'il ne le veut pas, de rendre la jeune fille. Tous ensemble, ils s'emparent alors de lui, le prenant par les bras et le cou.

— Et maintenant, demanda le père, ne comprends-tu pas ta folie? Accepte de reconnaître la vérité : tu n'as
1300 plus la force ni la possibilité d'engager combat ni joute, quoi qu'il t'en coûte, quelle que puisse être ta colère ou ton amertume. Consens à faire ce qui me plaît et me convient, ce sera raisonnable. Sais-tu ce que j'ai l'inten-tion de faire? Pour atténuer ta déconvenue, nous allons
1305 tous deux, si tu veux, toi et moi, suivre le chevalier, aujourd'hui et demain, à travers bois et champs, chacun à l'allure de son cheval. Il se pourrait que nous aperce-vions vite quelque chose dans son caractère ou son atti-tude qui me pousserait à te laisser te mesurer avec lui et
1310 le combattre à ta guise.

Son fils a alors accepté, bien malgré lui, parce qu'il y était forcé. Faute de pouvoir trouver une autre solution,

il lui a dit qu'il prendrait son mal en patience à condition qu'ils suivent tous deux ce chevalier. Voyant la tournure
1315 que prennent les choses, çà et là dans la prairie tous s'interrogent :

– Avez-vous vu? Ce chevalier qui est monté dans la charrette a mérité aujourd'hui l'honneur d'emmener l'amie du fils de notre seigneur, et c'est notre jeune sei-
1320 gneur qui va le suivre. En vérité, on peut bien le dire, il doit bien avoir quelque mérite puisqu'on lui laisse emmener la jeune fille. Maudit cent fois soit donc celui qui interrompra désormais ses jeux à cause de lui! Retournons à nos jeux! Ils reprennent alors leurs jeux,
1325 leurs rondes et leurs danses.

Notre chevalier repart aussitôt, sans plus s'attarder dans la prairie, toutefois la jeune fille ne reste pas en arrière, il prend bien soin de l'emmener. Tous deux s'en vont en hâte. Le père et le fils les suivent de loin; ils ont
1330 traversé un pré fauché, puis ils ont bien chevauché jusqu'à l'heure de none•, quand ils découvrent dans un très bel endroit une église et, à côté du chœur, un cimetière entouré de murs. Le chevalier, qui ne se conduisait ni en rustre ni en sot, mit pied à terre et entra dans l'église
1335 pour prier Dieu. La demoiselle resta à tenir son cheval jusqu'à son retour. Une fois sa prière achevée, il revenait sur ses pas quand il aperçut, devant lui, un moine très âgé qui venait à sa rencontre. Quand celui-ci fut arrivé à sa hauteur, il le pria très poliment de lui dire ce qu'il y
1340 avait là à côté, car il ne le savait pas. Le moine lui répondit que c'était un cimetière, et le chevalier repartit :

– Conduisez-moi jusque-là, et que Dieu vous garde!

– Volontiers, seigneur.

Il le conduit donc. Le chevalier pénètre dans le cime-
1345 tière à la suite du moine et voit les plus belles tombes que l'on peut trouver d'ici jusqu'à la Dombe, et de là jusqu'à Pampelune. Sur chacune d'entre elles étaient gravées des inscriptions qui indiquaient le nom de celui qui y reposerait un jour. Il entreprit de déchiffrer lui-même
1350 les noms l'un après l'autre, et lut : «Ici reposera Gauvain, ici Louis, ici Yvain.» Après ces trois-là, il a lu bien d'autres noms de chevaliers d'élite, des plus estimés et des plus valeureux de ce pays-ci et d'ailleurs. Parmi les

autres tombes, il en aperçoit une de marbre, qui paraît
1355 être récente et surpasse toutes les autres par sa richesse et sa beauté. Le chevalier appelle le moine et
l'interroge :

– Ces tombes qui sont ici, à quoi sont-elles destinées ?

– Vous avez bien vu les inscriptions, répond le moine.
1360 Vous les avez comprises et vous savez donc bien ce
qu'elles veulent dire et ce que signifient ces tombes.

– Et la plus grande qui est là, dites-moi donc quelle
est sa destination.

– Je vais vous le dire, répond l'ermite. C'est un tom-
1365 beau qui surpasse tous ceux qui ont jamais été faits,
tant il est riche et bien travaillé : jamais on n'en a vu
de tel, ni moi ni personne. Il est beau à l'extérieur, et
l'est plus encore à l'intérieur. Mais n'y songez point,
cela ne vous servirait à rien, car vous ne verrez jamais
1370 l'intérieur : il faudrait sept hommes des plus forts et
des plus robustes pour découvrir ce caveau, si on voulait l'ouvrir, sachez-le bien, c'est la vérité. Il est en effet
recouvert d'une dalle qui demanderait pour la soulever
sept hommes plus forts que nous ne le sommes ni
1375 vous ni moi. Elle porte une inscription qui dit ceci :
« Celui qui soulèvera cette dalle avec ses seules forces délivrera tous ceux et celles qui sont retenus prisonniers dans
le pays d'où nul ne revient jamais, ni serf ni gentilhomme,
à moins d'y être né. » Aucun prisonnier jusqu'à présent
1380 n'est retourné chez lui. Les étrangers y sont retenus
prisonniers, alors que les habitants du pays vont et
viennent, entrent et sortent selon leur bon plaisir. Le
chevalier empoigne aussitôt la dalle à pleines mains et
la soulève, sans le moindre mal, avec plus de facilité
1385 que ne l'auraient fait dix hommes en s'y employant de
toutes leurs forces. Le moine demeura stupéfait, tom-
bant presque à la renverse à la vue de ce prodige.
C'est qu'il n'aurait jamais pensé voir rien de tel de
toute sa vie.

1390 – Seigneur, lui dit-il, j'aimerais beaucoup connaître
votre nom. Accepteriez-vous de me le dire ?

– Moi, non, par ma foi ! lui répondit le chevalier.

– Assurément, je le regrette, reprend le moine. Pourtant, si vous me le disiez, ce serait une marque de

1395 courtoisie de votre part, et vous en tireriez peut-être
quelque avantage. D'où venez-vous, de quel pays?

– Je suis un chevalier, vous le voyez, et je suis né au
royaume de Logres. J'aimerais maintenant que nous en
soyons quittes. Mais vous, s'il vous plaît, dites-moi à
1400 nouveau qui doit reposer dans cette tombe.

– Seigneur, c'est celui qui délivrera tous ceux qui sont
pris au piège du royaume dont nul ne revient.

Maintenant que le moine lui avait dit tout ce qu'il
savait, le chevalier le recommanda à Dieu et à tous ses
1405 saints. Il s'en est allé retrouver la demoiselle, tandis que
le vieux moine aux cheveux blancs le raccompagne à
l'extérieur de l'église. Ils reviennent sur la route, et tandis
que la jeune fille se remet en selle, le moine lui raconte
en détail l'exploit réalisé par le chevalier à l'intérieur de
1410 ces murs, et lui demande de bien vouloir lui dire son
nom, si toutefois elle le sait. Elle dut lui avouer qu'elle
ne le savait pas, mais avança en revanche une chose dont
elle était sûre : il n'existait pas au monde un seul chevalier comme lui, si loin que ventent les quatre vents. Sur
1415 ces mots, la jeune fille le quitte et s'élance au galop derrière le chevalier. C'est à ce moment qu'arrivent ceux qui
les suivaient : apercevant le moine seul devant l'église, le
vieux chevalier en simple tunique s'adresse à lui :

– Seigneur, dites-nous, auriez-vous vu un chevalier
1420 escortant une demoiselle?

– Je n'aurai pas de mal à vous dire sur eux toute la
vérité, car ils partent d'ici à l'instant. Le chevalier est
entré à l'intérieur de ces murs, et il a accompli un grand
prodige : il a soulevé à lui tout seul, sans la moindre diffi-
1425 culté, la dalle qui recouvre la grande tombe de marbre. Il
part secourir la reine, et il la secourra sans aucun doute,
et tous les autres prisonniers avec elle. Vous le savez bien
vous-même, pour avoir souvent lu l'inscription gravée sur
la dalle. En vérité, jamais sur terre n'a vu le jour ni n'est
1430 monté en selle un chevalier d'une telle valeur.

– Mon fils, qu'en penses-tu? demanda le père à son
fils. N'est-il pas d'une belle vaillance, celui qui a
accompli un tel exploit? Tu vois bien maintenant qui
avait tort, tu vois si c'était toi ou moi. Je ne voudrais pas,
1435 pour Amiens, que tu aies eu à lutter contre lui. Tu t'es

pourtant bien démené avant qu'on puisse t'en empêcher. Nous n'avons plus qu'à rentrer maintenant, car ce serait vraiment insensé de les suivre plus loin.

1440 — J'y consens, répond le fils, cela ne nous servirait à rien de les suivre. Faisons demi-tour, puisque vous le voulez.

C'était faire preuve de sagesse que de rentrer. Pendant ce temps la jeune fille continue d'avancer, à côté du che-valier, elle cherchait à se faire entendre et à lui faire

1445 dire son nom. Elle lui demande de le lui dire, l'en prie et l'en reprie, tant et si bien qu'il finit par répondre, excédé :

— Ne vous ai-je donc pas dit que je suis du royaume du roi Arthur? Par ma foi en Dieu tout-puissant, vous ne

1450 saurez rien concernant mon nom!

Elle lui demande alors de lui donner congé•, disant qu'elle allait repartir : il le lui donne bien volontiers. La jeune fille alors le quitte. Notre chevalier a continué tard à chevaucher, sans plus être accompagné; vêpres•

1455 étaient passées et il était l'heure de complies• quand, poursuivant sa route, il aperçut un chevalier qui sortait du bois où il venait de chasser. Il approchait, heaume• lacé, transportant avec lui la venaison que Dieu lui avait donnée, monté sur un grand cheval de chasse à robe gris

1460 fer. Ce vavasseur• vient vite au-devant du chevalier et lui propose l'hospitalité :

— Seigneur, dit-il, il va bientôt faire nuit, il est temps maintenant de vous arrêter quelque part, il serait raison-nable de le faire. J'ai une maison tout près d'ici où je vais

1465 vous conduire. Jamais personne ne vous a mieux reçu que je ne vais m'employer à le faire autant qu'il m'est possible. Si vous acceptez, j'en serai très heureux.

— Et moi aussi, j'en suis très heureux, j'accepte, répond le chevalier.

1470 Le vavasseur envoie aussitôt son fils en avant pour rendre la maison accueillante et hâter les préparatifs du repas. Sans perdre une minute le jeune homme s'exécute avec plaisir et bonne humeur et il part à vive allure. Les deux chevaliers, qui n'avaient pas besoin de se presser,

1475 restaient en arrière, et poursuivant leur chemin finirent par arriver à la maison. Le vavasseur avait pour femme

une dame distinguée. Il avait aussi cinq fils qu'il aimait beaucoup : trois étaient encore des jeunes gens et deux étaient déjà chevaliers; il avait enfin deux filles char-
1480 mantes et belles qui n'étaient pas encore mariées. Ils n'étaient pas nés dans ce pays mais ils y étaient enfermés et y vivaient prisonniers depuis bien longtemps. Ils étaient nés dans le royaume de Logres. Le vavasseur* a fait entrer le chevalier dans la cour, la dame court à leur
1485 rencontre, ses fils et ses filles se précipitent, tous s'offrent à le servir, le saluent, l'aident à descendre de cheval. Le maître de maison, lui, ne reçoit que peu de témoignages d'attention de ses enfants, des sœurs pas plus que de leurs cinq frères : ils savaient bien que leur père souhai-
1490 tait les voir faire ainsi. Ils dispensent au chevalier maints égards, et lui font fête, puis, une fois qu'on lui eut retiré son armure, l'une des deux filles de son hôte lui mit sur les épaules son propre manteau, qu'elle lui attacha au cou après l'avoir ôté du sien. Dire s'il fut bien servi au
1495 souper, inutile de le préciser. Mais une fois le repas achevé, on n'eut alors aucune difficulté à aborder bien des sujets de conversation. Pour commencer, le vavasseur demanda à son hôte qui il était et de quel pays il venait, sans toutefois lui demander son nom. Le chevalier
1500 répond aussitôt :
— Je suis du royaume de Logres, mais je ne suis encore jamais venu dans ce pays.

En l'entendant, le vavasseur est saisi d'étonnement et d'inquiétude, ainsi que sa femme et tous ses enfants :
1505 aucun qui n'en fût contrarié. Aussi entreprennent-ils de l'éclairer :
— Quel malheur pour vous d'être venu, très cher seigneur. Quel grand dommage pour vous! Maintenant vous allez être, comme nous, réduit à la servitude et à
1510 l'exil.
— Mais d'où êtes-vous donc? fait-il.
— Seigneur, nous sommes du même pays que vous. En cette contrée on trouve beaucoup de gens de qualité venus de votre pays qui vivent ici en servitude. Maudite
1515 soit pareille coutume et maudits soient ceux qui la per-pétuent! Elle veut que, sans exception, tout étranger venant par ici soit contraint d'y rester, et demeure

prisonnier de cette terre, car on entre dans ce pays comme on veut, mais on est obligé d'y rester. C'en est
1520 fait de vous, maintenant : vous ne sortirez, je crois, jamais plus.

– Si, j'en sortirai, si cela m'est possible, retorque-t-il. Le vavasseur• reprend alors :

– Comment? Vous pensez en sortir?

1525 – Oui, si telle est la volonté de Dieu, et je ferai tout ce que je pourrai pour cela.

– Alors, tous les autres sortiraient aussi sans crainte et partiraient librement : car à partir du moment où l'un de nous sera sorti, en toute légalité, de cette prison, tous les
1530 autres, sans déshonneur, pourront à leur tour sortir sans qu'on le leur interdise.

C'est alors que le vavasseur se souvient de ce qu'il avait entendu dire : un chevalier de grande valeur serait entré de force dans le pays pour retrouver la reine que
1535 retenait captive Méléagant, le fils du roi. «Je pense vraiment que c'est lui, j'en suis sûr, je vais lui en parler», se dit-il, et, se tournant vers le chevalier :

– Seigneur, ne me cachez rien de votre mission, je vous promets de vous conseiller du mieux que je pour-
1540 rai. J'ai moi-même tout intérêt à ce que vous réussissiez. Dites-moi toute la vérité, c'est votre intérêt comme le mien : c'est pour la reine, j'en suis sûr, que vous êtes venu dans ce pays, au milieu de ces infidèles qui sont pires que les sarrasins eux-mêmes.

1545 Et le chevalier de répondre :

– Je n'y suis pas venu pour autre chose. Je ne sais où ma dame est enfermée, mais je cherche à lui venir en aide, et j'ai grand besoin de conseils. Donnez-moi des conseils, si vous le pouvez.

1550 L'autre lui répondit :

– Seigneur, vous vous êtes engagé sur un chemin bien difficile. Le chemin que vous suivez vous mène tout droit au Pont de l'Épée. Vous devriez suivre mon conseil. Si vous vouliez m'en croire, vous iriez au Pont de l'Épée par
1555 un chemin plus sûr, je vous y ferais conduire.

Mais le chevalier, qui cherche à aller au plus court, l'interroge :

– Est-il aussi direct que ce chemin-ci?

— Certes non, répondit-il, c'est au contraire un chemin
1560 plus long, mais plus sûr.

— Alors, je n'en ai que faire, réplique le chevalier. C'est
sur celui-ci que j'attends que vous me donniez des
conseils, car je suis prêt à l'affronter.

— En vérité, seigneur, vous ne gagnerez rien à prendre
1565 cet autre chemin. Demain vous arriverez à un passage où
vous rencontrerez bien vite quelques déboires : on l'appelle le Passage des Pierres. Voulez-vous que je vous dise
vraiment combien ce passage est mauvais? Il n'y peut
passer qu'un seul cheval, deux hommes ne le fran-
1570 chiraient pas de front, de plus le passage est bien gardé
et bien défendu. Ce n'est pas parce que vous allez y
venir qu'on va vous le céder, vous aurez à essuyer
nombre de coups d'épée et de lance* et à en rendre tout
autant avant de passer de l'autre côté.

1575 Quand il eut terminé sa description, l'un des chevaliers s'avança, l'un des fils du vavasseur*, et il déclara :

— Père, j'irai avec ce seigneur, si vous le voulez bien.

Se lève alors l'un des jeunes gens, disant à son tour :

— Moi aussi, j'irai.

1580 Leur père leur en donne bien volontiers l'autorisation
à tous deux. Ainsi le chevalier ne repartira-t-il pas seul,
et il les en remercie, car il aime bien leur compagnie.
Là-dessus la conversation s'achève, on emmène le chevalier se coucher et il a pu dormir, s'il en avait envie.

Compréhension

• La fontaine (l. 920 à 1077)

1. *Comment ce nouvel épisode reprend-il, en le prolongeant, le schéma ébauché à l'aube du deuxième jour?*

2. *Quelle est l'importance de cette seconde allusion aux «coutumes» de Logres? Précisez l'intérêt dramatique de ces données d'apparence purement informative.*

3. *Observez le comportement de la demoiselle (l. 1024 à 1047): en quoi la noblesse de son attitude participe-t-elle d'un code chevaleresque qui va se découvrir tout au long du récit?*

4. *Qui est le véritable guide et acteur de cet épisode? Quelle est la portée symbolique de cette situation?*

• Le chevalier amoureux (l. 1077 à 1325)

5. *Pourquoi ce nouveau défi, cette fois explicite, de la part de la demoiselle? Quel est le tournant ainsi souligné dans les aventures du héros?*

6. *Par le biais du contre-exemple donné par le chevalier arrogant, vous pouvez tenter de commencer à dresser un tableau des valeurs chevaleresques, tirant parti du contraste entre les deux chevaliers.*

• Le cimetière (l. 1326 à 1453)

7. *Dans quelle mesure cette scène reprend-elle et prolonge-t-elle, comme en écho, la scène du premier soir (l. 336 à 384)? Quel motif relie les deux scènes? Comment est-il développé et exploité pour prendre ici tout son sens?*

8. *La double mission du chevalier: relevez les indices qui opposent la quête individuelle du héros à la mission collective qui lui est assignée.*

9. *La réponse énigmatique du chevalier (l. 1397 à 1400) invite le lecteur à s'interroger: en quoi n'est-il pas indifférent que le héros soit désigné par une nouvelle périphrase*? Pourquoi n'a-t-il pas de nom?*

• Le vavasseur (l. 1453 à 1584)

10. *Comment se précise, pour le lecteur, la certitude de la mission impartie au chevalier? Quelle ambiguïté recèle, à ce propos, la question du vavasseur (l. 1538 à 1544)?*

Écriture

• La fontaine (l. 920 à 1077)

11. *Les critiques ont souvent parlé d'une adoration mystique de la part du chevalier dans ce passage. Quels éléments lexicaux viennent à l'appui de cette thèse?*

12. *Une intervention d'auteur pesante (l. 1064 à 1074) : quelle est la fonction de cette intrusion dans le récit?*

• Le cimetière (l. 1326 à 1453)

13. *Relevez les procédés d'insistance fréquents au cours de cet épisode. Quel est l'effet recherché?*

14. *La sobriété du récit de l'exploit (l. 1382 à 1386) s'oppose à la longueur de la description qui précède (l. 1344 à 1382). Quel est l'effet produit?*

• Le vavasseur (l. 1453 à 1584)

15. *Reprises et répétitions : relevez-les, puis observez quels sont les passages les plus remarquables à ce titre et dégagez l'effet produit sur le public-auditeur.*

16. *Le lecteur peut désormais déceler des expressions clés qui scandent le récit : lesquelles?*

Bilan

L'action

• Ce que nous savons

L'aventure s'est transformée en une quête solitaire : les deux chevaliers se sont momentanément séparés au deuxième jour pour tenter de trouver, chacun par une voie différente, l'accès au royaume de Gorre, où la reine est prisonnière.

Le rythme de l'aventure s'est néanmoins accéléré : le lecteur accompagne désormais le chevalier sans nom, dit «chevalier de la charrette», qui vient de faire la preuve de sa force quatre fois en l'espace de deux jours. Confronté à diverses péripéties, il paraît triompher sans peine. Bien plus, il accomplit un exploit prophétique en soulevant la dalle d'une tombe dans un cimetière merveilleux : cet exploit le désigne, selon l'inscription portée sur la tombe, comme le futur sauveur qui va libérer les prisonniers de Logres (royaume d'Arthur).

Le chevalier sans nom poursuit donc une double quête : parti à la recherche de la reine, il se découvre également investi d'une mission collective, la libération des siens, prisonniers au royaume de Gorre.

• À quoi nous attendre?

1. Un don contraignant a ouvert le récit et déclenché l'aventure. Le don revient dès cet instant comme un motif du récit : observez toutes ses variantes (promesse, don et contredon). En quoi ce motif peut-il devenir un important ressort dramatique?

2. Les épreuves se succèdent, de plus en plus difficiles : en quoi le récit prend-il la forme d'un parcours de «réhabilitation» autant que celle d'une quête?

Les personnages

• Ce que nous savons

Mis à l'épreuve sur son chemin, le chevalier ne s'est pas détourné de la «droite voie». Au plus fort du combat, il ne songe qu'à la reine, évitant de s'attarder, de faire le moindre détour. Rien ne lui fait peur : il brave tous les dangers pour se hâter vers son but. Triomphant facilement des épreuves physiques, il se montre étrangement vulnérable devant l'épreuve morale, et manque par trois fois de périr, prisonnier de ses pensées et de son tourment inté-rieur : il est de plus en plus clair qu'il aime la reine.

Le nombre des demoiselles rencontrées sur son chemin, ainsi que leurs similitudes, ne cesse d'intriguer. Chacune est un peu la réplique de la précédente ou l'annonce de celle qui suivra. Toutes sont pourtant indispensables et remplissent une fonction d'adju-vant* dans cette quête : elles jalonnent les étapes d'un parcours hors du commun et préfigurent une femme unique.

• À quoi nous attendre?

1. *Les adjuvants : distinguez ceux qui se présentent d'emblée comme tels et ceux qui soumettent d'abord le héros à une épreuve de reconnaissance.*
Examinez les différents types de personnages. Comment se complètent-ils? Quelle fonction ont-ils pour la suite du récit?

2. *Le chevalier ne se détourne pas de sa quête, malgré la mission pour laquelle il vient d'être désigné. Que laisse présager cette double mission? Développez le paradoxe où se trouve enfermé le héros (quête individuelle, mission collective).*

3. *Étudiez les opposants*. Quels sont-ils? Comment se complètent-ils? Quels nouveaux personnages pouvons-nous dès lors esquisser pour la suite du récit?*

4. *Comment définir la fonction du père, ni opposant ni vraiment adjuvant? Quelle importance ce constat a-t-il pour la suite?*

1585   Aux premières lueurs du jour, le voilà debout. Ce que voyant, les jeunes gens qui devaient partir avec lui se sont aussitôt levés. Les chevaliers une fois équipés prirent congé* et s'en sont allés, le jeune homme à leur tête. Ils poursuivent ensemble leur chemin, tant et si
1590 bien qu'ils arrivent au Passage des Pierres juste à l'heure de prime*. Il y avait au milieu du passage une bretèche* où se tenait en permanence un homme en sentinelle. Avant qu'ils n'aient pu s'approcher, la sentinelle sur la bretèche les aperçoit et se met à crier de toutes ses
1595 forces : «Voilà un ennemi! Voilà un ennemi!» Alors surgit à cheval, au pied de la bretèche, un chevalier équipé d'une armure neuve, escorté de chaque côté d'hommes d'armes portant des haches à la lame tranchante. Quand le chevalier s'approche du passage, la sentinelle se met à
1600 lui reprocher l'épisode de la charrette avec force injures :

    – Vassal, tu t'es montré bien téméraire et bien naïf en entrant ainsi dans ce pays! On ne devrait jamais venir ici quand on est monté sur une charrette! Que Dieu ne
1605 te permette pas de t'en réjouir!

    Alors ils s'élancent l'un vers l'autre de toute la vitesse de leurs chevaux, et la sentinelle chargée de garder le passage brise aussitôt sa lance* et en laisse tomber les deux morceaux; le chevalier l'atteint à la gorge, juste
1610 au-dessus de la doublure de l'écu*, et le jette à la renverse en travers des rochers. Les soldats bondissent avec leurs haches, mais volontairement le manquent, car ils n'ont aucune envie de lui faire du mal, ni à lui ni à son cheval. Le chevalier se rend bien compte qu'ils ne
1615 veulent pas lui nuire et ne cherchent à lui faire aucun mal, aussi ne se donne-t-il pas la peine de tirer son épée : il franchit le passage sans encombre, ses compagnons à sa suite. L'un d'eux dit à l'autre qu'il n'a jamais vu pareil chevalier ni personne de semblable : «N'est-ce
1620 pas un grand prodige qu'il vient d'accomplir, en forçant ce passage?»

    – Cher frère, par Dieu, fais aussi vite que tu peux pour rejoindre notre père et lui raconter cette aventure.

    Mais le jeune homme fit l'obstiné, refusa et jura qu'il
1625 n'irait certainement pas le lui dire et qu'il ne quitterait

pas le chevalier avant qu'il ne l'ait adoubé et fait lui-même chevalier. Que son frère aille donc porter le message s'il en a tellement envie!

Alors ils poursuivirent ensemble, tous les trois, jusqu'à
1630 ce qu'il fût à peu près l'heure de none•. Aux environs de l'heure de none ils ont rencontré un homme qui leur demande qui ils sont.

— Nous sommes des chevaliers, nous allons où notre service le demande, répondent-ils.

1635 L'homme propose alors à notre chevalier :

— Seigneur, je voudrais vous héberger, vous et vos compagnons.

Il s'adresse à celui qui lui paraît être le seigneur et le maître des autres, mais ce dernier répond :

1640 — Il ne saurait en être question, je ne peux pas faire étape à cette heure, car c'est une lâcheté que de traîner en route et se reposer confortablement quand on s'est engagé dans pareille entreprise. Et ce que j'ai entrepris est si important que je suis encore bien loin de pouvoir
1645 faire étape.

L'homme insiste encore :

— Mon logis• n'est pas tout près d'ici, il y a un bon bout de chemin à faire avant d'y arriver. Vous pouvez y venir et être sûr de ne faire étape qu'à l'heure où ce sera
1650 vraiment nécessaire, car il sera tard quand vous y arriverez.

— Eh bien, fait-il, j'irai donc.

L'homme se met en route et passe devant pour les guider, eux suivent sur le grand chemin. Ils avaient déjà
1655 parcouru une belle distance quand ils rencontrèrent un écuyer qui, sur le même chemin, arrivait vers eux au grand galop sur un ronçin gras et rond comme une pomme. L'écuyer interpelle l'homme :

— Seigneur, seigneur, venez vite, car les gens de Logres
1660 ont pris les armes• pour attaquer les gens de ce pays; la guerre est déjà commencée, on se dispute et on se bat, ils disent qu'un chevalier s'est introduit dans notre pays, qu'il a livré bataille en maints endroits et qu'on ne peut lui barrer le passage, où qu'il veuille aller, car il passe
1665 toujours, n'en déplaise à quiconque. Tout le monde dans ce pays dit qu'il va tous les délivrer et réduire les

nôtres à merci. Il vous faut vraiment vous hâter, à mon avis!

1670 L'homme se lance alors au galop, tandis que nos trois chevaliers se réjouissent, car ils avaient entendu eux aussi : ils vont vouloir aider les leurs, et le fils du vavasseur* propose alors :

— Seigneur, vous entendez ce qu'a dit cet homme d'armes. Allons-y, prêtons main-forte à nos gens qui sont
1675 en train de se battre avec ceux de l'autre camp.

L'homme file à vive allure sans les attendre, se dirigeant à toute vitesse vers une forteresse bâtie sur une hauteur. À force de courir, il arrive à l'entrée, suivi des autres qui éperonnent leur monture. Cette enceinte était
1680 protégée par un haut mur et un fossé qui en faisaient tout le tour. À peine venaient-ils d'entrer qu'on leur fit retomber une porte sur les talons, leur coupant toute retraite. «Allons, allons, disent-ils, nous n'allons pas nous laisser arrêter ici.» Ils se hâtent de suivre l'homme
1685 et arrivent devant la porte de sortie, qu'on ne leur interdit pas, mais à peine leur guide est-il dehors qu'on fait retomber juste derrière lui une porte coulissante. Les voilà fort affligés de se voir ainsi enfermés, ils pensaient être le jouet de quelque enchantement. Mais le héros
1690 dont je vous conte ici l'histoire portait à son doigt un anneau dont la pierre avait le pouvoir de briser tout enchantement : il lui suffisait de la regarder. Il met l'anneau devant ses yeux, regarde la pierre et dit :

— Dame, Dame, que Dieu me vienne en aide, en ce
1695 moment j'aurais bien besoin que vous puissiez m'aider.

Cette dame qu'il implorait était une fée qui lui avait donné l'anneau et l'avait élevé quand il était enfant. Il avait en elle une confiance totale, il savait bien que, où qu'il fût, elle viendrait toujours lui porter aide et secours.
1700 Mais il voit bien, l'ayant invoquée et ayant regardé la pierre, qu'il n'y avait pas d'enchantement : ils sont bel et bien enfermés et retenus prisonniers, il en est convaincu.

Ils parviennent alors à une poterne étroite et basse dont la porte était fermée par une barre. Tous ensemble
1705 ils tirent leurs épées, et ils frappent tant et si bien qu'à coups d'épée ils ont fini par couper la barre. Une fois sortis de la tour, ils voient que la bataille s'était engagée,

là-bas dans les prés, âpre et féroce. Il y avait bien mille chevaliers, tant d'un côté que de l'autre, sans compter la
1710 foule des vilains. Tandis qu'ils descendaient vers les prés, le fils du vavasseur•, parlant en homme sensé et avisé, proposa :

– Seigneur, avant d'aller là-bas, nous ferions bien, je crois, de désigner l'un d'entre nous pour aller aux ren-
1715 seignements et nous indiquer de quel côté se tiennent les nôtres. Je ne sais par quel côté ils arrivent, mais j'irai voir, si vous voulez.

– Je veux bien, dit notre chevalier, allez-y vite. Il vous faut aussi revenir vite !
1720 Il a tôt fait d'y aller et tôt fait de revenir, et dit :

– Nous avons beaucoup de chance, car j'ai pu voir avec certitude que ce sont les nôtres, de ce côté-ci où nous sommes.

Le chevalier se lança alors aussitôt en direction de la
1725 mêlée. Il rencontre un chevalier qui venait vers lui, il engage la lutte et le frappe si violemment d'un coup à l'œil qu'il le jette à terre, mort. Le jeune homme qui l'ac-compagnait met pied à terre, s'empare du cheval et de l'armure du chevalier, puis revêt l'armure, qui lui donne
1730 belle et fière allure. Ainsi équipé, il saute en selle sans attendre, saisit l'écu• et la lance•, une grande lance mas-sive au bois orné de motifs peints ; il avait passé l'épée à son côté, une épée dont la lame tranchante brillait et étincelait. Il s'est jeté dans la bataille à la suite de son
1735 frère et de son seigneur, qui a tenu bon un long moment au cœur de la mêlée, rompant, fendant et mettant en miettes écus, heaumes• et hauberts•. Ni le bois ni le fer ne protégeaient celui qu'il touchait et ne pouvait l'empê-cher d'être blessé ou de voler, mort, à bas de son cheval.
1740 À lui seul il faisait si bien qu'il mettait tous ses adver-saires en déroute ; et de leur côté ses compagnons fai-saient aussi du fort bon travail. Cependant les gens de Logres s'en étonnent, car ils ne le connaissent pas et ils interrogent à voix basse le fils du vavasseur. Ils posent
1745 tant de questions, pour la plupart, qu'ils finissent par obtenir cette réponse :

– Seigneurs, c'est celui qui va tous nous sortir de l'exil et de la triste condition qui est la nôtre depuis

longtemps. Nous devons lui faire grand honneur, car
1750 pour nous sortir de prison il a dû franchir et franchira
encore nombre de mauvais pas. Il lui reste beaucoup à
faire et il a déjà beaucoup fait.

Nul n'a manqué de participer à la joie générale, quand
la nouvelle se fut propagée jusqu'à être connue de tous.
1755 Ils l'avaient tous entendue et la connaissaient tous. La
joie qu'ils en ont éprouvée décuple leurs forces et,
déchaînés, ils font tant et si bien qu'ils tuent un grand
nombre de leurs adversaires; et s'ils les malmènent tant,
c'est dû bien plus, me semble-t-il, aux prouesses d'un
1760 seul chevalier qu'à tous leurs efforts réunis. Si l'on n'avait
pas été si près de la nuit, les adversaires auraient tous été
mis en déroute. Mais la nuit tomba, si obscure qu'il leur
fallut se séparer.

Au moment du départ, tous les captifs, se bousculant
1765 à qui mieux mieux, encerclèrent le chevalier de tous
côtés, saisissant les rênes de son cheval, et commen-
cèrent à lui crier :

– Soyez le bienvenu, cher seigneur!

Et chacun d'ajouter :
1770 – Seigneur, par ma foi, vous logerez chez moi!
– Seigneur, par Dieu et par son nom, vous ne logerez
pas ailleurs que chez moi!

Chacun répète à l'envi ce que dit l'autre, car tous
veulent le loger, les jeunes comme les vieux, et chacun
1775 de dire :

– Vous serez mieux chez moi que chez un autre.

Voilà ce que chacun lui propose, et ils se l'arrachent
les uns les autres, tant ils le veulent chacun pour soi : il
s'en faut de peu qu'ils n'en viennent aux mains. Le che-
1780 valier leur dit alors que leur dispute n'est que temps
perdu et que folie :

– Arrêtez cette querelle dont nous n'avons nul besoin,
pas plus moi que vous. Ce n'est pas bien de nous querel-
ler entre nous, alors que nous devrions au contraire nous
1785 entraider. Il ne faut pas que vous vous disputiez le droit
de m'héberger, mais pour que chacun y trouve son
compte, vous devriez vous contenter de me chercher un
lieu d'hébergement qui soit sur mon itinéraire.

Et chacun cependant de continuer :

1790   — C'est ma maison!

    — Non, c'est la mienne!

    — Vous ne parlez toujours pas comme je le voudrais, dit le chevalier; je crois bien que même le plus sensé d'entre vous est fou, à vous entendre vous quereller
1795 ainsi. Vous devriez m'aider à continuer de l'avant, et voilà que vous voulez me faire prendre des détours! En admettant que vous m'ayez tous, l'un après l'autre, comblé de témoignages d'honneur et de bons services, autant qu'il est possible d'en rendre à un homme, eh
1800 bien! par tous les saints qu'on prie à Rome, envers aucun je n'en serais plus reconnaissant de l'agrément que j'y aurais trouvé que je ne le suis de sa seule intention. Que Dieu ne me donne joie et santé, l'intention me fait tout autant plaisir que toutes les marques réelles d'honneur et
1805 de dévouement reçues de chacun. Que l'intention tienne lieu de l'acte!

    C'est ainsi qu'il parvient à avoir le dernier mot et à les calmer.

    On le conduit chez un chevalier fort aisé, dont la mai-
1810 son se trouve sur son chemin. Tous se mettent en peine pour le servir. Tous multiplient à son égard les manifesta-tions de joie, lui prodiguent à l'envi marques d'honneur et soins attentionnés toute la nuit jusqu'au coucher, car ils l'aimaient tellement! Le matin, quand ce fut le
1815 moment du départ, chacun voulut partir avec lui, se pro-posant et s'offrant à le servir. Mais lui ne veut pas d'eux, il n'a pas envie que quiconque vienne avec lui, à la seule exception des deux jeunes gens qu'il avait amenés jusque-là; c'est eux, sans personne d'autre, qu'il emmène
1820 de nouveau avec lui.

Questions

Compréhension

● **Le Passage des Pierres et le château piège (l. 1585 a 1706)**

1. *De la honte à la gloire : quel renversement de situation opère le bref combat du Passage des Pierres?*

2. *L'arrivée du messager : quels signes peuvent être interprétés comme autant de mauvais présages par le lecteur (l. 1629 à 1658)?*

3. *Quelle est la fonction paradoxale du merveilleux?*

4. *Le chevalier vient d'affronter deux épreuves physiques : ont-elles la même valeur symbolique?*

● **La mêlée (l. 1706 à 1763)**

5. *«Les gens», «la nouvelle» : quelle est la fonction, dans le récit, de cette première forme de reconnaissance, anonyme, du héros sans nom?*

● **Remerciements des captifs (l. 1764 à 1820)**

6. *Comment le chevalier a-t-il le beau rôle dans cette scène où les captifs en sont réduits à leur rôle de «piétaille»? Quel est le sentiment du chevalier (ou de l'auteur) à leur égard?*

7. *La double quête : mettez en évidence le paradoxe de ce passage où le chevalier poursuit une quête individuelle alors qu'il assume une mission collective.*

Écriture

8. *L'auteur, quand il n'intervient pas, donne divers indices au lecteur attentif (retours, reprises, prolongements d'un même motif). Recherchez quelques-uns de ces «guides de lecture».*

● **La mêlée (l. 1706 à 1763)**

9. *Notez les traits qui donnent à cette scène une dimension épique.*

● **Remerciements des captifs (l. 1764 à 1820)**

10. *Montrez la caricature sous la confusion des répliques et des remerciements.*

11. *Relevez les termes qui reviennent comme un leitmotiv et donnent un caractère un peu mécanique à l'agitation de cette foule.*

Ce jour-là ils ont chevauché du matin jusqu'à l'heure de vêpres* sans rencontrer d'aventure. Ils chevauchaient à vive allure, et il était bien tard quand ils vinrent à sortir de la forêt. Au sortir du bois ils aperçurent la maison
1825 d'un chevalier, et virent aussi sa femme, qui semblait être une dame fort avenante, assise devant la porte. Dès qu'elle put les voir, elle se leva pour les accueillir, les salua avec un visage souriant et chaleureux, et leur dit :

— Soyez les bienvenus! Je veux vous accueillir chez
1830 moi, vous voilà mes hôtes, descendez donc de cheval!

— Dame, puisque vous nous l'ordonnez, nous vous remercions, nous allons mettre pied à terre et pour cette nuit nous logerons chez vous.

Ils descendent de cheval et la dame fait emmener leurs
1835 chevaux, car elle avait une belle maisonnée* pour l'aider; elle appelle ses fils et ses filles qui arrivèrent tout aussitôt : c'étaient des jeunes gens courtois et avenants, des chevaliers et aussi de belles jeunes filles. Aux premiers elle demande d'ôter les selles des chevaux et de bien les
1840 panser. Il n'y en eut aucun qui protestât, ils le firent au contraire bien volontiers. Elle demande aussi qu'on désarme les chevaliers, ses filles se précipitent pour leur ôter leurs armures, et après les avoir libérés de leur armure elles leur donnent pour jeter sur leurs épaules
1845 trois manteaux courts. Puis on les conduit aussitôt dans la maison qui était fort belle. Le seigneur n'était pas là, il était dans les bois, accompagné de deux de ses fils. Mais il arriva bientôt, et sa maisonnée, qui connaissait les bonnes manières, s'empressa de sortir sur le pas de la
1850 porte pour l'accueillir. Ses enfants le débarrassent aussitôt de la venaison qu'il apportait et en coupent les attaches, puis on vient à l'informer :

— Seigneur, seigneur, vous ne savez pas, vous avez comme hôtes trois chevaliers!
1855 — Dieu en soit loué! fait-il.

Le chevalier et ses deux fils font à leurs hôtes un accueil très chaleureux, tandis que la maisonnée ne reste pas sans occupation : chacun, du premier au dernier, savait ce qui lui incombait de toutes les tâches
1860 nécessaires. Les uns courent pour préparer en hâte le repas, d'autres pour allumer des chandelles qu'ils font

généreusement brûler, ou pour prendre la serviette, les bassins et leur donner l'eau pour se laver les mains, la versant sans se montrer regardant. Tous se lavent les
1865 mains, puis on va s'asseoir. L'atmosphère de ces lieux n'etait en rien lourde ni pesante. On en était au premier plat quand vint se présenter au-dehors, sur le seuil de la porte, un chevalier plus orgueilleux que ne l'est un taureau, animal pourtant bien connu pour son orgueil. Ce
1870 chevalier, armé de pied en cap, se tenait en selle sur son destrier*. Il avait mis une jambe à l'étrier et avait allongé l'autre, pour prendre la pose, par coquetterie, sur l'encolure de son destrier à longue crinière. Le voici donc arrivé en pareille posture sans que personne n'y ait pris
1875 garde, jusqu'au moment où il vint se placer devant eux pour leur dire :

– Quel est donc celui d'entre vous, je veux le connaître, qui est si fou, si orgueilleux, et à ce point dépourvu de cervelle qu'il vient dans ce pays et croit
1880 pouvoir passer par le Pont de l'Épée? Il a bien perdu pour rien tout le mal qu'il s'est donné à venir et tous les pas qu'il lui a fallu faire pour rien.

Le chevalier, nullement impressionné, lui répond avec beaucoup d'assurance :
1885 – C'est moi qui veux passer par le pont.

– Toi? Toi? Comment peux-tu oser y songer? Tu aurais mieux fait de réfléchir avant de te lancer dans pareille entreprise et songer à l'issue et à la fin que tu pourrais bien y trouver; tu aurais dû aussi te souvenir de
1890 la charrette dans laquelle tu es monté. Je ne sais si tu as honte d'y avoir été transporté, mais personne de sensé n'aurait entrepris pareil projet après avoir encouru un tel blâme.

Entendant ce que lui dit cet arrogant personnage,
1895 notre chevalier ne daigne répondre un seul mot, mais le seigneur de la maison et tous les autres ont quelque raison d'être grandement étonnés :

«Ah! Dieu! Quelle triste mésaventure! se dit chacun en lui-même, maudite soit l'heure où l'on a pour la pre-
1900 mière fois imaginé et fabriqué une charrette, car c'est une invention vile et méprisable. Ah! Dieu! De quoi a-t-il été accusé, pourquoi a-t-il été mis sur la charrette, pour

quel péché, pour quel crime? Voilà qui lui sera toujours reproché, désormais. S'il n'était sous le coup de ces
1905 reproches, on ne trouverait pas un seul chevalier par le monde, aussi loin qu'il s'étend, dont la vaillance fût si éprouvée et dont la valeur égalât la sienne. On pourrait tous les rassembler, on n'en verrait pas de si beau ni si noble que lui, pour dire la vérité.» Voilà ce qu'ils disaient
1910 tous. Mais l'autre reprit avec morgue son discours et lui lança :

— Chevalier, écoute bien ceci, toi qui vas au Pont de l'Épée : si tu veux, tu passeras l'eau facilement et sans le moindre souci, je te mettrai dans une barque et j'aurai
1915 tôt fait de te faire traverser. Mais si je veux te faire payer le péage, quand tu seras à ma disposition sur l'autre rive, je te prendrai la tête, si je le veux, et je ne le ferai pas si je n'en ai pas envie, tu seras à ma merci.

Le chevalier répond qu'il ne recherche nullement sa
1920 propre perte et qu'il ne risquera jamais sa tête dans ce genre d'aventure, quoi qu'il lui en coûte. L'autre revient à la charge et réplique :

— Puisque tu refuses ma proposition, alors, que l'un ou l'autre de nous deux y trouve honte ou deuil, il va te
1925 falloir venir ici dehors te battre avec moi en corps à corps.

Et notre chevalier de répondre, pour donner le change :

— Si je pouvais refuser, je m'en dispenserais bien
1930 volontiers; mais à la vérité je préfère avoir à combattre que d'être obligé de faire quelque chose de pire.

Avant de quitter la table où tout le monde était assis, il demande aux jeunes gens qui le servaient de seller bien vite son cheval, d'aller prendre ses armes* et de les lui
1935 apporter. Ces derniers se donnent bien de la peine pour faire vite, les uns réunissent leurs efforts pour l'équiper de son armure, les autres lui amènent son cheval, et sachez-le bien, à le voir ainsi s'avancer au pas, armé de toutes ses armes, tenant l'écu* par les courroies, une fois
1940 bien campé sur son cheval, il ne semblait pas qu'on pût ne pas le compter au nombre des plus beaux comme des meilleurs chevaliers. On voyait bien que ce cheval était le sien, tant il lui convenait, de même que son écu, qu'il

tenait à plein bras par les courroies. Et le heaume* qu'il
1945 avait lacé sur sa tête était si bien ajusté qu'il ne vous
serait jamais venu à l'idée qu'il l'avait emprunté à un
autre ou acheté à crédit; bien au contraire vous auriez
dit, tant vous auriez trouvé qu'il lui allait bien, qu'il était
né et avait grandi ainsi équipé. Je voudrais que vous
1950 croyiez ce que je vous dis là.

Une fois passé la porte, à l'extérieur, on voit au milieu
de la lande où devait se dérouler le combat celui qui
avait exigé la joute. Dès qu'ils se voient, ils piquent des
deux l'un vers l'autre à bride abattue, et se donnent l'as-
1955 saut avec violence; ils se donnent de tels coups de lance*
qu'elles plient, se courbent et volent toutes deux en morceaux. À coups d'épée ils transpercent leurs écus*, leurs
heaumes et leurs hauberts*; ils fendent ce qui est de
bois, brisent ce qui est de fer, tant et si bien qu'ils s'in-
1960 fligent des blessures en plusieurs endroits. Tout à leur
colère, ils se rendent mutuellement la monnaie de leurs
coups, comme s'il se fût agi d'un contrat en bonne
forme. Très souvent les épées, venant à glisser, descendent jusqu'aux croupes des chevaux, où elles
1965 s'abreuvent de sang tout leur saoul car ils leur atteignent
les flancs, tant et si bien que les adversaires les abattent
morts tous les deux. Une fois tombés à terre, ils
recommencent à s'attaquer l'un l'autre, à pied cette fois.
En vérité, ils se haïraient à mort qu'ils ne mettraient pas
1970 plus de sauvagerie dans leurs coups d'épée. Les coups
tombent plus drus que ceux du joueur de mine qui mise
denier sur denier, et sans jamais s'arrêter lance ses dés
deux par deux à chaque coup perdant. Mais il s'agissait
ici d'un tout autre jeu où il n'y avait pas de «coup per-
1975 dant», mais de vrais coups, et un combat farouche, terrible et cruel. Tout le monde était sorti de la maison : le
seigneur, la dame, leurs filles et leurs fils; personne
n'était resté à l'intérieur, ni les proches ni les étrangers.
Ils étaient tous venus se ranger pour assister au combat
1980 qui se livrait au beau milieu de cette vaste lande. Quand
il voit son hôte le regarder, le chevalier de la charrette
s'accuse d'avoir manqué de bravoure et s'en fait le
reproche, puis il s'aperçoit que tous les autres aussi sont
là réunis pour le regarder. Son corps tout entier est alors

1985 parcouru de tremblements de colère, car il devrait depuis longtemps, pense-t-il, avoir triomphé de son adversaire. Alors il le frappe de son épée qui va lui frôler la tête et il fond sur lui comme le ferait la tempête, il le harcèle, le presse tellement qu'il force son adver-
1990 saire à reculer ; il gagne ainsi du terrain et le malmène au point que ce dernier en arrive presque à perdre le souffle et ne lui oppose plus guère de résistance. Le chevalier se rappelle alors que son adversaire avait agi de manière odieuse en faisant état de l'épisode de la
1995 charrette. Il le dépasse et le traite alors de telle sorte qu'il ne lui reste plus rien d'intact autour du cou, ni un lacet ni une attache, il lui fait s'envoler le heaume• de la tête et retomber la ventaille [1]. Il l'épuise tant et le fait tant souffrir que l'autre doit demander grâce, comme
2000 l'alouette qui devant l'émerillon [2] ne peut résister ni ne sait où se réfugier, une fois qu'il l'a dépassée et la domine de son vol : de même son adversaire, couvert de honte, vient l'implorer et lui demander grâce, puisqu'il ne peut faire autrement. Quand notre chevalier
2005 l'entend lui demander grâce, il ne le touche plus, cesse de le frapper et lui demande :

— Veux-tu que je t'épargne ?

— Quelle parole de grande sagesse vous avez là, fait-il ; un fou serait capable d'en dire autant : jamais je n'ai rien
2010 tant souhaité que d'être épargné aujourd'hui.

— Alors il te faudra monter sur une charrette, lui dit-il. Tu te fatiguerais en pure perte à me conter tout ce que tu voudras, si tu ne montais pas dans la charrette, parce que tu as eu la langue assez folle pour me le reprocher
2015 grossièrement.

Mais l'autre chevalier lui répond :

— Jamais je n'y monterai, à Dieu ne plaise !

— Non ? réplique le nôtre, alors vous allez mourir.

— Seigneur, vous avez bel et bien le pouvoir de me
2020 tuer, mais par Dieu, je vous demande grâce et vous en

---

1. *ventaille* : pièce du haubert• qui couvre le bas du visage.
2. *émerillon* : faucon, petit mais rapide. Les faucons sont des oiseaux prisés et chers, utilisés pour la chasse.

implore, à la seule condition de ne pas avoir à monter dans une charrette. Je suis prêt à accepter toute condition, si dure et si pénible soit-elle, hormis celle-là. Je crois que j'aimerais mieux être mort que d'avoir accompli
2025 pareille infamie; mais il n'y a nul autre châtiment que vous m'indiquerez que je ne sois prêt à subir pour mériter votre grâce et votre pitié.

Tandis qu'il demande sa grâce, voici qu'arrive au beau milieu de la lande une jeune fille sur une mule fauve, à
2030 l'amble. Les vêtements et les cheveux en désordre, elle tenait à la main un fouet dont elle donnait de grands coups à sa mule, si bien, pour dire vrai, qu'aucun cheval au grand galop ne serait allé aussi vite que cette mule courant à l'amble! La demoiselle s'adressa au chevalier de
2035 la charrette :

— Que Dieu permette à ton cœur, chevalier, de goûter une joie parfaite avec celle qui fait tes délices!

Le chevalier avait entendu ces mots avec plaisir et lui répondit :
2040 — Que Dieu vous bénisse, demoiselle, et qu'il vous donne joie et santé!

Elle lui dit alors ce qu'elle voulait :

— Chevalier, fait-elle, je suis venue de loin en grande hâte pour te demander un don; je ferai tout ce qui est en
2045 mon pouvoir pour te dédommager et te le rendre, car tu auras besoin de mon aide un jour, j'en suis persuadée.

— Dites-moi ce que vous voulez, lui répond-il, et si je l'ai, vous pourrez l'obtenir sans attendre, à condition que vous ne me demandiez pas quelque chose de trop difficile.
2050 — C'est la tête de ce chevalier que tu as vaincu que je demande, dit-elle. En vérité, tu n'as jamais vu pareil traître ni félon. Tu ne commettras là ni péché ni mauvaise action, mais au contraire tu accompliras un acte salutaire et charitable, car jamais on n'a vu ni ne verra
2055 d'être plus déloyal.

Quand le chevalier vaincu entendit qu'elle demandait sa mort, il supplia notre chevalier :

— Ne la croyez pas, elle dit cela parce qu'elle me hait, mais je vous en prie, accordez-moi votre grâce, au nom
2060 de ce Dieu à la fois fils et père, qui s'est donné pour mère celle qui était sa fille et sa servante.

– Ah, chevalier! s'écrie la jeune fille, ne crois surtout pas ce traître! Que Dieu te donne autant de joie et d'honneur que tu peux le désirer, et qu'il te permette de
2065 réussir dans ce que tu as entrepris!

Voilà notre chevalier bien embarrassé, il reste là un moment à réfléchir, se demandant s'il allait donner la tête à celle qui lui demandait de la trancher, ou s'il allait esti mer que l'autre valait la peine d'être gracié. C'est qu'il
2070 voudrait accorder à l'une et à l'autre ce qu'ils demandent. Largesse et Pitié lui ordonnent de satisfaire chacune leurs intérêts, puisqu'il était capable de faire preuve de largesse autant que de pitié. Mais si la jeune fille emporte la tête, alors Pitié sera vaincue et morte; et si elle ne l'emporte
2075 point, ce sera la défaite de Largesse. Voilà dans quelle cruelle alternative l'ont enfermé Pitié et Largesse, car chacune le tourmente et le tiraille. La jeune fille veut qu'il lui donne la tête de cet homme, elle le lui a demandé; mais lui de son côté implore sa pitié et sa bonté. Du
2080 moment que ce dernier lui a demandé grâce, ne l'obtiendrait-il donc pas? Si, car il n'est jamais arrivé au chevalier de refuser à quiconque, fût-ce son pire ennemi, une fois vaincu et réduit à demander grâce, cela ne lui est donc encore jamais arrivé d'avoir refusé cette grâce, au
2085 moins une seule et unique fois, car après, inutile d'y songer! Il ne la refusera donc pas à cet homme qui le supplie et l'implore, puisqu'il a coutume de faire ainsi. Et la jeune fille qui veut sa tête, l'aura-t-elle? Oui, s'il peut faire ainsi.

2090 – Chevalier, fait-il, il te faut combattre de nouveau avec moi, voici la grâce que je t'accorderai si tu veux défendre ta tête : je te laisserai à loisir reprendre ton heaume* et revêtir à nouveau ton armure pour te protéger le corps et la tête du mieux que tu pourras, mais
2095 sache bien que tu mourras de manière certaine si je l'emporte encore une fois.

– Mais je ne demande pas mieux, je ne demande pas d'autre grâce, répond le chevalier félon.

– Et je t'offre en plus un bel avantage, poursuit notre
2100 chevalier, car je me battrai sans bouger de place, ici même.

L'autre s'équipe et ils reprennent aussitôt le combat

avec fureur. Mais notre chevalier eut plus de facilité à le
vaincre à nouveau une seconde fois qu'il n'en avait eu la
2105 première. La jeune fille lui crie aussitôt :

– Ne l'épargne pas, chevalier, quoi qu'il te dise! Lui ne
t'aurait pas épargné, tu peux en être sur, s'il avait réussi
une seule fois à triompher de toi. Sois assuré, si tu
l'écoutes, qu'il va encore te tendre un piège. Tranche la
2110 tête de l'être le plus déloyal qu'aient connu l'empire et le
royaume, et donne-la-moi, noble chevalier. Tu dois me la
donner car, j'en suis sûre, un jour viendra où je saurai
t'en remercier, et fort bien. Mais lui, s'il le peut, il va
t'abuser encore avec ses discours.

2115 L'autre, voyant sa mort approcher, implore grâce à
grands cris, mais ses cris ne servent à rien, pas plus que
tout ce qu'il pourrait dire, car notre chevalier le tire par
le heaume*, en coupe toutes les sangles, puis lui fait tomber sa ventaille et sa coiffe aux mailles scintillantes.
2120 L'autre reprend sa prière aussi vite qu'il le peut :

– Grâce, pour Dieu! Grâce, vassal*!

– Par le salut de mon âme, répond notre chevalier, je
n'aurai plus jamais pitié de toi, puisque je t'ai déjà une
fois fait grâce.

2125 – Ah! fait-il, vous commettriez un péché en écoutant
mon ennemie et en me tuant de cette façon-là.

Et de son côté, la jeune fille qui désire sa mort l'exhorte au contraire à lui trancher la tête sur-le-champ et à
ne plus écouter ses discours. Notre chevalier donne un
2130 coup d'épée et la tête va voler dans la lande tandis que le
reste du corps s'affaisse. La jeune fille est satisfaite et
ravie. Le chevalier prend la tête par les cheveux et la lui
tend, ce qui lui fait grand plaisir.

– Que ton cœur puisse ressentir autant de joie grâce à
2135 l'objet de son plus grand désir que mon cœur en ressent
en ce moment grâce à l'objet de ma haine la plus profonde! Rien ne m'était si douloureux que de le voir vivre
si longtemps. Tu auras une récompense de ma part, elle
t'attend, tu la trouveras au bon moment, et ce service
2140 que tu m'as rendu te sera bien payé, je te le garantis. À
présent je vais partir, et je te recommande à Dieu, pour
qu'il te garde de tout danger.

La jeune fille le quitte aussitôt, ils se recommandent

l'un l'autre à Dieu. Mais tous ceux qui, dans la lande,
2145 avaient assisté au combat ont senti monter en eux un très
grand sentiment de joie. Ils aident en hâte le chevalier à
ôter son armure, tout en laissant éclater leur joie, et lui
prodiguent autant de marques d'honneur qu'ils en
connaissent. Ils se lavent les mains une nouvelle fois, car
2150 ils avaient hâte de se remettre à table. Ils sont plus gais
que d'habitude, et le repas se poursuit dans une belle et
franche gaîté. Quand ils eurent mangé en prenant tout
leur temps, le vavasseur* dit à son hôte, assis à ses
côtés :
2155   – Seigneur, il y a longtemps que nous sommes venus
ici du royaume de Logres, où nous sommes nés. Nous
voudrions bien que vous trouviez honneur, succès et joie
en ce pays, nous en partagerions les bienfaits avec vous,
et maint autre y trouverait aussi avantage si vous veniez à
2160 rencontrer la gloire et le succès sur votre route.
   – Dieu vous entende, répond-il.
   Quand le vavasseur eut cessé de parler, l'un de ses fils
prit la parole à son tour pour dire :
   – Seigneur, nous devrions mettre toutes nos forces à
2165 votre service et donner plutôt que promettre. Si vous
aviez besoin de notre aide, nous ne devrions pas attendre
que vous nous la demandiez. Seigneur, ne vous inquiétez
donc pas pour la perte de votre cheval car nous avons ici
des chevaux très vigoureux; je souhaite tellement vous
2170 donner un peu de ce qui est à nous que vous emmènerez
le meilleur de nos chevaux à la place du vôtre, vous en
avez bien besoin.
   – Bien volontiers, lui répond notre chevalier.
   Ils font alors préparer les lits et vont se coucher. Au
2175 lever du jour, de bon matin, ils se lèvent et se préparent.
Une fois prêts, il ne leur reste plus qu'à repartir : au
moment du départ, sans commettre la moindre indéli-
catesse, le chevalier prend congé* de la dame et du seigneur, ainsi que de tous les autres. Toutefois j'ai encore
2180 une chose à vous dire car je ne vous passe aucun détail :
le chevalier ne veut pas monter sur le cheval qu'on lui
avait prêté et qui l'attendait, harnaché, à la porte : il préféra le faire monter par l'un des deux chevaliers venus
avec lui, tandis que lui-même prenait son cheval en

2185 échange. Il avait envie de faire ainsi. Quand chacun fut en selle, ils se mirent en route tous trois avec le consentement de leur hôte qui les avait servis et honorés autant qu'il était possible.

Chevaliers combattants. Peinture gothique française du XIIIᵉ siècle.
Pernes, tour Ferrande (Vaucluse).

Questions

Compréhension

• **Chez le deuxième vavasseur (l. 1821 à 1942)**

1. *Reliez entre eux les rites d'accueil déjà rencontrés depuis le début du récit et résumez-en l'essentiel.*

2. *Le défi du chevalier orgueilleux : établissez un parallèle avec le chevalier amoureux (troisième jour). Retenez les similitudes qui mettent ces deux rencontres en miroir. Elles sont la préfiguration d'une troisième, qui viendra ultérieurement. Êtes-vous déjà en mesure d'en esquisser les grands traits?*

3. *Le contraste d'attitude entre les deux chevaliers met en lumière les valeurs chevaleresques reconnues au Moyen Âge. Quelles sont-elles?*

• **Les deux combats, la demoiselle à la mule fauve (l. 1942 à 2142)**

4. *Comment expliquez-vous le revirement du héros lorsqu'il se sent regardé (l. 1984 à 1992)?*

5. *Le chevalier accorde toujours sa grâce «la première fois». De quelle scène retrouvons-nous ici l'écho? Comparez.*

6. *Quels signes soulignent l'étrangeté de cette cinquième demoiselle? Quels mauvais présages, selon une imagerie traditionnelle, accompagnent son arrivée?*

• **Les réjouissances (l. 2143 à 2188)**

7. *Les réjouissances sont relatées sur un mode propre à séduire le public du XIIe siècle. Mais, au-delà de cette marque de reconnaissance, quelle est leur signification symbolique?*

Écriture

8. *Temps du récit et temps réel : soulignez dissemblances, ruptures de rythme entre les deux.*

9. *Le don de la tête : observez le contraste entre la sobriété du récit (l. 2129 à 2133) et l'extrême dureté des faits.*

10. *Pourquoi peut-on interpréter la promesse de la jeune fille (l. 2134 à 2142) comme une prédiction?*

11. *Le dernier passsage (l. 2143 à 2174) fonctionne comme un épisode précédent : lequel? Quelle en est la portée symbolique?*

Le droit chemin vont cheminant
3004 Tant que li jorz vet declinant,
Et vienent au Pont de l'Espee
Aprés none, vers la vespree.
Au pié del pont, qui molt est max,
3008 Sont descendu de lor chevax,
Et voient l'eve felenesse,
Noire et bruiant, roide et espesse,
Tant leide et tant espoantable
3012 Con se fust li fluns au deable,
Et tant perilleuse et parfonde
Qu'il n'est riens nule an tot le monde,
S'ele i cheoit, ne fust alee
3016 Ausi com an la mer salee.
Et li ponz qui est an travers
Estoit de toz autres divers,
Qu'ainz tex ne fu ne ja mes n'iert.
3020 Einz ne fu, qui voir m'an requiert,
Si max ponz ne si male planche.
D'une espee forbie et blanche
Estoit li ponz sor l'eve froide,
3024 Mes l'espee estoit forz et roide
Et avoit .II. lances de lonc.
De chasque part ot un grant tronc,
Ou l'espee estoit closfichiee.
3028 Ja nus ne dot que il i chiee
Por ce que ele brist ne ploit,
Que tant i avoit il d'esploit

Qu'ele pooit grant fes porter.
3032 Ce feisoit molt desconforter
Les .II. chevaliers qui estoient
Avoec le tierz, que il cuidoient
Que dui lyon ou dui liepart
3036 Au chief del pont de l'autre part
Fussent lïé a un perron.
L'eve et li ponz et li lyon
Les metent an itel freor
3040 Que il tranblent tuit de peor,
Et dient: «Sire, car creez
Consoil de ce que vos veez,

Ils suivent le chemin, continuant tout droit jusqu'au
2190 déclin du jour, et ils arrivent au Pont de l'Épée passé
l'heure de none•, presque à l'heure de vêpres•. À l'entrée
de ce pont, qui est si effrayant, ils sont descendus de
cheval et ils regardent maintenant l'eau traîtresse, un
torrent noir, grondant, rapide et boueux, si hideux et
2195 épouvantable qu'on aurait dit le fleuve du diable. Il était
si dangereux et si profond que toute créature en ce
monde, pour peu qu'elle y tombât, eût été aussi perdue
que si elle était tombée dans la mer salée. Le pont qui
était jeté en travers de l'eau était bien différent de toutes
2200 les autres sortes de pont ; on n'en a jamais vu, on n'en
verra jamais de tel ; si vous voulez connaître la vérité, il
n'y a jamais eu d'aussi mauvais pont, fait d'une si mauvaise planche ; c'était une épée polie et étincelante qui
formait ce pont jeté au-dessus de l'eau froide ; mais
2205 l'épée, solide et rigide, avait la longueur de deux lances•.
De chaque côté il y avait un grand billot de bois dans
lequel était fichée l'épée. Que personne ne craigne de le
voir tomber parce qu'elle se briserait ou ploierait, car elle
avait été si bien travaillée qu'elle pouvait supporter un
2210 lourd fardeau. Mais ce qui faisait le plus peur aux deux
chevaliers qui accompagnaient le nôtre, c'était qu'ils
croyaient voir deux lions ou deux léopards à l'extrémité
du pont, de l'autre côté, enchaînés à un bloc de pierre.
L'eau, le pont, les lions les mettent dans un tel état de
2215 frayeur qu'ils en tremblent tous de peur, et disent :
— Seigneur, écoutez donc nos conseils à propos de
ce que vous voyez, car vous en avez grand besoin. Ce

Qu'il vos est mestiers et besoinz.
3044 Malveisemant est fez et joinz
Cist ponz, et mal fu charpantez.
Se a tans ne vos repantez,
Au repantir vanroiz a tart.
3048 Il covient feire par esgart
De tex choses i a assez.
Or soit c'outre soiez passez,
Ne por rien ne puet avenir
3052 Ne que les vanz poez tenir
Ne desfandre qu'il ne vantassent
Et as oisiax qu'il ne chantassent
Ne qu'il n'osassent mes chanter,
3056 Ne que li hom porroit antrer
El vantre sa mere et renestre,
Mes ce seroit qui ne puet estre,
Ne qu'an porroit la mer voidier,
3060 Poez vos savoir et cuidier
Que cil dui lyon forsené,
Qui dela sont anchaené,
Que il ne vos tuent et sucent
3064 Le sanc des voinnes et manjucent
La char et puis rungent les os?
Molt sui hardiz quant je les os
Veoir et quant je les esgart.
3068 Se de vos ne prenez regart,
Il vos ocirront, ce sachiez.
Molt tost ronpuz et arachiez
Les manbres del cors vos avront,
3072 Que merci avoir n'an savront.
Mes or aiez pitié de vos,
Si remenez ansanble nos!
De vos meïsmes avroiz tort,
3076 S'an si certain peril de mort
Vos meteiez a escïant.»
Et cil lor respont an riant:
«Seignor, fet il, granz grez aiez
3080 Quant por moi si vos esmaiez,
D'amor vos vient et de franchise.
Bien sai que vos an nule guise
Ne voldrïez ma mescheance,

pont est fort mal fait, mal assemblé, mal charpenté.
Si vous ne vous repentez pas d'être venu tant qu'il est
2220 encore temps, il sera ensuite trop tard pour vous en
repentir. Dans des situations comme celle-ci, il faut bien
réfléchir à ce que l'on va faire. Admettons donc que vous
soyez passé de l'autre côté, ce qui n'a aucune chance
d'arriver, pas plus qu'on ne peut empêcher les vents de
2225 souffler, les oiseaux de chanter et leur faire passer à
jamais l'audace de chanter, pas plus qu'on ne peut
retourner dans le ventre de sa mère pour naître à nouveau : ce serait donc chose aussi impossible que de vider
la mer. Eh bien, en l'admettant, comment pouvez-vous
2230 croire et imaginer que ces deux lions enragés, enchaînés
là-bas, ne vont pas vous tuer, vous sucer le sang des
veines, manger votre chair, et vous ronger les os? Quel
courage il me faut déjà pour oser tourner les yeux vers
eux et les regarder! Si vous ne prenez pas bien garde à
2235 vous, ils vous tueront, soyez-en sûr. Ils auront tôt fait de
vous briser les membres et de vous les arracher du corps,
et ils seront sans pitié, ils en sont incapables. Mais vous,
ayez donc pitié de vous-même, et restez avec nous! Vous
seriez coupable envers vous-même si vous vous mettiez
2240 volontairement et en connaissance de cause en danger de
mort.

Il leur répondit alors en riant :

– Seigneurs, je vous suis infiniment reconnaissant de
tant vous soucier de moi, c'est l'affection et l'amitié que
2245 vous me portez qui vous l'inspirent. Je sais bien qu'en
aucune façon vous ne voudriez qu'il m'arrivât malheur,

3084 Mes j'ai tel foi et tel creance
An Deu qu'il me garra par tot.
Cest pont ne ceste eve ne dot
Ne plus que ceste terre dure,
3088 Einz me voel metre en aventure
De passer outre et atorner,
Mialz voel morir que retorner. »
Cil ne li sevent plus que dire,
3092 Mes de pitié plore et sopire
Li uns et li autres molt fort.
Et cil de trespasser le gort
Au mialz que il set s'aparoille,
3096 Et fet molt estrange mervoille,
Que ses piez desarme et ses mains.
N'iert mie toz antiers ne sains
Quant de l'autre part iert venuz.
3100 Bien s'iert sor l'espee tenuz,
Qui plus estoit tranchanz que fauz,
As mains nues et si deschauz
Que il ne s'est lessiez an pié
3104 Souler ne chauce n'avanpié.
De ce gueres ne s'esmaioit
S'es mains et es piez se plaioit,
Mialz se voloit si mahaignier
3108 Que cheoir [d]el pont et baignier
An l'eve don ja mes n'issist.
A la grant dolor con si sist
S'an passe outre et a grant destrece,
3112 Mains et genolz et piez se blece,
Mes tot le rasoage et sainne
Amors qui le conduist et mainne,
Si li estoit a sofrir dolz.
3116 A mains, a piez et a genolz
Fet tant que de l'autre part vient.

mais j'ai une telle foi en Dieu en qui je crois si fort que,
j'en suis sûr, Il me protégera de tout danger. Je n'ai pas
plus peur de ce pont ni de cette eau que de la terre
2250 ferme sur laquelle je suis. Au contraire je vais tenter
l'aventure, franchir cette eau et je vais m'y préparer, plutôt mourir que reculer!

Ses compagnons ne savent plus que dire, mais ils
laissent éclater sanglots et soupirs de compassion. Lui de
2255 son côté se prépare du mieux qu'il peut pour traverser le
gouffre. Il agit de manière étrange et étonnante : il se
découvre les pieds et les mains. Il n'arrivera pas de
l'autre côté indemne ni sain et sauf! Au moins se sera-t-il
en tout cas mieux maintenu sur l'épée, qui était tran-
2260 chante comme une faux, en avançant ainsi à mains nues
et complètement déchaussé, que s'il avait gardé aux
pieds souliers, chausses* ou avant-pieds. Il ne se souciait
guère de se faire des entailles aux mains et aux pieds, il
aimait mieux se mutiler que tomber du pont et plonger
2265 dans cette eau dont il ne pourrait jamais sortir. C'est au
prix de grandes douleurs et souffrances, qu'il avait cher-
chées, qu'il entreprend la traversée. Il se blesse aux
mains, aux pieds et aux genoux, mais Amour qui le
conduit et le guide lui procure soulagement et guérison :
2270 il lui était doux de souffrir. S'aidant de ses mains, de
ses pieds et de ses genoux, il fait si bien qu'il arrive
de l'autre côté du pont.

Alors lui revient en mémoire le souvenir des deux lions qu'il croyait avoir vus de l'autre rive. Il cherche du regard,
2275 il n'y avait pas même un lézard, ni rien qui fût hostile! Il met sa main à hauteur du visage, regarde son anneau et il a la preuve, puisqu'il n'y trouve aucun des deux lions qu'il pensait avoir vus, qu'il avait été trompé par une hallucination, car il n'y avait âme qui vive. Mais ses compagnons
2280 sur l'autre rive, voyant qu'il avait réussi à passer en s'y prenant ainsi, laissent éclater leur joie, comme il est bien normal. Toutefois ils ne savent pas comme il est blessé. Lui estime de son côté que c'est une grande chance de n'avoir pas davantage souffert. Il étanche le sang qui coule
2285 de ses blessures à l'aide de sa chemise•, et aperçoit juste devant lui une tour si puissante que personne n'en avait jamais vu de telle, il ne pouvait en exister de plus impressionnante. Le roi Bademagu s'était appuyé à une fenêtre : c'était un homme des plus fins et avisés, doté d'un sens
2290 aigu de l'honneur et de la vertu, il voulait avant tout prôner et pratiquer la loyauté en toute occasion. Mais son fils, qui lui s'appliquait tant qu'il le pouvait à faire tout le contraire – car il aimait à être déloyal et ne connaissait jamais la lassitude de l'ennui à force de commettre le mal,
2295 la trahison ou le crime – s'était appuyé à côté de lui. De là-haut ils avaient vu le chevalier passer le pont en endurant mille souffrances et douleurs. Le visage de Méléagant en changea de couleur, tant il était contrarié et en colère. Il savait bien désormais qu'on lui disputerait la reine, mais il
2300 était si vaillant chevalier qu'il ne redoutait aucun adversaire, si fort et farouche fût-il. Il n'y aurait eu de meilleur chevalier que lui s'il n'avait été traître et félon à ce point; mais il avait le cœur dur comme une souche, il ne connaissait ni la douceur ni la pitié. Ce qui fait la joie et la
2305 satisfaction du roi est précisément ce qui afflige au plus haut point son fils. Le roi savait avec certitude que le chevalier qui avait traversé le pont était le plus valeureux qui puisse exister, car nul n'aurait jamais tenté ce passage en hébergeant au fond de son cœur Lâcheté, plus prompte
2310 à couvrir de honte les siens que Prouesse à couvrir d'honneurs les meilleurs. Prouesse a en effet moins de pouvoir que Lâcheté et Paresse, tant il est vrai, n'en doutez pas, qu'il est plus facile de faire le mal que le bien.

J'aurais beaucoup à vous dire sur ces deux comparses,
2315 mais ce serait trop m'attarder. C'est un autre sujet qui
m'occupe et je reviens à mon récit. Vous allez entendre
comment le roi fait la leçon à son fils qu'il sermonne :

– Mon fils, lui dit-il, c'est par hasard que nous
sommes venus, toi et moi, nous appuyer à cette fenêtre;
2320 et nous en avons été bien récompensés, puique nous
avons pu assister au plus grand exploit qu'on ait jamais
pu même imaginer. Dis-moi si tu n'as aucune reconnaissance envers l'auteur d'un tel prodige. Allons! entends-
toi avec lui, fais la paix, et rends-lui la reine sans rien
2325 demander! Tu n'auras vraiment rien à gagner à lui chercher querelle, tu peux au contraire y perdre beaucoup
Donne donc de toi l'image d'un homme sage et courtois,
envoie vers lui la reine avant qu'il ne te voie. Témoigne-
lui l'honneur, en l'accueillant dans ton pays, de lui don-
2330 ner ce qu'il est venu chercher avant qu'il ne te le
demande; car tu le sais parfaitement, c'est la reine Guenièvre qu'il est venu chercher. Ne donne pas de toi
l'image d'un entêté, d'un fou ou d'un orgueilleux! Si ce
chevalier est venu seul en ton pays, tu as le devoir d'aller
2335 lui tenir compagnie, car l'homme d'honneur se doit d'inviter à ses côtés l'homme d'honneur, de lui prodiguer
égards et éloges, et de ne pas le laisser à l'écart. Qui
honore autrui s'honore soi-même; sache bien que tout
l'honneur sera pour toi si tu rends service et honneur à
2340 cet homme qui est sans conteste le meilleur chevalier du
monde.

– Que Dieu me confonde, s'il n'en existe pas un qui
l'égale ou qui soit meilleur! répond le fils.

Son père a eu tort de l'oublier, car lui ne se juge pas
2345 inférieur à l'autre. Il poursuit :

– Vous attendez peut-être que, mains jointes et pieds
joints, je devienne son vassal* et tienne de lui ma terre?
Dieu me vienne en aide, j'aimerais mieux devenir son
vassal que lui rendre la reine! Non, assurément, ce n'est
2350 pas moi qui vais la lui rendre; au contraire je la dispute-
rai par les armes* et la défendrai contre tous ceux qui
seront assez fous pour oser venir la chercher.

Le roi revient alors à la charge :

– Mon fils, tu agirais avec grande courtoisie si tu

95

2355 cessais de t'obstiner, je te conseille de faire la paix, et je
t'en prie; tu sais bien que ce sera un déshonneur pour le
chevalier d'obtenir la reine sans avoir à la conquérir en
se battant avec toi. Il doit préférer, cela ne fait aucun
doute, l'obtenir par les armes° plutôt que par l'effet de ta
2360 générosité, parce qu'il en sera plus estimé. À mon avis,
il ne cherche pas du tout à l'obtenir à l'amiable, mais
veut la conquérir en se battant. C'est pourquoi tu agirais
sagement en le privant de cette bataille. Il me peine de
te voir ainsi déraisonner, mais si tu fais fi de mes
2365 conseils, je m'en voudrai moins s'il t'arrive malheur, et il
pourrait bien t'en arriver un grand, car le chevalier, lui,
n'a à redouter personne d'autre que toi. M'engageant
pour mes hommes comme pour moi-même, je lui
accorde une trêve et lui garantis la sécurité : je n'ai
2370 jamais commis d'acte déloyal, de trahison ni de félonie,
et ce n'est pas maintenant que je vais commencer, ni
pour toi ni pour un étranger. Je ne cherche pas à te
mentir, je promets bel et bien au chevalier qu'il n'aura
besoin de rien, armes ou cheval, qu'il ne l'obtienne
2375 immédiatement. Puisqu'il est parvenu jusqu'ici avec une
telle bravoure, il sera placé sous ma sauvegarde et pro-
tégé contre tous, toi excepté. Je veux que tu saches que,
s'il arrive à se défendre contre toi, il n'a personne
d'autre à redouter.

2380   — J'ai bien le temps de vous écouter, en silence, fit
Méléagant. Mais vous pourrez bien dire tout ce qu'il vous
plaira, peu m'importe ce que vous dites! Je ne suis pas
un ermite ni un modèle de bonté ou de charité, et je ne
recherche pas à ce point les honneurs que j'irais lui don-
2385 ner celle que j'aime le plus au monde! Ce ne sera pas
pour lui tâche si aisée ni si rapidement expédiée, il en ira
tout autrement que vous vous l'imaginez, vous comme
lui. Vous pouvez bien faire alliance avec lui contre moi,
ce n'est pas une raison pour nous fâcher, vous et moi.
2390 Que vous-même et tous vos hommes lui accordiez une
trêve et le laissiez en paix, que m'importe? Mon cœur ne
risque pas de faiblir pour si peu, et je suis bien aise au
contraire, Dieu me garde, qu'il n'ait que moi à redouter.
Je ne vous demande pas de faire quoi que ce soit pour
2395 moi qui risque de vous attirer un reproche de déloyauté

ou de trahison. Soyez bon tant qu'il vous plaira et laissez-moi être cruel.

– Comment? Tu ne changerais pas d'attitude?

– Non, fait-il.

2400 – Alors, je n'ai plus rien à dire. Agis désormais de ton mieux, je te laisse et je vais parler au chevalier. Je veux lui offrir en présent mon aide et mes conseils en toutes choses, car je prends entièrement son parti.

Le roi descendit alors de la tour et fit seller son cheval. 2405 On lui amène un grand destrier* et, mettant le pied à l'étrier pour monter, il se contente d'emmener avec lui trois chevaliers et deux hommes d'armes pris parmi ses gens. Ils descendirent sans s'arrêter jusqu'au pont et aperçoivent le chevalier en train d'étancher le sang qui 2410 coule de ses plaies et de l'essuyer. Le roi pensa qu'il devrait rester longtemps son hôte pour guérir ses blessures, mais autant valait-il prétendre assécher la mer! Le roi se hâte de descendre de cheval, et le chevalier, qui était pourtant gravement blessé, s'est redressé pour l'ac- 2415 cueillir, bien qu'il ne le connaisse pas, sans laisser paraître la douleur qui le tenaillait aux pieds et aux mains, faisant comme s'il était tout à fait indemne. Le roi vit ses efforts et courut le saluer en lui disant :

– Seigneur, je suis très étonné par votre brusque intru- 2420 sion chez nous, dans notre pays, mais soyez-y le bienvenu car jamais plus personne ne tentera ce que vous avez fait. Il n'est jamais arrivé et n'arrivera plus à personne d'avoir assez de courage pour affronter un tel danger. Soyez-en sûr, je ne vous estime que plus d'avoir réa- 2425 lisé ce que personne n'aurait seulement osé imaginer! Vous trouverez en moi quelqu'un qui vous est favorable, et sera loyal et courtois avec vous. Je suis le roi de ce pays, et je vous offre, autant qu'il vous plaira, mon aide et mon conseil. Par ailleurs, je devine bien assez ce que 2430 vous venez chercher : c'est la reine, j'en suis sûr, que vous venez chercher.

– Seigneur, répond-il, vous avez deviné juste, il n'y a aucune autre raison à ma venue ici.

– Ami, il vous faudrait vous donner beaucoup de mal 2435 avant de l'obtenir, or vous voilà grièvement blessé, je vois vos plaies et le sang qui en coule, dit le roi. Vous ne

trouverez pas en celui qui l'a amenée ici une telle générosité qu'il vous la rende sans combat. Il vous faut vous
reposer et soigner vos plaies jusqu'à complète guérison.
2440 Je vous donnerai du baume aux trois Maries[1], et mieux
encore s'il existait, car je souhaite vivement que vous
soyez bien installé et que vous guérissiez. La reine est
dans une prison sûre, et personne ne peut l'approcher
charnellement, pas même mon fils qui le regrette telle-
2445 ment, lui qui l'a amenée ici. Jamais on n'a vu homme se
mettre dans un tel état de fureur, il en est fou furieux à
force d'enrager. Mais j'ai envers vous les meilleures intentions, et je vous donnerai bien volontiers tout ce qu'il
vous faut, que Dieu me protège ! Si bonnes que soient les
2450 armes° de mon fils, je vous en donnerai de tout aussi
bonnes, il pourra bien me le reprocher... Vous aurez
aussi le cheval dont vous avez besoin. Enfin, n'en
déplaise à quiconque, je vous prends sous ma garde et
vous protège contre tous, vous n'aurez à craindre per-
2455 sonne sinon précisément celui qui a amené la reine ici.
Jamais on n'a menacé quelqu'un comme je l'ai menacé,
et pour un peu, de colère, je l'aurais chassé de mon
royaume, parce qu'il ne vous rendait pas la reine. Pourtant c'est mon fils, mais ne soyez pas inquiet, à moins de
2460 triompher de vous en combat singulier, il ne pourra
jamais contre ma volonté vous causer le moindre ennui.

– Seigneur, fait-il, soyez-en remercié ! Mais je gaspille
trop ici un temps précieux que je ne veux ni perdre ni
gaspiller, je n'ai nul motif de me plaindre et aucune de
2465 mes blessures ne me gêne. Menez-moi jusqu'à lui, car
sur-le-champ, avec les armes que je porte, me voici prêt
à donner des coups et à en recevoir.

– Ami, il vaudrait mieux que vous attendiez quinze
jours ou trois semaines, le temps que vos blessures
2470 soient guéries ; cela vous ferait du bien de prendre du
repos, quinze jours au moins ; quant à moi je ne tolére-
rais à aucun prix, je ne pourrais pas même en supporter

---

1. *baume aux trois Maries* : remède dont il est fait mention dans l'Évangile selon
saint Marc (XVI, 1) ; il s'agirait d'aromates utilisées pour embaumer le corps de Jésus.

le spectacle, que vous combattiez en ma présence armé et équipé de la sorte.

2475   Le chevalier lui répondit :

    – Si vous en étiez d'accord, il n'y aurait pas besoin de nouvelles armes*, car je livrerais volontiers bataille avec les miennes, sans demander en aucune façon de répit, de délai ni de retard. Mais, pour vous, je veux bien
2480 attendre jusqu'à demain. Et il serait inutile d'en parler plus longuement, je n'accepterais pas d'attendre davantage.

    Le roi lui a alors assuré qu'il en irait comme il le voulait, puis le fait conduire là où on devait l'héberger,
2485 demandant à ceux qui l'emmènent, leur en donnant même l'ordre, de consacrer tous leurs efforts à le servir, et ils y mettent en effet toute leur application. Le roi, qui cherchait surtout à obtenir la paix, s'il pouvait y arriver, s'en vint à nouveau trouver son fils, et lui tint ce dis-
2490 cours, dans un souci de paix et de conciliation :

    – Cher fils, fais donc la paix avec ce chevalier sans combattre! Il n'est pas venu ici pour s'amuser, pour tirer à l'arc ni pour chasser, mais il est venu pour chercher la gloire, trouver éclat et renom. Il aurait toutefois grand
2495 besoin de repos, tel que je l'ai vu. S'il avait suivi mon conseil, ni de ce mois-ci ni du suivant il n'aurait voulu de ce combat qu'il souhaite pourtant si ardemment. De ton côté, si tu lui rends la reine, crains-tu d'en être déshonoré? Tu n'as pas de crainte à avoir, on ne peut nulle-
2500 ment te le reprocher, car c'est bien plutôt un péché que de receler quoi que ce soit sans en avoir ni le droit ni le motif. Lui aurait bien volontiers livré bataille immédiatement, alors qu'il n'a plus ni mains ni pieds valides, ce ne sont plus qu'entailles et blessures.

2505   – Vous perdez la raison à vous tourmenter ainsi, répondit Méléagant à son père, jamais, par la foi que je dois à saint Pierre, je ne vous écouterai sur ce point. Je mériterais en effet d'être écartelé entre quatre chevaux si je vous écoutais! Il recherche son honneur? Moi, le
2510 mien! Il recherche sa gloire? Moi la mienne! Et s'il veut vraiment se battre, eh bien moi je le veux cent fois plus encore!

    – Je vois bien que tu n'aspires qu'à la folie, et tu vas la

trouver, fait le roi : demain tu vas éprouver ta force
2515 contre celle de ce chevalier, puisque tu le veux.

— Que jamais il ne m'arrive plus grand malheur que
celui-là ! répond Méléagant. J'aurais préféré que ce fût
aujourd'hui plutôt que d'avoir à attendre demain ! Voyez
comme j'ai plus mauvaise mine qu'à l'accoutumée, j'ai
2520 les yeux battus, et le visage totalement défait. Jamais
jusqu'au combat je ne pourrai goûter le moindre
moment de joie, de bien-être ni de repos, rien de ce qui
m'arrive ne pourra m'être agréable.

Le roi a compris qu'il ne sert à rien de lui prodiguer
2525 prières ni conseils d'aucune sorte. Il l'a donc quitté à
regret, puis prend un cheval robuste et vaillant, ainsi
que de belles armes•, et il envoie le tout au chevalier :
c'est là un bon emploi pour ce présent. Il y avait là un
homme âgé, un fort bon chrétien, un homme loyal
2530 comme il n'en existait pas d'autre au monde, et qui
savait guérir les plaies mieux que tous les médecins de
Montpellier. Durant la nuit, ce dernier soigna le chevalier du mieux qu'il put, sur les instructions du roi.

*Détail de la Tapisserie de la reine
Mathilde (xıᵉ siècle), musée de Bayeux.*

Questions

Compréhension

● **Le Pont de l'Épée (l. 2189 à 2284)**

1. *Que symbolise cet étrange pont? À quel autre passage fait-il écho, l'amplifiant et concrétisant une menace qui, cette fois, n'est plus une menace humaine?*

2. *Les deux lions : d'où viennent-ils? Quelle est leur fonction dans ce passage?*

3. *Comment s'explique et se justifie, dans le texte, le sacrifice du chevalier?*

4. *Certains critiques ont pu voir dans ce passage la transposition de la vocation messianique (vocation de libérateur de son peuple, tel le Messie attendu par Israël) du chevalier. Précisez pourquoi.*

● **La tour (l. 2284 à 2533)**

5. *Bademagu, Méléagant : que représentent ces deux personnages, si antithétiques?*

6. *Le code de l'idéal chevaleresque : que nous enseigne ici Bademagu sur l'éthique chevaleresque au temps de Chrétien de Troyes? Quel en est le mot clé?*

7. *Bademagu tente vainement de ramener son fils à la raison : de quelle scène celle-ci se fait-elle l'écho? Comparez.*

8. *Distinguez qui, du chevalier ou de Bademagu (l. 2404 à 2487), reçoit le plus d'honneurs. Est-ce conforme à l'usage? Pourquoi?*

9. *« ni répit, ni délai, ni retard » : l'urgence de l'action est souvent signalée comme impérieuse. Donnez-en d'autres exemples; songez notamment à un moment crucial, et bien antérieur, du récit.*

Écriture

● **Le Pont de l'Épée (l. 2189 à 2284)**

10. *Étudiez la transposition visuelle du malaise et de la peur que suscite ce décor. Relevez les procédés destinés à renforcer l'impression sinistre du lieu.*

11. *Quelles sont la part et la fonction des énumérations dans tout le passage préalable à la traversée périlleuse (l. 2189 à 2265)?*

12. *Commentez l'effet produit par le contraste entre la longueur*

de la description préalable (v. 2189 à 2263) et la sobriété du passage lui-même, condensé en treize vers (l. 3105 à 3117, soit l. 2264 à 2272).

13. *Le jeu du regard : comment le narrateur vient-il à relayer son personnage ?*

- **La tour (l. 2284 à 2533)**

14. *Présence et intervention de l'auteur : quelle est la fonction de l'intervention voyante de l'auteur (l. 2314), alors qu'il vient de commenter, sans le souligner, tout le passage qui précède ?*

15. *Le martèlement du leitmotiv. Observez le procédé. Que signifient désormais les redites ? Comment le chevalier est-il maintenant désigné ?*

Le passage du Pont de l'Épée.
Enluminure du Livre de Messire Lancelot du Lac,
tome II, xvᵉ siècle. Paris, bibliothèque de l'Arsenal.

Bilan

L'action

• Ce que nous savons

Les péripéties se précipitent, «le chevalier de la charrette» est confronté à des épreuves dont la difficulté va croissant. Après avoir victorieusement franchi trois passages périlleux, il vient de parvenir à entrer dans le royaume de Gorre en empruntant le Pont de l'Épée : ce passage n'a jamais pu être franchi par quiconque. Grièvement blessé, il est désormais seul sur la rive, ses jeunes compagnons n'ayant pu le suivre. L'aventure, à ce tournant crucial, redevient solitaire, comme au deuxième jour.

Son exploit n'est pas passé inaperçu : du haut de la tour du château, le roi Bademagu et son fils l'ont observé. Ils lui réservent chacun un accueil bien différent l'un de l'autre. Leur regard, comme celui du lecteur, s'est longuement attardé sur le franchissement de cette épée redoutable qui fait office de pont : nul doute que le nouveau venu ne soit un chevalier hors du commun, qui mérite d'être reçu comme tel...

• À quoi nous attendre ?

1. Les repères spatio-temporels : le temps, jusque-là bien marqué, vient à s'estomper, tandis que le chevalier achève de s'enfoncer dans un territoire mal défini. Montrez le flou de ses limites, et essayez de préciser où et à quel moment s'arrêtera sa course.

2. Le Pont de l'Épée, frontière entre deux mondes : précisez cette remarque et montrez-en l'importance pour la suite du récit. Que symbolise le royaume de Gorre ?

3. Comment se concrétise la double mission du chevalier ? Que laisse-t-elle présager ?

Les personnages

• Ce que nous savons

De nouveaux personnages adjuvants* se sont portés à la rencontre du chevalier : une cinquième demoiselle et une deuxième famille de vavasseurs. Là encore, chacun d'eux rappelle celui qui l'a précédé en une scène passée. Ce type de personnage paraît faire avancer le récit sur un mode circulaire, chacun venant amplifier un motif déjà rencontré.

Les divers chevaliers qui ont croisé la route du héros participent aussi de cette progression par amplification, et sont la reprise d'un même motif, mais font au contraire fonction d'opposants* : rivaux ou agresseurs, ils provoquent l'affrontement avec le héros qui en triomphe toutefois toujours aisément.

La foule des prisonniers, de son côté, semble avoir pour fonction de rappeler au chevalier la mission dont il est investi à l'égard des gens de Logres. S'il vient en effet à les défendre les armes à la main, lorsque l'occasion s'en présente, il paraît néanmoins peu sensible à leurs remerciements : sa seule quête délibérée est toujours individuelle.

• À quoi nous attendre ?

1. *Le chevalier reçoit des témoignages d'honneur de la part du roi. Quelle est la portée de ce geste pour la suite des événements ? Comment le chevalier est-il désormais désigné ?*

2. *Bademagu et Méléagant sont deux personnages antithétiques, comme le Bien et le Mal qu'ils paraissent symboliser, selon l'initiale de leur nom. Ce trait ajoute une dimension morale à l'esthétique du roman : quelle résolution nécessaire attendons-nous de la fin du récit ?*

Mais la nouvelle était déjà arrivée aux oreilles des cheva-
2535 liers, des demoiselles, des dames et des seigneurs de tout
le pays alentour. On arrivait donc, après une bonne journée de voyage, de toute la région : des étrangers mais
aussi des gens du pays, qui avaient tous chevauché toute
la nuit à vive allure jusqu'au lever du jour. Entre les uns
2540 et les autres, il y eut si grande foule devant la tour au
petit matin que l'on ne pouvait plus seulement bouger
un pied. Le roi se lève de bon matin, fort préoccupé par
ce combat, et il vient à nouveau trouver son fils qui avait
déjà lacé sur sa tête un heaume* fabriqué à Poitiers. Il ne
2545 pouvait plus être question de différer, ni de faire la paix,
et pourtant le roi l'a bien assez demandé à son fils, mais
c'était pour lui quelque chose d'irréalisable. C'est devant
la tour, au milieu de la place, là où tout le monde s'est
rassemblé que va se livrer le combat, ainsi que le roi le
2550 veut et l'ordonne. Le roi fait alors immédiatement appeler le chevalier étranger, et on le conduit vers lui sur la
place remplie de gens du royaume de Logres. De même
que pour écouter les orgues on avait l'habitude de se
rendre à l'église pour les fêtes annuelles, que ce soit la
2555 Pentecôte ou Noël, de même s'étaient-ils tous rassemblés
là. Toutes les jeunes filles étrangères, originaires du
royaume du roi Arthur, avaient jeûné durant trois jours
et marché pieds nus, vêtues d'une simple chemise*, pour
que Dieu donne force et courage, dans son combat
2560 contre son adversaire, au chevalier qui devait se battre
pour les prisonniers. À l'inverse, les gens du pays
priaient pour leur seigneur, pour que Dieu lui accorde de
triompher et de sortir avec honneur de ce combat. Tôt le
matin avant que sonne l'heure de prime*, on a conduit
2565 sur la place les deux adversaires, solidement armés, et
leurs chevaux caparaçonnés de fer. Méléagant avait fière
allure et belle prestance, il était aussi d'une belle stature ;
son haubert* aux mailles fines tout comme son heaume
et son écu* attaché au cou lui allaient remarquablement
2570 bien. Cependant tous préféraient l'autre chevalier, même
ceux qui souhaitaient sa défaite, unanimes à dire
que Méléagant n'était rien à côté de lui. Une fois qu'ils
furent tous deux au milieu de la place, le roi vient pour
tenter si possible de les retenir, s'efforçant de les faire

2575 parvenir à un accord, mais il ne réussit pas à convaincre
son fils et il leur dit alors :
— Tenez au moins vos chevaux en bride jusqu'à ce que
je sois monté en haut de la tour. Ce n'est tout de même
pas vous demander une trop grande faveur que de retar-
2580 der pour moi le combat jusque-là.
Il les quitte alors, torturé d'inquiétude, et se rend
directement là où il savait devoir trouver la reine : la
veille au soir elle lui avait demandé de l'installer en un
endroit d'où elle pourrait voir aisément tout le combat ; il
2585 lui avait accordé cette faveur et allait la chercher pour l'y
emmener, tant il était désireux de tout faire pour l'honorer et la servir. Il l'a installée à une fenêtre et il a pris
place à côté d'elle, à sa droite, penché à une autre
fenêtre. Autour d'eux s'étaient rassemblée une foule
2590 mêlée : des chevaliers, de sages dames et des jeunes filles
originaires de ce pays, mais aussi un grand nombre de
prisonnières qui se recueillaient, tout entières à leurs
prières et à leurs oraisons. Prisonniers et prisonnières,
tous priaient pour leur seigneur, car ils avaient foi en
2595 Dieu et en lui pour être secourus et délivrés.

3584 Et cil font lors sanz demorance
Arriere treire les genz totes,
Et hurtent les escuz des cotes,
S'ont les enarmes anbraciees
3588 Et poignent si que .II. braclees
Parmi les escuz s'antranbatent
Des lances si qu'eles esclatent
Et esmient come brandon,
3592 Et li cheval tot de randon
S'antrevienent que front a front
Et piz a piz hurté se sont
Et li escu hurtent ansanble
3596 Et li hiaume, si qu'il resanble
De l'escrois que il ont doné
Que il eüst molt fort toné,
Qu'il n'i remest peitrax ne cengle,
3600 Estriés ne resne ne sorcengle
A ronpre, et des seles peçoient
Li arçon*, qui molt fort estoient,
Ne n'i ont pas grant honte eü
3604 Se il sont a terre cheü,
Des que trestot ce lor failli.
Tost refurent an piez sailli,
Si s'antrevienent sanz jengler
3608 Plus fieremant que dui sengler,
Et se fierent sanz menacier
Granz cos des espees d'acier
Come cil qui molt s'antreheent.
3612 Sovant si aspremant se reent
Les hiaumes et les haubers blans
Qu'aprés le fer an saut li sans.
La bataille molt bien fornissent,
3616 Qu'ils s'estoutoient et leidissent
Des pesanz cos et des felons.
Mainz estorz fiers et durs et lons
S'antredonerent par igal,
3620 C'onques ne del bien ne del mal
Ne s'an sorent auquel tenir,
Mes ne pooit pas avenir
Que cil qui ert au pont passez
3624 Ne fust afebloiez assez

Sans plus attendre, nos deux chevaliers font alors reculer tout le monde, et, rabattant d'un coup de coude leur écu*, ils en passent chacun la bride au bras. Ils se donnent alors l'assaut avec une telle violence qu'ils
2600 enfoncent chacun leur lance* d'une profondeur de deux bons bras dans l'écu de l'adversaire, si bien qu'elles volent en morceaux aussi menus que petit bois. Les chevaux fondent l'un sur l'autre et viennent se heurter avec une telle violence, tête contre tête, poitrail contre poi-
2605 trail, tandis que s'entrechoquent aussi les écus et les heaumes*, que le vacarme produit fit l'effet d'un terrible coup de tonnerre. Il ne restait rien qui ne fût brisé : pièces du poitrail, sangles, étriers, rênes, guides, les arçons* des selles, pourtant solides, étaient en pièces. Il
2610 n'y eut donc pas vraiment de honte pour les chevaliers à tomber à terre, puisque tout l'équipement des chevaux avait cédé. D'un bond ils eurent tôt fait de se remettre sur pied. Sans perdre de temps à se défier, ils s'attaquent plus sauvagement que deux sangliers. Sans perdre de
2615 temps à proférer des menaces, ils s'assènent des coups terribles avec leurs épées d'acier, en adversaires qui se vouent une haine terrible. Souvent ils s'entaillent si sauvagement leurs heaumes et leurs hauberts* étincelants qu'au bout du fer jaillit le sang. Ils se donnent vraiment
2620 de tout leur cœur au combat, ils se malmènent et se meurtrissent à force de coups puissants et terribles. Ils se sont porté l'un à l'autre nombre d'assauts cruels, farouches et prolongés qui les mettent à égalité, si bien qu'on ne pouvait jamais savoir lequel gagnait, lequel perdait. Mais,
2625 c'était inévitable, le chevalier qui était passé par le pont se sentait obligatoirement affaibli du fait des blessures

Des mains que il avoit plaiees.
Molt an sont les genz esmaiees,
Celes qui a lui se tenoient,
3628 Car ses cos afebloier voient,
Si criement qu'il ne l'an soit pis,
Et il lor estoit ja avis
Que il en avoit le pei
3632 Et Meliaganz le meillor,
Si an parloient tot antor.
Mes as fenestres de la tor
Ot une pucele molt sage,
3636 Qui panse et dit an son corage
Que li chevaliers n'avoit mie
Por li la bataille arramie
Ne por cele autre gent menue
3640 Qui an la place estoit venue,
Ne ja enprise ne l'eüst
Se por la reïne ne fust,
Et panse, si il la savoit
3644 A la fenestre ou ele estoit,
Qu'ele l'esgardast ne veïst,
Force et hardemant an preïst.

Et s'ele son non bien seüst
3648 Molt volantiers dit li eüst
Qu'il se regardast un petit.
Lors vint a la reïne et dit :
«Dame, por Deu et por le vostre
3652 Preu, vos requier, et por le nostre,
Que le non a ce chevalier
Por ce que il li doie eidier
Me dites, se vos le savez.
3656 – Tel chose requise m'avez
Dameisele, fet la reïne,
Ou ge n'antant nule haïne
Ne felenie se bien non.
3660 Lanceloz del Lac a a non
Li chevaliers, mien esciant.
– Dex! com en ai lié et riant
Le cuer, et saint!» fet la pucele.

qu'il avait aux mains. Une grande inquiétude saisit tous
ses partisans : voyant ses coups faiblir, ils craignaient sa
défaite, ils avaient déjà l'impression qu'il était en train de
2630 perdre et que Méléagant l'emportait. Ils en répandaient le
bruit tout autour d'eux. Mais aux fenêtres de la tour il y
avait une jeune fille avisée qui réfléchit et se dit en son
for intérieur que ce n'était certainement pas pour elle
que le chevalier avait résolu de se battre, ni pour toutes
2635 ces humbles gens assemblées sur la place : il ne se serait
jamais engagé dans ce combat si ce n'avait été pour la
reine. Elle songea que, s'il apprenait la présence de la
reine à la fenêtre, et apprenait qu'elle le voyait et le suivait du regard, il reprendrait force et courage. Si seule-
2640 ment elle avait su son nom, elle l'aurait volontiers appelé
pour qu'il jette un regard de son côté. Alors elle vint
trouver la reine et lui dit :
    – Dame, au nom de Dieu, je vous le demande dans
votre intérêt et pour le nôtre, dites-moi le nom de ce
2645 chevalier, pour l'aider, si toutefois vous le savez.
    – Ce que vous me demandez là, demoiselle, ne me
paraît pas dicté par la haine ni par la méchanceté, bien
au contraire, répondit la reine. Lancelot du Lac, c'est le
nom du chevalier, me semble-t-il.
2650   – Dieu! Comme j'en ai le cœur plus léger et empli de
joie! dit la jeune fille. Elle s'avance alors prestement et

3664 Lors saut avant et si l'apele
Si haut que toz li pueples l'ot
A molt haute voiz : «Lancelot,
Trestorne toi et si esgarde
3668 Qui est qui de toi se prant garde!»
Qant Lanceloz s'oï nomer,
Ne mist gaires a lui torner.
Trestorne soi et voit amont
3672 La chose de trestot le mont
Que plus desirroit a veoir,
As loges de la tor seoir,
Ne puis l'ore qu'il s'aparçut
3676 Ne se torna ne ne se mut
Devers li ses ialz ne sa chiere,
Einz se desfandoit par derriere.
Et Meleaganz l'enchauçoit
3680 Totes voies plus qu'il pooit,
Si est molt liez con cil qui panse
C'or n'ait ja mes vers lui desfanse,
S'an sont cil del païs molt lié,
3684 Et li estrange si irié
Qu'il ne se pueent sostenir,
Einz an i estut mainz venir
Jusqu'a terre toz esperduz
3688 Ou as genolz ou estanduz,
Ensi molt joie e duel i a.
Et lors de rechief s'escria
La pucele des la fenestre :
3692 «Ha! Lancelot! Ce que puet estre
Que si folemant te contiens?
Ja soloit estre toz li biens
Et tote la proesce an toi,
3696 Ne je ne pans mie ne croi
C'onques Dex feïst chevalier
Qui se poïst apareillier
A ta valor ne a ton pris.
3700 Or te veons si antrepris!
[Qu'arriere main gietes tes cos
Si te combaz derriers ton dos]

l'appelle d'une voix si forte que tous l'entendent crier :
— Lancelot, retourne-toi et regarde qui est là, les yeux fixés sur toi !

2655 Quand Lancelot entendit son nom, il ne lui fallut guère de temps pour se retourner : il fait demi-tour et aperçoit, là-haut, assise dans les loges de la tour, l'être qu'il souhaitait voir plus que tout au monde. À partir de l'instant où il l'aperçut, il ne se détourna plus d'elle et
2660 n'en détacha plus son regard ni ses yeux, mais se défendit par-derrière, à l'aveuglette. Méléagant, lui, le pressait toutefois du plus qu'il pouvait, tellement heureux à l'idée qu'il ne pouvait plus se défendre; les gens du pays en sont si heureux et les étrangers, eux, si consternés que
2665 leurs jambes se dérobaient sous eux. Bon nombre d'entre eux en furent même amenés, dans leur désespoir, à tomber par terre, à genoux ou allongés de tout leur long. Ainsi voit-on à la fois grande joie et grande affliction. Alors la jeune fille l'appela de nouveau,
2670 de la fenêtre :
— Ah ! Lancelot ! Que t'arrive-t-il pour te comporter de manière si insensée ? Jusqu'ici on reconnaissait en toi le courage et la vaillance d'un bon chevalier. Je ne pense ni ne crois que Dieu ait jamais fait de chevalier qui pût
2675 rivaliser avec toi en valeur et en renommée. Et maintenant te voilà si gauche que tu lances tes coups les mains

Torne toi si que deça soies
Et que adés ceste tor voies,
Que boen veoir et bel la fet.»
3704 Ce tient a honte et a grant let
Lanceloz, tant que il s'an het,
C'une grant piece a, bien le set,
Le pis de la bataille eü,
3708 Se l'ont tuit et totes seü.
Lors saut arriere et fet son tor
Et met antre lui et la tor
Meleagant trestot a force.
3712 Et Meleaganz molt s'esforce
Que de l'autre part se retort,
Et Lanceloz sore li cort,
Sel hurte de si grant vertu
3716 De tot le cors atot l'escu,
Quant d'autre part se vialt torner,
Que il le fet tot trestorner
.II. foiz ou plus, mes bien li poist.
3720 Et force et hardemanz li croist,
Qu'Amors li fet molt grant aïe
Et ce que il n'avoit haïe
Rien nule tant come celui
3724 Qui se conbat ancontre lui.
Amors et haïne mortex,
Si granz qu'ainz ne fu encor tex,
Le font si fier et corageus
3728 Que de neant nel tient a geus
Meliaganz, ainz le crient molt,
C'onques chevalier si estolt
N'acointa mes ne ne conut,
3732 Ne tant ne li greva ne nut
Nus chevaliers mes con cil fet.
Volantiers loing de lui se tret,

Se li ganchist et se reüse,
3736 Que ses cos het et ses refuse,
Et Lanceloz pas nel menace,
Mes ferant vers la tor le chace
Ou la reïne ert apoiee.

derrière toi et que tu combats le dos tourné ! Fais donc le tour de ton adversaire et viens te placer ici, de ce côté, pour continuer à voir cette tour puisqu'il t'est doux de la
2680 regarder.

Lancelot tient son comportement pour bas et honteux, et il s'en méprise, car il y a déjà un bon moment, il le sait bien, qu'il est le plus faible dans ce combat, tous et toutes s'en sont bien rendu compte. Il fait alors un bond
2685 vers l'arrière, puis contourne Méléagant qu'il place ainsi de force entre la tour et lui. Méléagant fait de grands efforts pour repasser de l'autre côté, mais Lancelot se rue sur lui et lui assène un coup d'une telle violence, de tout le poids de son corps et de son écu*, au moment où
2690 l'autre veut le contourner, qu'il le fait pivoter sur lui-même deux fois ou plus, sans lui demander son consentement. Si sa force et son audace grandissent, c'est qu'Amour lui vient grandement en aide mais aussi qu'il n'avait jamais haï personne comme ce chevalier contre
2695 lequel il se battait. C'est son amour et cette haine mortelle, si grande qu'il n'en a jamais existé de telle, qui le rendent si terrible et si enflammé : ce n'est plus du tout un jeu pour Méléagant, qui a au contraire grand'peur de son adversaire, car jamais il n'a approché ni connu de
2700 chevalier si enragé, jamais aucun chevalier ne l'a autant malmené ni maltraité que celui-ci. Il voudrait bien prendre du champ, il se dérobe et recule, car il répugne à recevoir ses coups et les évite.

Sans perdre de temps en menaces, Lancelot, tout en
2705 continuant à le cribler de coups, le pourchasse à coups d'épée vers la tour où la reine se tenait appuyée à la

3740 Sovant l'a servie et loiee
De tant que si pres li venoit
Qu'a remenoir li covenoit,
Por ce qu'il ne la veïst pas
3744 Se il alast avant un pas.
Ensi Lanceloz molt sovant
Le menoit arriers et avant
Par tot la ou boen li estoit,
3748 Et totevoies s'arestoit
Devant la reïne sa dame
Qui li a mis el cors la flame,
Por qu'il la va si regardant,
3752 Et cele flame si ardant
Vers Meleagant le feisoit
Que par tot la ou li pleisoit
Le pooit mener et chacier,
3756 Come avugle et come eschacier
Le mainne, maugré an ait il.

fenêtre. Il lui a plusieurs fois rendu hommage et est venu
la servir en s'approchant d'elle jusqu'à la limite où il était
contraint de s'arrêter, sous peine, en faisant un pas de
2710 plus, de ne plus la voir. Et ainsi Lancelot, à maintes
reprises, repoussait son adversaire, le ramenait en avant,
le promenant comme il voulait, mais s'arrêtait toutefois
sous les yeux de sa dame, la reine, elle qui lui avait
mis dans le corps cette flamme qui le pousse à tellement
2715 la regarder. Cette flamme lui donnait tant d'ardeur
contre Méléagant qu'il pouvait partout où il le voulait
l'amener ou le repousser à sa guise ; il le promène,
bien malgré lui, comme un aveugle ou un éclopé.

Le roi voit que son fils est si mal en point qu'il ne par-
2720 vient plus à faire face ni à se défendre, il en est affligé et
saisi de pitié, et cherche à lui venir en aide autant qu'il le
peut, mais c'est la reine qu'il lui faut implorer pour bien
faire. Alors il a commencé à argumenter ainsi :

– Dame, je vous ai donné de nombreuses marques
2725 d'amitié, d'allégeance et d'honneur depuis que je vous ai
reçue sous ma protection. De tout ce que j'ai pu faire, il
n'y a rien que je n'aie fait volontiers, à partir du
moment où c'était pour vous rendre honneur. À vous
maintenant de m'en remercier ! Mais je vais vous deman-
2730 der une faveur que vous ne devriez pas m'accorder,
sinon par amitié. Je vois bien que dans ce combat mon
fils a le dessous, sans aucun doute. Ce n'est pas que cela
m'attriste si je viens vous implorer, mais c'est pour
empêcher que Lancelot ne le tue, car il en a le pouvoir.
2735 Vous ne devez pas le vouloir non plus, non pas qu'il ne
l'ait pas mérité, par sa mauvaise conduite envers Lancelot et envers vous, mais je vous demande de le faire
pour moi, qui vous en supplie. Dites-lui, je vous en
prie, d'arrêter de le frapper. C'est ainsi que vous pour-
2740 riez reconnaître le service que je vous ai rendu, si vous
le vouliez.

– Mon cher seigneur, puisque vous m'en priez, je le
veux bien, répond la reine. Même si je haïssais à mort
votre fils, que je n'aime point, vous m'avez vous-même
2745 rendu tant de services que pour vous être agréable je
veux bien qu'il s'arrête.

Ces derniers mots ne furent pas prononcés à voix
basse : ainsi Lancelot comme Méléagant ont-ils pu
entendre. Qui aime est très docile et exécute vite et de
2750 bon cœur ce qui doit plaire à son amie, s'il aime vraiment. Il fallait donc bien que Lancelot obéît, lui qui
aimait plus que Pyrame[1], si jamais on put aimer plus.
Lancelot avait entendu ce qu'elle avait dit, et dès que le
dernier mot fut sorti de sa bouche, dès qu'elle eut dit :

---

1. Chrétien fait allusion à l'histoire de Pyrame et Thisbé, qu'il avait lue chez Ovide
(*Les Métamorphoses*, IV). Pyrame, fou de douleur à l'annonce de la mort de Thisbé,
s'était suicidé. Thisbé, qui en fait n'était pas morte, se tua à son tour.

2755 « Si vous voulez qu'il s'arrête, je le veux bien », pour rien
au monde Lancelot n'aurait plus touché son adversaire ni
n'aurait fait un mouvement, dût-il risquer d'être tué. Il ne
touche plus son adversaire, ne fait plus un mouvement,
alors que ce dernier le frappe tant qu'il peut, devenu fou
2760 de colère et de honte après avoir entendu qu'il en est
réduit à attendre qu'on implore en sa faveur. Mais le roi,
pour lui faire la leçon, est descendu de la tour et, une fois
sur le lieu du combat, il interpelle son fils :

– Comment? dit-il, est-il normal que tu frappes ton
2765 adversaire alors qu'il ne te touche pas? Tu es trop cruel
et trop violent, ta bravoure n'est plus de mise, nous
savons tous parfaitement qu'il est le plus fort.

Alors Méléagant, égaré par la honte, répondit au roi :

– Sans doute êtes-vous devenu aveugle, à mon avis
2770 vous n'y voyez goutte! Il faut être aveugle pour douter de
ma supériorité.

– Eh bien! Cherche donc quelqu'un qui te croie! dit le
roi. Tous ceux qui sont là savent bien si tu dis vrai ou
non, nous savons où est la vérité.

2775 Le roi ordonne alors à ses barons de tirer son fils en
arrière, ce qu'ils font aussitôt, exécutant son ordre : ils
ont fait reculer Méléagant, mais il ne fut pas nécessaire
de se donner grand mal pour faire reculer Lancelot, car
son adversaire aurait pu le maltraiter longtemps encore
2780 avant qu'il ne riposte. Le roi dit alors à son fils :

– Que Dieu me vienne en aide, il te faut maintenant
faire la paix et libérer la reine. Il te faut cesser toute cette
querelle et renoncer à toutes tes prétentions.

– Quelles belles sottises vous venez de dire là! Ce que je
2785 viens d'entendre est un discours dépourvu de sens! Fuyez-
donc! Laissez-nous nous battre et ne vous en mêlez plus!

Le roi répond que si, il avait bien l'intention de
s'interposer :

– Car je sais bien, dit-il, qu'il te tuerait si on vous
2790 laissait combattre.

– Lui me tuerait? C'est bien plutôt moi qui le tuerais,
et j'aurais vite fait d'en triompher si vous ne veniez pas
nous gêner et nous laissiez combattre.

– Dieu m'accorde le salut, tout ce que tu peux bien
2795 dire ne sert à rien, dit alors le roi.

— Pourquoi? demande-t-il.

— Parce que je ne le veux pas. Je ne te ferai pas confiance, ta folie et ton orgueil vont te faire tuer. Tel est bien fou qui appelle la mort, inconsciemment comme tu
2800 le fais, et je sais bien que tu me tiens grief de vouloir t'en protéger. Jamais Dieu ne permettra que j'assiste au spectacle de ta mort, j'en fais le vœu, car j'en éprouverais trop grande douleur.

À force de lui parler et de lui faire la leçon, il parvient
2805 à lui faire admettre un accord de paix. Aux termes de cet accord de paix, Méléagant relâche la reine à condition que Lancelot, sans faute, au jour et à l'heure où il l'en sommera, vienne à nouveau se battre avec lui, après un délai d'une année. Lancelot n'y voit pas d'inconvénient.
2810 Tout le monde accepte l'accord avec empressement. On décide que le combat aura lieu à la cour du roi Arthur, puisqu'il est seigneur de la Bretagne et de la Cornouaille. On décide que c'est là qu'il aura lieu, mais il faut que la reine donne son accord et que Lancelot s'engage, pour le
2815 cas où il serait réduit à merci par Méléagant, à laisser repartir la reine avec ce dernier, sans que personne ne s'y oppose. La reine donne sa promesse, et Lancelot promet aussi : c'est ainsi qu'on a mis d'accord, puis séparés et désarmés les deux adversaires. Selon une coutume de ce
2820 pays, il suffisait qu'un seul prisonnier pût sortir pour que tous les autres puissent sortir à leur tour. Tous bénissaient Lancelot, et vous devez bien imaginer comme il y eut de grandes réjouissances. Ce furent de belles réjouissances, n'en doutez pas. Les étrangers se rassemblent
2825 tous, témoignant leur joie à Lancelot, et tous de lui déclarer, assez fort pour être entendus :

— Seigneur, en vérité, nous nous sommes réjouis dès que nous avons entendu votre nom, car dès lors nous étions sûrs d'être bientôt délivrés.

2830 On se pressait en foule pour ces manifestations de joie, car tous rivalisaient d'efforts pour parvenir à le toucher. Celui qui réussissait à s'en approcher le plus en ressentait une joie indicible. Il régnait là grande joie, mais aussi grande amertume : ceux qui venaient d'être libérés
2835 s'abandonnaient à leur joie, tandis que Méléagant et les siens ne trouvaient là rien qui leur plût, ils demeuraient

songeurs, sombres et moroses. Le roi quitte la place et s'en va, sans oublier Lancelot qu'il emmène et qui le supplie de le conduire auprès de la reine :

2840 — Ce n'est pas moi qui m'y opposerai, car il me semble que c'est une bonne idée; en même temps je vous montrerai le sénéchal Keu, si vous le souhaitez.

Pour un peu Lancelot se serait jeté à ses pieds tant sa joie était grande. Le roi le conduisit aussitôt dans la salle 2845 où la reine était venue l'attendre. Quand la reine aperçoit le roi qui tenait Lancelot par le doigt, elle se lève et vient à la rencontre du roi, mais prend l'air contrarié, et baisse la tête sans dire mot.

— Dame, voici Lancelot qui vient vous voir, dit le roi. 2850 Cette visite doit vous faire grand plaisir.

— Me faire plaisir à moi, seigneur? Non, pas du tout, je n'ai que faire de sa visite.

— Mais, Dame! reprit le roi, qui était généreux et courtois, d'où vous vient donc pareil ressentiment? Vous 2855 faites vraiment preuve de trop de mépris envers un homme qui vous a si souvent servie que dans son empressement il a plusieurs fois exposé pour vous sa vie à de mortels dangers. Il vous a aussi porté secours et défendue contre Méléagant, mon fils : ce dernier ne vous 2860 a relâchée que bien à contrecœur.

— Seigneur, en vérité, il a perdu son temps. Je ne vais certes pas nier que je ne lui en suis nullement reconnaissante.

Voilà Lancelot bien triste. Il lui répond avec beaucoup 2865 de délicatesse, comme doit le faire un parfait amant :

— Dame, soyez-en sûre, j'en suis fort peiné, mais je n'ose vous en demander la raison.

Lancelot aurait longuement exposé sa peine si la reine avait bien voulu l'écouter, mais pour achever de l'anéan-2870 tir, elle refuse de répondre un seul mot : elle a préféré se retirer dans une chambre, tandis que jusqu'au seuil Lancelot l'accompagne des yeux et du cœur; mais ses yeux trouvèrent le chemin bien court, car la chambre était proche, et ils seraient bien volontiers entrés à sa suite, 2875 s'ils l'avaient pu. Son cœur, lui, qui a mieux su s'imposer comme seigneur et maître, et a plus de pouvoir, a franchi le seuil à sa suite alors que les yeux sont restés dehors, pleins de larmes, avec le corps. Le roi lui a glissé en confidence :

2880 – Lancelot, je suis très étonné, je me demande ce que cela signifie et d'où vient que la reine ne supporte votre vue et ne veut vous parler. Si par le passé elle avait l'habitude de vous parler, elle ne devrait pas refuser de le faire maintenant ni fuir votre conversation après ce que 2885 vous avez fait pour elle. Dites-moi donc, si vous le savez, pour quelle raison, pour quel forfait elle vous a réservé pareil accueil.

– Seigneur, jusqu'à cet instant je ne m'en doutais pas, mais cela ne lui fait en effet nullement plaisir de me voir 2890 ni d'entendre ma voix, voilà qui me chagrine et m'attriste.

– Elle a tort, c'est certain, dit le roi, car vous avez risqué votre vie en entreprenant pour elle pareille aventure. Mais venez donc, très cher ami, vous allez venir parler au sénéchal.

2895 – Oui, je le souhaite vivement, dit-il. Ils se rendent tous deux auprès du sénéchal. Quand Lancelot fut devant lui, le premier mot du sénéchal fut de s'écrier à l'adresse de Lancelot :

– Comme tu m'as couvert de honte!

2900 – Moi? Et pourquoi? Dites-le-moi, fit Lancelot. Quelle honte ai-je donc bien pu vous causer?

– Une très grande honte, car tu as mené à bien ce que je n'ai pu réaliser, tu as fait ce que je n'ai pu faire.

Alors le roi les laisse ensemble et sort seul de la 2905 chambre, tandis que Lancelot demande au sénéchal s'il a beaucoup souffert.

– Oui, répond-il, et je souffre encore. Jamais je n'ai eu aussi mal que maintenant, et je serais mort depuis longtemps s'il n'y avait eu le roi qui vient de sortir; en me 2910 témoignant sa miséricorde il a fait preuve à mon égard de tant de gentillesse et d'amitié que jamais je n'ai une seule fois manqué de ce dont j'avais besoin, pour peu qu'il le sût : on mettait ce qui m'était nécessaire à ma disposition dès que je le désirais. Mais, venant contrecar-2915 rer tout le bien qu'il me faisait, voilà que de son côté Méléagant, son fils, un être malin pétri de méchanceté, faisait traîtreusement appeler les médecins pour leur ordonner d'appliquer sur mes plaies des onguents

destinés à me faire mourir; j'avais ainsi un père et un
2920 parâtre, si bien que lorsque le roi, soucieux de faire tout
son possible pour hâter ma guérison, faisait appliquer
sur mes plaies un pansement aux vertus salutaires, son
fils, dans sa traîtrise, le faisait bien vite enlever, car il
cherchait à me tuer, et le faisait remplacer par un
2925 onguent nocif. Je suis bien sûr que le roi ne le savait
pas, il n'aurait en aucune façon toléré pareil crime et
pareille félonie. Mais vous ne savez pas de quelle
noblesse il a fait preuve envers ma dame : jamais aucun
guetteur ne garda si bien tour frontalière, depuis le
2930 temps où Noé construisit l'arche, que lui ne le fait peut-
être mieux encore . il ne laisse même pas son fils, qui
s'en désole assez, aller la voir sinon en public devant
une foule de gens ou en sa propre présence. Il lui a toujours prodigué et lui prodigue encore, ce noble roi,
2935 grâces lui en soient rendues, toutes les marques d'honneur qu'elle a souhaité voir établir; il n'y a jamais eu
d'autre code de conduite que celui qu'elle a établi elle-
même, et le roi l'en estima plus encore en voyant sa
loyauté. Mais est-ce vrai ce que l'on m'a dit : elle serait si
2940 irritée contre vous qu'elle aurait publiquement refusé
tout net de vous adresser la parole?

– On vous a bien dit la vérité, fait Lancelot, c'est tout
à fait vrai. Mais, pour l'amour de Dieu, pourriez-vous me
dire pourquoi elle me hait?

2945 Keu répond qu'il ne le sait pas, mais il en est grandement surpris.

– Qu'il en soit donc selon sa volonté! fait Lancelot,
contraint de se résigner. Il me faut prendre congé•, car je
vais partir à la recherche de mon seigneur Gauvain qui
2950 est entré dans ce pays : il était convenu qu'il irait tout
droit au Pont sous l'Eau.

Il a alors quitté la chambre pour venir trouver le roi et
prendre congé pour commencer sa recherche. Le roi le
lui accorde bien volontiers, mais ceux qu'il avait délivrés
2955 et arrachés à leur prison lui demandent ce qu'ils allaient
faire.

– Viendront avec moi tous ceux qui le voudront, dit-il.
Quant à ceux qui veulent rester auprès de la reine, qu'ils
restent donc, rien ne les oblige à venir avec moi.

2960 Partent donc avec lui tous ceux qui veulent, plus gais et joyeux qu'ils ne l'étaient d'habitude, et restent auprès de la reine les jeunes filles qui laissent libre cours à leur joie, mais aussi les dames et nombre de chevaliers. Pas un seul d'entre eux toutefois qui n'eût préféré rentrer
2965 dans son pays plutôt que de continuer à séjourner ici. Mais la reine les retient, dit que monseigneur Gauvain allait arriver et qu'elle ne bougerait pas tant qu'elle n'en aurait pas de nouvelles.

Partout se répand la nouvelle : la reine est parfaite-
2970 ment libre, les prisonniers sont libérés et peuvent partir, sans être le moins du monde inquiétés, quand il leur plaira et quand bon leur semblera. On s'interroge l'un l'autre pour savoir si c'est vrai; il n'y avait pas d'autre sujet de conversation lorsque les gens se trouvaient réu-
2975 nis. Ils ne sont pas fâchés que soient détruits les mauvais passages, ainsi on peut aller et venir comme on veut, ce n'est plus comme avant. Mais quand les gens du pays qui n'avaient pas assisté au combat apprirent comment Lancelot triompha, tous se portèrent dans la direction qu'il
2980 allait prendre, car ils pensaient faire plaisir au roi en capturant Lancelot et en le lui ramenant. Ses gens à lui avaient négligé de s'armer, aussi furent-ils pris en traître par les gens du pays qui vinrent en armes*. Il ne faut donc pas s'étonner qu'ils aient pu s'emparer de Lancelot,
2985 qui était désarmé. Ils ont rebroussé chemin, le ramenant prisonnier, les pieds attachés sous le ventre de son cheval. Les compagnons de Lancelot protestaient :

– Vous avez tort d'agir ainsi, seigneurs, car nous sommes sous la protection du roi, il nous a tous placés
2990 sous sa sauvegarde.

Les autres de leur répondre :

– Nous l'ignorons, mais c'est comme prisonniers qu'il vous faudra venir à la cour.

Voilà que la nouvelle, qui bien vite vole et court, arrive
2995 aux oreilles du roi : ses gens ont fait prisonnier Lancelot et l'ont tué. Entendant cela, le roi est accablé, il jure sur sa tête, et sur ce qu'il a d'encore plus cher, que ceux qui l'ont tué seront tués à leur tour, sans qu'on les laisse se défendre. Qu'il vienne seulement à les tenir ou à s'en
3000 emparer, et il ne restera plus qu'à les pendre, les brûler

ou les noyer, jure-t-il. Et ils pourront bien nier, s'ils le
veulent, autant qu'ils le voudront, jamais il n'accordera à
leurs dires le moindre crédit, ajoute-t-il, car ils lui ont
mis au cœur une trop grande douleur et lui ont infligé
3005 une si grande honte qu'on la lui reprocherait s'il n'en
tirait vengeance. Mais il se vengera, qu'on n'en doute
pas!

La nouvelle se propage partout, et finit par arriver aux
oreilles de la reine, qui était à table. Il s'en fallut de peu
3010 qu'elle ne se tuât en apprenant sur Lancelot cette
nouvelle mensongère, mais qu'elle croyait vraie; elle en
est si profondément touchée qu'elle en perd presque la
parole, mais dit tout haut à l'intention des gens qui
l'entouraient :

3015 — Vraiment, je suis très peinée par sa mort, et ma
peine est justifiée, car c'est pour moi qu'il est venu dans
ce pays, voilà ce qui explique ma peine.

Puis elle se dit tout bas, pour qu'on ne l'entendît pas,
qu'il ne faudrait plus lui demander de boire ni de man-
3020 ger s'il était vrai qu'était mort celui qui était toute sa vie.
Aussitôt, éperdue de tristesse, elle se lève de table pour
s'abandonner à sa douleur sans être entendue de quiconque. Son égarement est si grand qu'il la pousse à se
tuer, si bien qu'à plusieurs reprises elle porte ses mains à
3025 sa gorge. Mais elle veut d'abord se confesser, seule face à
elle-même, elle se repent, bat sa coulpe, se blâme sévère-
ment, et se reproche amèrement le péché qu'elle avait
commis envers celui dont elle savait qu'il avait toujours
été sien et le serait encore s'il était vivant. Elle éprouve
3030 un tel regret d'avoir été cruelle qu'elle perd beaucoup de
sa beauté; le souvenir de sa cruauté, de sa trahison, lui a
ôté ses couleurs et a fort assombri son visage, comme y
ont contribué ses nuits de veille et son jeûne. Rassem-
blant le souvenir de toutes ses fautes, qui lui reviennent
3035 à l'esprit et qu'elle se remémore, elle se répète :

«Hélas! À quoi pouvais-je bien penser, quand mon
ami est venu me trouver, pour n'avoir pas voulu lui
montrer ma joie ni même l'entendre? En refusant de le
regarder et de lui parler, ne me suis-je pas conduite
3040 comme une insensée? Insensée? C'est plutôt traîtresse et
cruelle que je me suis montrée, Dieu me pardonne, et j'ai

cru le faire par plaisanterie, mais il ne l'a pas entendu ainsi et ne m'a pas pardonné. C'est moi et personne d'autre qui lui ai donné le coup mortel, j'en suis certaine. 3045 Quand il est arrivé devant moi souriant, persuadé que je serais si heureuse de le voir, et que je n'ai pas voulu le voir, cela n'a-t-il pas été pour lui un coup mortel? En refusant de lui parler, je lui ai dans le même instant ôté tout à la fois le cœur et la vie. Voilà quels sont les deux 3050 coups qui l'ont tué, j'en suis sûre, aucun autre sicaire[1] ne l'a tué. Mon Dieu! Me sera-t-il possible de racheter ce meurtre, ce péché? Non, vraiment, on aura d'abord vu tous les fleuves se tarir et la mer s'assécher. Ah, hélas! Comme j'aurais été apaisée et comme j'y aurais trouvé 3055 grand réconfort si une seule fois, avant sa mort, j'avais pu le tenir entre mes bras! De quelle manière? Mais lui nu, moi nue, pour en éprouver plus de bonheur. Maintenant qu'il est mort, je suis bien lâche si je ne fais pas tout pour mourir moi aussi. Pourquoi? Cela doit-il nuire 3060 à mon ami si je vis toujours après sa mort, sans trouver d'autre plaisir que celui des souffrances que j'endure pour lui? Sachant que c'est là tout mon plaisir après sa mort, il lui eût certes été agréable, vivant, de voir à quelles souffrances j'aspire maintenant. C'est lâcheté que 3065 de préférer mourir plutôt que souffrir pour son ami. Pour ma part, certes, j'aurai grand plaisir à porter le deuil encore longtemps. Mieux vaut vivre et endurer les coups de la vie que mourir et trouver le repos. »

La reine resta plongée dans cette profonde affliction 3070 deux jours entiers, sans boire ni manger, si bien qu'on la crut morte.

Il se trouve toujours quelqu'un pour colporter les nouvelles, et les mauvaises plutôt que les bonnes. C'est ainsi que parvint à Lancelot la nouvelle de la mort de sa dame 3075 et amie. Il en fut fort affligé, n'en doutez pas! Tout le monde peut imaginer sa colère et son chagrin. En vérité, il tomba dans une telle affliction, si vous voulez entendre

---

1. *sicaire* : du latin *sicarius*, «poignard». Littéralement, celui qui porte le poignard pour un autre, sorte de mercenaire dans l'emploi d'assassin. La langue moderne parlerait de «tueur à gages». Mais il s'agit ici exclusivement d'arme blanche.

et connaître la vérité, qu'il en conçut le dégoût de la vie, et voulut se suicider sans plus attendre, mais on l'enten-
3080 dit tout d'abord pleurer longuement sur son malheur. Il fait un nœud coulant à l'une des extrémités de la ceinture qu'il portait et se dit pour lui-même, en pleurant : «Ah! Mort! Quel piège tu m'as tendu, moi qui étais bien portant, tu as fait de moi un malade! Je suis malade,
3085 mais ne souffre d'aucun mal sinon de cette douleur qui me transperce le cœur. Cette douleur est un mal véritable, voire mortel. Soit, je veux bien qu'il en soit ainsi, et s'il plaît à Dieu, j'en mourrai. Comment? Ne pourrai-je pas trouver un autre moyen de mourir si celui-ci ne plaît
3090 pas à Dieu? Si, j'y parviendrai, pourvu qu'il me laisse serrer ce nœud autour de ma gorge : c'est ainsi que je compte forcer la Mort à me tuer malgré elle. La Mort, qui n'a jamais su désirer que ceux qui ne veulent pas d'elle, refuse de venir, mais ma ceinture va me permettre
3095 de la capturer et de la conduire jusqu'à moi, puis dès qu'elle sera sous mon autorité, elle fera tout ce que je voudrai. Oui, certes, mais elle va mettre trop de temps à venir : j'ai tellement hâte de la trouver.»

Alors sans plus attendre et sans délai, il passe le nœud
3100 autour de sa tête jusqu'à l'ajuster autour de son cou, et pour être sûr de se détruire, il attache l'autre bout de la ceinture bien serré à l'arçon* de sa selle, sans que personne ne s'en aperçoive. Il se laisse alors glisser à terre, et veut se laisser traîner par son cheval jusqu'à ce que
3105 mort s'ensuive, il ne veut plus vivre une heure de plus. Le voyant tombé à terre, ceux qui chevauchaient avec lui le croient évanoui, car personne n'aperçoit le nœud qu'il s'était serré autour du cou. Aussitôt ils l'ont saisi à bras-le-corps puis le relèvent en le prenant dans leurs bras, et
3110 c'est ainsi qu'ils ont aperçu le nœud qu'il s'était passé autour du cou, en ennemi de lui-même qu'il était devenu. Ils s'empressent alors de couper le nœud, mais le nœud avait infligé à sa gorge un tel châtiment qu'il resta longtemps sans pouvoir parler : c'est qu'il s'en était
3115 fallu de peu que ne fussent rompues toutes les veines du cou et de la gorge. Après cela, l'aurait-il voulu qu'il n'eut plus la possibilité de se faire du mal avec quoi que ce fût. Il était contrarié d'être surveillé, et il faillit se

consumer de douleur, car il aurait bien voulu se tuer, si
3120 personne n'y avait pris garde. Voyant qu'il ne pouvait
plus se faire le moindre mal, il se dit : «Ah! vile Mort
méprisable! Mort, pour l'amour de Dieu, n'avais-tu pas
assez de puissance et de force pour me tuer, moi, plutôt
que ma dame? C'est peut-être parce que tu aurais fait là
3125 une bonne action que tu n'as pas voulu le faire; c'est par
traîtrise que tu m'as épargné, c'est la seule explication
qui vaille. Ah, quel service tu me rends et quelle bonté!
Comme tu as bien choisi! Maudit soit celui qui te remer-
ciera ou te sera reconnaissant d'un tel service! Je ne sais
3130 vraiment qui me hait le plus, de la vie qui me désire ou
de la Mort qui ne veut pas me faire mourir. L'une
comme l'autre me font mourir, mais j'ai bien mérité
d'être en vie contre mon gré, Dieu me vienne en aide :
j'aurais en effet dû me tuer dès l'instant où ma dame,
3135 la reine, me témoigna de la haine, ce qu'elle ne fit pas
sans motif. Elle devait avoir une bonne raison de le faire,
mais je ne sais laquelle. Si je l'avais su, avant que son
âme eût rejoint Dieu, je lui en aurais fait une réparation
aussi éclatante qu'elle eût pu le souhaiter, à condition
3140 qu'elle ait eu pitié de moi. Mon Dieu, ce forfait qu'elle
me reprochait, quel était-il donc? Sans doute
a-t-elle appris, j'imagine, que je suis monté sur la
charrette. Hormis celui-ci, je ne sais quel autre reproche
elle pourrait me faire. Voilà ce qui m'a perdu. Mais si c'est
3145 là la raison de sa haine, mon Dieu, pourquoi ce forfait
devait-il me nuire? Il faut bien mal connaître Amour pour
me le reprocher. On ne pourrait en effet citer aucun acte
qui pût mériter le moindre reproche s'il était inspiré par
Amour. Tout ce qu'on peut faire pour son amie n'est au
3150 contraire qu'amour et courtoisie. Mais ce n'est pas vraiment pour mon amie que je l'ai fait, et je ne sais comment
l'appeler, hélas : je ne sais si je dois ou non dire amie, je
n'ose lui donner ce nom; tout ce que je sais en ce qui
concerne l'amour, c'est qu'elle n'aurait pas dû me mépriser
3155 si elle m'aimait, mais au contraire me déclarer son véritable ami puisque je considérais que c'était un honneur de
faire pour elle tout ce que voulait Amour, même de monter sur la charrette. Elle aurait dû mettre cela au compte de
l'amour, car c'en est un véritable témoignage. Amour met

3160 ainsi les siens à l'épreuve, c'est ainsi qu'il les reconnaît.
Mais ma dame n'a pas goûté cette façon de la servir, je l'ai
bien vu à l'accueil qu'elle me fit. Pourtant son ami a
commis là une action qui lui a valu, à lui, honte,
reproches et blâme de la part de bien des gens. Je me suis
3165 plié aux règles d'un jeu qu'on me reproche et ce qui était
pour moi objet de douceur est devenu objet d'amertume.
C'est bien là, par ma foi, le comportement habituel de
ceux qui ne connaissent rien à l'amour et qui lavent
l'honneur dans la honte, or qui trempe l'honneur dans la
3170 honte ne le lave pas, mais le souille. Ce sont des profanes
en Amour ceux qui vont ainsi le méprisant, et c'est d'eux-
mêmes qu'ils s'excluent d'Amour, eux qui ne respectent
pas ses commandements. À coup sûr gagne en mérite
celui qui fait ce qu'Amour commande, et il faut tout lui
3175 pardonner, alors que celui qui n'ose le faire est définitivement perdu. » Ainsi Lancelot se lamente-t-il, et c'est bien
tristement que ses gens à ses côtés le gardent et le
retiennent.

Entre-temps arrive la nouvelle que la reine n'est pas
3180 morte. Lancelot en est aussitôt consolé, et s'il avait auparavant pleuré sa mort si fort et si douloureusement, il en
éprouva cent mille fois plus encore de joie à la savoir en
vie.

Questions

Compréhension

● **Le premier combat entre Méléagant et Lancelot (l. 2534 à 2761)**

1. *Pourquoi l'auteur s'attarde-t-il sur la description de Méléagant ?*

2. *Par quels éléments l'auteur parvient-il à « montrer », en une scène très visuelle, que les deux adversaires sont des chevaliers hors du commun ?*

3. *Quel est le double enjeu, explicite et implicite, de ce combat ?*

4. *Le nom de Lancelot : à quel point le moment et les circonstances de cette révélation sont-ils riches de symboles ?*

5. *En quoi le récit marque-t-il (l. 2723) un tournant décisif pour la suite du combat ? En quoi l'issue de ce combat devient-elle lourde de conséquences quant aux pouvoirs du roi ?*

6. *Comparez ce premier combat aux scènes de bataille antérieures. Quels passages précis vous paraissent appelés comme en écho, analogues du point de vue des valeurs chevaleresques ou de la logique amoureuse ici évoquées ?*

● **Visite à la reine et au sénéchal Keu (l. 2840 à 2951)**

7. *Comment pouvez-vous tenter d'expliquer la réaction inattendue de la reine ? Formulez des hypothèses que vous pourrez vérifier (ou non) par la suite.*

8. *En quoi l'éloge de Bademagu prend-il, dans la bouche du sénéchal, plus de force que celui auquel nous avait habitué le narrateur ?*

● **La double fausse nouvelle (l. 2994 à 3177)**

9. *Mettez en évidence le contraste qui oppose les deux mouvements de tristesse de Bademagu et de la reine. Comment les expliquez-vous l'un et l'autre (l. 2994 à 3071) ?*

10. *Quels sont les mots clés du monologue de la reine (l. 3036 à 3068) ?*

11. *Quels sont ceux qui marquent le monologue de Lancelot (l. 3083 à 3176) ? Quelles règles de l'amour courtois peut-on dégager de ce passage ?*

12. *Comment justifiez-vous, du point de vue de l'auteur, la longueur de ces deux derniers monologues intérieurs ?*

Écriture

● **Le premier combat entre Méléagant et Lancelot (l. 2534 à 2761)**

13. *Dans ce type de narration destinée à une lecture-spectacle, le changement de temps traduit toujours un changement de perspective. En vous fondant sur un examen précis des temps et de la structure du passage (l. 2534 à 2761), montrez comment le travail de l'écrivain rejoint ici celui du peintre ou du réalisateur (explicitez les différents plans). Songez à la composition de certains vitraux agencés comme autant d'« étapes » narratives.*

14. *De tous les spectateurs, quel est le personnage placé au premier plan ? Par quels procédés et pourquoi ?*

15. *Par quels procédés l'auteur crée-t-il une distance entre le lecteur et le récit ? Quelle est la fonction de cette mise à distance ?*

● **Visite à la reine (l. 2840 à 2894)**

16. *Concision* et litote* suffisent à dire tout le désespoir de Lancelot devant la froideur de la reine. Relevez les passages significatifs.*

● **La double fausse nouvelle (l. 2994 à 3177)**

17. *Le monologue intérieur de la reine : comment se fait le passage progressif à un discours chargé d'émotion ? Relevez tous les indices du style émotif dans les lignes 3036 à 3068.*

Quand ils arrivèrent à six ou sept lieues du château où habitait le roi Bademagu, celui-ci apprit une nouvelle
3185 concernant Lancelot qui lui fut fort agréable et qu'il eut plaisir à entendre : Lancelot était en vie et revenait sain et sauf. Il réagit alors en homme courtois et alla rapporter la nouvelle à la reine, qui lui répondit :

– Cher sire, puisque vous le dites, je le crois volon-
3190 tiers, mais s'il était mort, je vous assure, je n'aurais plus jamais connu la moindre joie. J'aurais définitivement perdu toute joie si un chevalier, pour me servir, avait reçu et accepté la mort.

Le roi la quitte alors, la reine est impatiente de voir
3195 arriver son ami, sa joie; elle n'a plus la moindre envie de lui chercher querelle pour quoi que ce soit. Mais les nouvelles courent toujours, sans trêve ni repos, et finissent par arriver jusqu'à la reine : on lui rapporte ainsi que Lancelot se serait tué pour elle si on l'avait laissé faire.
3200 Elle en est heureuse et le croit volontiers, mais dit que pour rien au monde elle ne l'aurait voulu, car elle ne méritait pas tant de malheur. Entre-temps voici qu'est arrivé en toute hâte Lancelot; dès que le roi le voit, il court l'embrasser en le prenant par le cou; on aurait cru
3205 qu'il avait des ailes tant sa joie le rendait léger. Mais sa joie fut de courte durée, interrompue par l'arrivée de ceux qui l'avaient capturé et l'avaient attaché à son cheval. Le roi leur dit qu'ils ont fait leur propre perte en venant : c'était comme s'ils étaient déjà morts et exécutés.
3210 Et pour toute excuse ils lui ont répondu qu'ils croyaient lui faire plaisir.

– Eh bien, ce que vous croyiez qui me plairait me déplaît, fait le roi. Mais il ne s'agit pas de Lancelot, ce n'est pas lui que vous avez couvert de honte, mais moi,
3215 car je l'avais sous ma protection. Quoi qu'on fasse, la honte retombe sur moi. Mais vous n'aurez plus lieu d'en rire quand vous sortirez d'ici.

L'entendant se mettre en colère, Lancelot s'efforça de ramener la paix et de redresser la situation du mieux
3220 qu'il put, et il fit tant qu'il y parvint. Le roi l'emmène alors voir la reine. Cette fois la reine ne garda plus les yeux baissés à terre, elle s'avança au contraire joyeusement à sa rencontre, lui prodigua toutes les marques

d'honneur possibles et l'invita à s'asseoir auprès d'elle. Ils
3225 eurent alors tout loisir de parler de ce que bon leur semblait, et les sujets ne leur manquaient pas, Amour leur en
donnait à profusion. Quand Lancelot voit que la situation lui est favorable et que tout ce qu'il disait plaisait à
la reine, il lui demande alors tout bas :

3230   – Dame, je me demande vraiment pourquoi vous
m'avez réservé pareil accueil, l'autre jour, en me voyant :
vous ne m'avez même pas dit un mot pour me laisser
entendre le son de votre voix. Ce faisant vous m'avez
presque donné la mort, et je n'ai pas eu alors assez d'au-
3235 dace, comme j'en ai aujourd'hui, pour oser vous demander une explication. Dame, je suis prêt à réparer mes
torts, à condition toutefois que vous me disiez quel est
est le forfait qui m'a valu tant de tourments.

Et la reine de le lui expliquer :

3240   – Comment? N'avez-vous donc pas eu honte de monter dans la charrette, n'en avez-vous pas eu peur? Vous y
êtes monté de bien mauvaise grâce, et vous avez tardé le
temps de faire deux pas. Voilà pourquoi, en vérité, je n'ai
pas voulu vous adresser ni un mot ni un regard.

3245   – Que Dieu me garde une autre fois d'un tel crime!
fait Lancelot. Que Dieu n'ait jamais pitié de moi si vous
n'aviez pas entièrement raison d'agir ainsi! Dame, pour
l'amour de Dieu, permettez que je vous en offre ici
même réparation, et si vous devez me pardonner un
3250 jour, pour l'amour de Dieu, dites-le-moi!

– Ami, vous êtes tout à fait quitte envers moi, sans
aucune réserve de ma part, et je vous pardonne de grand
cœur, fait la reine.

– Dame, dit-il, soyez-en remerciée, mais je ne peux
3255 vous dire ici tout ce que je voudrais. J'aimerais vous parler plus à loisir si c'était possible.

La reine lui montre une fenêtre, la désignant du regard
et non du doigt, et lui dit :

– Venez cette nuit me parler à cette fenêtre, quand
3260 tout le monde dormira dans la maison. Vous passerez
alors par ce verger. Vous ne pourrez pas entrer ni passer
la nuit ici. Je serai dedans et vous dehors, puisque vous
ne parviendrez pas à entrer. Je ne pourrai pas venir jusqu'à vous sauf par la bouche ou par la main. Mais, si

3265 vous le désirez, je resterai là jusqu'au matin pour l'amour de vous. Il nous serait impossible d'être vraiment ensemble puisque dans ma chambre il y a, couché devant moi, le sénéchal Keu, qui souffre toujours des blessures dont il est couvert. En outre la porte ne reste 3270 pas ouverte, elle est bien fermée et bien gardée. Quand vous viendrez, faites bien attention que quelque homme aux aguets ne vous surprenne.

– Dame, fait-il, tant que cela dépendra de moi, je ne me laisserai surprendre par aucun guetteur qui trouverait 3275 là motif à mauvaise pensée ou médisance.

Ainsi leur rendez-vous est-il pris, et c'est dans la joie qu'ils se séparent.

Lancelot sort de la chambre, il est si heureux qu'il a oublié jusqu'au moindre de ses ennuis. Mais la nuit est 3280 trop longue à venir, et le jour lui a paru plus long, à en juger par la patience qu'il lui fallut, que cent autres jours ou même qu'une année entière! Il aurait aimé se rendre bien vite à son rendez-vous, si seulement la nuit avait pu tomber! Après une lutte opiniâtre pour triompher du 3285 jour, la nuit noire et obscure a fini par le mettre sous sa couverture et le revêtir de sa chape. Quand il voit le jour s'obscurcir, il feint d'être las et fatigué, et dit qu'il avait trop veillé, qu'il lui fallait se reposer. Vous pouvez bien comprendre et imaginer, vous qui en avez fait autant, 3290 qu'il prétextait fatigue et envie de dormir pour tromper les gens de la maison, mais ne tenait pas tellement à son lit, pour rien au monde il ne s'y serait reposé : il n'aurait pas pu, n'aurait pas osé, il n'aurait même pas voulu ni oser ni pouvoir. Il se releva rapidement et sans bruit, et 3295 ne fut pas mécontent qu'il n'y ait ni lune ni étoile qui brille ni, dans la maison, chandelle, lampe ou lanterne qui brûle. Il se mit en route en regardant autour de lui, veillant à ce que personne ne s'en aperçoive. Tous le croyaient endormi au fond de son lit pour toute la nuit. 3300 Sans personne pour le guider ni l'accompagner, il se dirige rapidement vers le verger. Il ne fait aucune rencontre et a également la chance qu'un pan du mur de clôture du verger soit venu à s'écrouler récemment : il s'introduit rapidement par cette brèche et parvient jus- 3305 qu'à la fenêtre. Il s'y tient immobile, veillant à ne pas

tousser ni éternuer. La reine arriva enfin, vêtue d'une chemise* bien blanche, sans robe ni tunique : elle avait simplement jeté dessus un manteau court d'écarlate et de marmotte. Quand Lancelot voit la reine incliner la tête à
3310 la fenêtre garnie de gros barreaux de fer, il l'honore d'un tendre salut qu'elle lui rend aussitôt, car ils étaient attirés par un même élan de désir, lui vers elle et elle vers lui. Les sujets qu'ils abordent ne sont ni désagréables ni ennuyeux, ils se rapprochent l'un de l'autre et se tiennent
3315 tous deux par la main. Mais ce leur est une insupportable souffrance de ne pouvoir se rejoindre, ils maudissent les barreaux de fer. Alors Lancelot se fait fort, si la reine le souhaite, d'entrer dans sa chambre : ce ne sont pas les barreaux qui vont l'arrêter.
3320   — Vous ne voyez donc pas comme ces barreaux sont trop rigides pour être tordus et trop solides pour être rompus? Vous aurez beau les empoigner, les tirer vers vous et les secouer, vous ne pourrez en arracher un seul! lui répond la reine.
3325   — Dame, fait-il, ne vous inquiétez pas! Je ne crois pas que ce soit un barreau de fer qui puisse changer grand-chose, je crois que rien sinon vous-même ne peut m'empêcher de pouvoir arriver jusqu'à vous. Si vous me donnez votre accord, alors la voie est libre pour moi. Mais si
3330 ce n'est pas vraiment votre souhait, la voilà alors si bien barrée que je n'y passerais pour rien au monde.
  — Certes oui, je le veux bien, ce n'est pas ma volonté qui va vous retenir, il vous faut juste attendre que je sois retournée dans mon lit pour éviter qu'il ne vous arrive
3335 malheur si vous faisiez du bruit. Le sénéchal en effet dort ici : finis les jeux et les ris s'il venait à être réveillé par le bruit que vous risquez de faire. Aussi est-il bien raisonnable que je m'en aille, car il ne pourrait rien imaginer de bon s'il me voyait ici, debout.
3340   — Dame, fait-il, allez donc, mais ne craignez rien, je ne ferai pas de bruit. Je compte arracher les barreaux si doucement que je ne réveillerai personne.
  Alors la reine s'en retourne se coucher, et lui se prépare et se dispose à venir à bout de cette fenêtre. Il saisit
3345 à pleines mains les barreaux, les secoue, les tire tant et si bien qu'il finit par les faire plier et les arrache de leur

logement. Mais les barreaux étaient si tranchants qu'il s'est entaillé la première phalange du petit doigt jusqu'aux nerfs, et qu'il se trancha complètement la première articulation du doigt voisin. Mais il ne sent rien, ni le sang qui coule, ni ses blessures : il n'en sent pas une seule, car il a l'esprit occupé ailleurs. La fenêtre est loin d'être basse, et pourtant Lancelot a tôt fait de l'enjamber avec une belle agilité.

Château de Peyrepertuse (Aude).

Dédicace à une dame.
Vienne, Bibliothèque nationale.

An son lit trueve Kex dormant,
Et puis vint au lit la reïne,
4652 Si l'aore et se li ancline,
Car an nul cors saint ne croit tant,
Et la reïne li estant
Ses bras ancontre, si l'anbrace,
4656 Estroit pres de son piz le lace,
Si l'a lez li an son lit tret
Et le plus bel sanblant li fet
Que ele onques feire li puet,
4660 Que d'amors et del cuer li muet,
D'amors vient qu'ele le conjot.
Et s'ele a lui grant amor ot,
Et il .C. mile tanz a li,
4664 Car a toz autres cuers failli
Amors avers qu'au suen ne fist,
Mes an son cuer tote reprist
Amors et fu si anterine
4668 Qu'an toz autres cuers fu frarine.
Or a Lanceloz quanqu'il vialt,
Qant la reïne an gré requialt
Sa conpaignie et son solaz,
4672 Qant il la tient antre ses braz
Et ele lui antre les suens.
Tant li est ses jeus dolz et buens
Et del beisier et del santir
4676 Que il lor avint sanz mantir
Une joie et une mervoille
Tel c'onques ancor sa paroille
Ne fu oïe ne seüe,
4680 Mes toz jorz iert par moi teüe,
Qu'an conte ne doit estre dite.
Des joies fu la plus eslite
Et la plus delitable cele
4684 Que li contes nos test et cele.
Molt ot de joie et de deduit
Lanceloz tote cele nuit.

3355 Il trouve Keu endormi dans son lit, puis il arrive au lit de la reine : il s'incline devant elle et reste en adoration, car il n'a autant de foi en aucune sainte relique. La reine lui tend les bras, l'enlace et l'étreint contre sa poitrine. Elle l'attire ainsi dans son lit, et lui réserve le plus bel
3360 accueil qu'elle puisse jamais lui faire, car il lui est inspiré par Amour et dicté par son cœur, c'est Amour qui lui demande de lui faire fête. Et si elle éprouve pour lui un grand amour, de son côté il lui porte un amour cent mille fois plus grand, car Amour a déserté tous les autres
3365 cœurs, en comparaison de ce qu'il a fait au sien. Mais dans son cœur Amour a repris tout entier vigueur, et avec une telle intensité qu'il paraît être resté bien pâle dans tous les autres cœurs. Maintenant Lancelot a tout ce qu'il désire : la reine accepte avec plaisir sa compagnie et
3370 réserve bon accueil à ses caresses; ils se tiennent serrés l'un contre l'autre, elle dans ses bras et lui dans les siens. Il trouve tellement de douceur et de bonheur à ce jeu des baisers et des étreintes : il leur en a été donné de connaître une joie si merveilleuse que, sans mentir, on
3375 n'a jamais su ni entendu dire qu'il pouvait en exister de semblable. Mais je n'en parlerai jamais, car on ne doit pas en parler dans un conte. Cette joie que le conte nous cache et nous tait fut des plus parfaites et des plus délicieuses. Lancelot eut beaucoup de joie et de plaisir toute
3380 cette nuit-là.

Questions

Compréhension

- **Le retour de Lancelot (l. 3184 à 3278)**

1. *Quelle est la place de la «nouvelle» dans ce récit? Pourquoi ce rôle amplifié dévolu à la rumeur depuis le passage précédent?*

2. *L'étonnant reproche de la reine (l. 3241 à 3245) : comment l'expliquez-vous? Quelle leçon en tirer selon l'éthique courtoise? Dans quelle logique s'inscrit à son tour Lancelot par sa réplique?*

- **La nuit d'amour (l. 3279 à 3381)**

3. *Quel terme, mot clé du passage, justifie aux yeux du lecteur l'intensité de cette passion pourtant adultère? Quelle est la condition du parfait amant selon l'amour courtois?*

4. *Amour et mariage ne sont jamais associés depuis le début du récit. Guenièvre est cependant mariée. Vous fondant sur ce qui précède, pouvez-vous formuler une hypothèse concernant le point de vue «courtois» sur le mariage?*

5. *Le motif de «l'amant qui aime plus que l'autre» : en vous aidant des scènes passées, dites si cette insistance est simple coquetterie de la part de Lancelot ou de l'auteur.*

Écriture

- **La nuit d'amour (l. 3279 à 3381)**

6. *Le soir et l'impatience de Lancelot (l. 3280 à 3300) : relevez ce qui fait de cette scène très visuelle un récit-type de tradition orale (observez le discours, le point de vue, la présence de l'auteur...).*

7. *Le récit (ou l'absence de récit) de la nuit : dans quelle mesure retrouve-t-on ici l'influence du mécène et de l'esthétique courtoise?*

8. *En quoi le vocabulaire religieux du passage évoque-t-il une scène plus païenne que chrétienne?*

9. *L'écriture se calque sur la situation : analysez les éléments de poésie de cette scène qui est comme enserrée, à l'image du héros, entre deux épreuves redoutables. Observez notamment le jeu du lexique et l'entrelacement des pronoms personnels. En quoi contribuent-ils à la force suggestive du passage?*

10. *Les barreaux : explicitez la métaphore*, du point de vue du lyrique courtois.*

Bilan

L'action

• Ce que nous savons

Entré dans le pays de Gorre, le héros approche de son but : la reine est en effet prisonnière de Méléagant, le fils du roi. Le «chevalier de la charrette», malgré ses blessures, ne cherche donc qu'un ultime combat, celui qui lui permettra d'arracher la reine aux mains de son ravisseur. La construction en spirale de l'œuvre a déjà annoncé ce combat, plusieurs fois ébauché avec les affrontements qui opposaient le héros aux chevaliers de rencontre.

De son côté, Méléagant, contre la volonté de son père, projette de vaincre le héros en combat singulier. Le combat a lieu au pied de la tour, sous les yeux de la reine qui révèle, à ce moment, le nom du chevalier : «Lancelot». Prenant l'avantage, Lancelot consent toutefois, gage de son dévouement, à interrompre le combat sur demande de la reine.

Après de nouvelles péripéties qui mettent moralement à l'épreuve tant la reine que Lancelot, les voilà tous deux réunis pour une nuit d'amour qui leur donne une joie «des plus parfaites».

• À quoi nous attendre?

1. Du point de vue de la thématique amoureuse, la «joie parfaite» des amants doit-elle marquer la fin du récit? et du point de vue de l'esthétique courtoise?

2. Le combat est demeuré inachevé, l'action reste en suspens, comme le devenir du héros : quelle est l'ambiguïté majeure du récit, qui, faute d'avoir été résolue, rend inévitable ces moments de «transition»?

3. Précisez en quoi le «monde de la merveille» tend à devenir l'espace privilégié de ce récit.

Les personnages

• Ce que nous savons

Bademagu et son fils Méléagant, sont, en tous points, opposés. Le roi n'est que courtoisie, mesure et bienveillance. Son fils, au contraire, toujours assoiffé de batailles, s'adonne aux projets les plus noirs. Le premier respecte les règles du monde chevaleresque, le second les bafoue.

Le combat a mis en évidence le contraste qui oppose Lancelot et Méléagant. Leur vaillance et leur habileté aux armes sont leur seul point commun. Méléagant paraît être la réplique contraire de Lancelot : rudesse, perfidie, absence de générosité, arrogance et forfanterie.

La reine et Lancelot, avant de se retrouver, ont dû endurer de longs tourments intérieurs, chacun envisageant la mort : la nuit merveilleuse paraît être une récompense pour toutes les épreuves passées. Selon l'éthique courtoise, c'est aussi la récompense du fin' amant qui a si bien su servir sa dame, dans le cadre d'un amour généralement adultère.

• À quoi nous attendre ?

1. *Le chevalier est maintenant désigné par son nom : quelle est la portée de cette révélation faite par la reine ? En quoi marque-t-elle un tournant définitif dans les aventures du héros ?*

2. *Malgré les sacrifices accomplis pour elle par Lancelot, la reine demeure distante à son égard. Que signifie ce dédain de la « dame » ? Dans l'hypothèse où le combat aurait pu être mené à son terme, le récit aurait-il pu s'achever à ce moment précis ?*

3. *Selon l'esthétique courtoise, l'amour des amants, souvent adultère, ne peut se divulguer ni s'inscrire dans la durée. Que faut-il en conclure pour l'achèvement du conte ?*

Mais le jour vint, à sa grande tristesse, et il lui fallut se
lever d'auprès de son amie. Ce lever fut pour lui un vrai
martyre, tant la séparation lui était douloureuse. Oui, il
endure vraiment le martyre, son cœur le ramène toujours
3385 du côté où est restée la reine, il ne peut l'y reprendre, car
il se plaît tant avec la reine qu'il n'a pas envie de la quitter. Le corps s'en va mais le cœur reste. Lancelot
retourne vers la fenêtre, mais il laisse aussi quelque
chose de son corps car les draps sont tachés et rougis du
3390 sang qui a coulé de ses doigts. C'est dans la détresse que
Lancelot s'en va, le cœur plein de soupirs et les yeux
pleins de larmes. Il n'y a pas de nouveau rendez-vous
fixé, il en est triste, mais c'est chose impossible. C'est a
contrecœur qu'il enjambe à nouveau la fenêtre par
3395 laquelle il est entré de si bon cœur. Il n'avait plus les
doigts indemnes, car il s'y était fait de graves blessures,
mais il a pourtant redressé les barreaux et les a remis
dans leur logement, si bien que d'où qu'on les regarde,
devant, derrière, de n'importe quel côté, on n'aurait
3400 jamais dit que l'on eût ôté, arraché ou tordu aucun
d'eux. En partant il a fait une génuflexion, tourné vers la
chambre, comme il l'aurait fait au pied d'un autel, puis il
s'en va le cœur serré, et ne rencontre personne qui le
reconnaisse jusqu'à son retour dans sa chambre. Il se
3405 couche, nu dans son lit, sans réveiller personne, et c'est
alors qu'il se rend compte avec surprise qu'il est blessé
aux doigts. Il ne s'en émeut pas toutefois, sachant bien
que c'est en arrachant du mur les barreaux de la fenêtre
qu'il s'est blessé. Aussi ne s'en affligea-t-il pas le moins
3410 du monde, car il aurait préféré avoir les deux bras arrachés plutôt que de n'avoir pas franchi cette fenêtre. Mais
s'il s'était ainsi meurtri et gravement blessé en d'autres
circonstances, il en aurait ressenti beaucoup de douleur
et de colère.
3415 La reine s'était doucement endormie au petit matin,
dans sa chambre aux belles tentures, sans avoir vu que
les draps étaient tachés de sang alors qu'elle les croyait
bien blancs, beaux et propres. Cependant Méléagant,
sitôt prêt et habillé, s'était dirigé vers la chambre où la
3420 reine était couchée. Il la trouve déjà éveillée et voit les
draps tachés de gouttes de sang frais : il pousse du coude

ses compagnons et, en homme qui voyait toujours le
mal, il tourna son regard vers le lit de Keu le sénéchal, et
vit que ses draps étaient tachés de sang, car il me faut
3425 vous préciser que, cette nuit-là, ses plaies s'étaient
rouvertes.

— Dame, j'ai fini par trouver les preuves que je souhai-
tais! Il est bien vrai que c'est grande folie que chercher à
surveiller une femme, on y perd sa fatigue et sa peine.
3430 Elle échappe plus vite à celui qui la surveille qu'à celui
qui ne lui prête pas attention. Mon père, vraiment, a
bien monté la garde, lui qui vous surveille pour vous
protéger de moi! Il vous a bien gardée de moi, mais en
dépit de sa surveillance, cette nuit le sénéchal Keu vous a
3435 regardée de très près et a obtenu de vous tout ce qu'il
voulait, ce sera bien vite prouvé.

— Comment cela? fait-elle.

— J'ai trouvé sur vos draps du sang qui en témoigne,
puisqu'il me faut le dire. Ainsi je sais tout et je peux le
3440 prouver, puisque je trouve sur vos draps comme sur les
siens le sang qui a coulé de ses plaies. C'est une preuve
assez claire.

C'est alors que la reine s'aperçut que les draps de l'un
et de l'autre lit étaient ensanglantés. Elle s'en étonne, a
3445 honte et devient toute rouge.

— Que Dieu me garde! dit-elle, ce sang que je vois sur
mes draps, ce n'est pas du tout Keu qui l'a apporté; mais
cette nuit j'ai saigné du nez, cela vient de mon nez,
j'imagine.
3450 Elle croit dire la vérité.

— Sur ma tête, riposte Méléagant, tout ce que vous
pouvez bien dire est inutile, et ce n'est pas la peine d'in-
venter des mensonges, vous êtes reconnue coupable et
prise sur le fait, et la vérité sera clairement établie.
3455 — Seigneurs, ne bougez pas d'ici! ordonne-t-il alors
aux gardes qui étaient là. Veillez à ce que les draps ne
soient pas ôtés du lit avant que je ne revienne. Je veux
que le roi me rende justice, quand il aura vu cette
preuve.
3460 Il partit le chercher jusqu'à ce qu'il l'eût trouvé. Il se
jette alors à ses pieds et lui dit :

— Sire, venez voir ce que vous ne soupçonnez pas,

venez voir la reine, et vous verrez des choses étonnantes
mais avérées, c'est moi qui les ai vues et découvertes.
3465 Mais avant que vous n'y alliez, je vous demande de ne
pas manquer de reconnaître où est la justice et où sont
mes droits. Vous savez bien dans quels dangers je me
suis personnellement aventuré pour la reine. Vous en
êtes devenu vous-même mon propre ennemi, puisque
3470 vous la faites garder pour la protéger contre moi. Ce
matin je suis allé la regarder dans son lit et j'en ai vu
assez pour comprendre que le sénéchal Keu couche avec
elle chaque nuit. Sire, au nom de Dieu, ne vous fâchez
pas si j'en suis irrité et si je viens m'en plaindre, mais je
3475 suis fort indigné de voir qu'elle n'a pour moi que haine
et mépris alors que chaque nuit Keu couche avec elle.

– Tais-toi! dit le roi, je ne te crois pas.

– Eh bien, sire, venez donc voir les draps, et dans quel
état Keu les a mis. Puisque vous ne croyez pas ce que je
3480 vous dis et que vous aimez mieux penser que je vous
mens, je vais vous montrer les draps et la couverture
tachés du sang des blessures de Keu.

– Eh bien allons-y donc, et je le verrai, car je veux le
voir de mes propres yeux, dit le roi, ce sont mes yeux
3485 qui me diront la vérité.

Le roi se rendit aussitôt dans la chambre où il trouva
la reine en train de se lever. Il voit que sur son lit les
draps sont tachés de sang, ainsi que ceux du lit de Keu,
et lui dit :

3490 – Dame, voilà qui est très grave si mon fils a dit vrai.

– Que Dieu me vienne en aide, répond-elle, jamais
personne n'a imaginé, ne serait-ce qu'en songe, de si
odieux mensonge! Le sénéchal Keu est un homme si
courtois et si loyal, vraiment on ne peut pas douter de
3495 lui; pour ma part je ne suis pas une misérable qui livre
son corps sur la place publique. Keu n'est certainement
pas homme à exiger de moi pareille ignominie, d'ailleurs
je n'ai jamais eu envie de commettre pareille infamie et je
ne l'aurai jamais.

3500 – Sire, je vous serai très reconnaissant, dit Méléagant
à son père, de faire payer à Keu son crime en prenant
soin que la honte en rejaillisse sur la reine. C'est à vous
qu'il appartient de rendre la justice, je vous demande

instamment de le faire, je vous en prie. C'est le roi
3505 Arthur que le sénéchal Keu a trahi, le roi qui était son
seigneur et avait tellement confiance en lui qu'il lui avait
confié l'être qu'il aime le plus au monde.

— Sire, permettez-moi seulement de répondre pour
me défendre, fait Keu. Que Dieu ne pardonne à mon
3510 âme, quand je viendrai à quitter ce monde, s'il m'est
jamais arrivé de coucher avec ma dame! Vraiment, j'aimerais mieux être mort qu'avoir cherché à commettre
un crime aussi odieux contre mon seigneur. Que Dieu
ne m'accorde pas de recouvrer meilleur état de santé et
3515 qu'au contraire la mort m'emporte à l'instant, si j'en ai
eu ne serait-ce que la pensée! Tout ce que je sais, c'est
que mes blessures ont saigné d'abondance cette nuit et
mes draps en sont ensanglantés. C'est pourquoi votre
fils me soupçonne, mais ses soupçons ne sont vraiment
3520 pas fondés.

Méléagant lui réplique alors :

— Que Dieu me vienne en aide, ce sont les diables, les
esprits du démon qui vous ont tendu un piège! Vous
vous êtes trop échauffé cette nuit et à trop vous épuiser
3525 vous en avez sans doute fait se rouvrir vos plaies! Vos
mensonges ne servent à rien, le sang des deux côtés est
une preuve suffisante, c'est bien visible, tout est clair. Il
est juste de payer son crime quand on est coupable et
pris sur le fait. Jamais chevalier de votre qualité n'a
3530 commis un tel manquement à ses devoirs, vous en voici
couvert d'opprobre.

— Sire, sire, dit Keu en s'adressant au roi, je vais, les
armes* à la main, défendre l'honneur de ma dame et le
mien de l'accusation que porte votre fils. Il me tour-
3535 mente et me torture, or il n'a vraiment aucun motif de
me tourmenter ainsi.

— Il est hors de question de vous battre, vous êtes bien
trop souffrant, dit le roi.

— Sire, si vous le permettez, même affaibli comme je
3540 suis, je me battrai avec lui et montrerai que je ne suis
pas coupable de ce crime dont il m'accuse.

Mais la reine avait en secret fait appeler Lancelot, et
dit au roi qu'elle aurait un chevalier pour défendre en
cette affaire le sénéchal contre Méléagant, si toutefois ce

3545 dernier osait se battre contre lui. Méléagant répliqua
aussitôt :
— Je ne fais pas d'exception, il n'existe aucun chevalier,
fût-ce un géant, contre lequel je n'ose livrer bataille jusqu'à ce que l'un de nous deux tombât vaincu.

3550 Sur ces entrefaites Lancelot fit son entrée. Il y avait
une telle foule de chevaliers que la salle en était comble.
Dès son arrivée, et au vu et au su de tous, jeunes et
vieux, la reine lui expose toute l'affaire :
— Lancelot, dit-elle, voici de quel honteux forfait

3555 m'accuse Méléagant, il a jeté le discrédit sur moi aux
yeux de tous ceux qui entendent ce récit, à moins que
vous n'obteniez qu'il rétrecte ce qu'il a dit : sous prétexte
d'avoir vu mes draps et les siens tout tachés de sang, il
prétend que cette nuit Keu a couché avec moi. Il dit

3560 que le sénéchal sera tenu pour entièrement coupable s'il
ne peut se défendre contre lui par les armes*, ou si personne d'autre ne veut se battre à sa place pour lui venir
en aide.
— Vous n'avez assurément pas besoin de plaider votre

3565 cause en quelque endroit où je me trouve, fait Lancelot.
À Dieu ne plaise, vraiment, que l'on vous soupçonne
vous ou lui dans cette affaire! Je suis prêt à soutenir par
les armes qu'il n'a jamais eu pareille pensée. Si je trouve
en moi encore un peu de force, je vais le défendre du

3570 mieux que je pourrai et je vais livrer bataille pour lui.
Méléagant bondit en avant et lui dit :
— Que le Seigneur Dieu m'accorde le salut, j'accepte
volontiers, voilà qui me convient, que personne n'aille
croire que cela m'ennuie!

3575 Lancelot dit alors :
— Sire roi, selon ce que je sais en matière de causes,
lois, procès et jugements, on ne peut sans prêter serment
engager un combat décisif portant sur une aussi grave
accusation.

3580 Méléagant lui répond immédiatement et sans hésiter :
— Eh bien, prêtons serment, qu'on nous apporte sur-
le-champ les reliques des saints, je sais bien que j'ai le
droit pour moi!
Lancelot protesta :

3585 — Que le Seigneur Dieu me vienne en aide, il faut

147

n'avoir jamais connu le sénéchal Keu pour porter sur lui pareille accusation!

Ils demandent aussitôt leurs armures et font amener leurs chevaux; on leur apporte les armures qu'ils revêtent
3590 avec l'aide des valets•, les voilà tout armés. On a également déjà sorti les reliques. Méléagant s'avance, Lancelot prend place à côté de lui. Ils s'agenouillent tous les deux, Méléagant tend la main sur les reliques et jure d'une voix forte :

3595 — J'en prends à témoin Dieu et ces saintes reliques, le sénéchal Keu a partagé cette nuit le lit de la reine et a obtenu d'elle tout son plaisir.

— Et moi je te récuse comme parjure, fait Lancelot, et je jure à mon tour qu'il n'a pas couché avec elle et qu'il
3600 ne l'a pas touchée. Que Dieu tire vengeance, à sa guise, de celui de nous deux qui aura menti et qu'il montre où est la vérité! Mais je vais faire encore un autre serment et je vais jurer, quiconque en conçoive peine ou affliction, que s'il m'est donné aujourd'hui de triompher de Méléa-
3605 gant, par la seule aide de Dieu et de ces reliques, alors je ne lui accorderai aucune grâce.

Le roi n'eut pas matière à se réjouir en entendant ce serment.

Les serments faits, on leur sortit leurs chevaux, de
3610 belles montures pourvues de toutes les qualités. Chacun a enfourché le sien, et ils fondent l'un sur l'autre aussi vite que peuvent les emporter leurs chevaux. C'est au plus fort de leur course que les deux combattants se jettent l'un sur l'autre avec tant de violence qu'il ne leur
3615 reste rien de leurs lances•, hormis l'extrémité qu'ils tenaient serrée dans leur poing. Ils s'envoient l'un l'autre rouler à terre, mais ils n'ont vraiment pas l'air de moribonds, car ils se relèvent aussitôt pour se donner le plus de coups possible du tranchant de leurs épées
3620 nues. De leurs heaumes• jaillissent des étincelles qui montent en brillant vers le ciel. Ils se livrent de si furieux assauts, épée nue à la main, que dans ce va-et-vient ils échangent heurts et coups sans chercher à s'arrêter un peu ne serait-ce que pour reprendre haleine. Le
3625 roi, que ce combat plonge dans l'angoisse, fait alors appel à la reine, partie s'accouder en haut, dans les

loges de la tour. Il la supplie, au nom de Dieu le Créateur, de les séparer!

— Tout ce qui vous convient et vous plaît, dit la reine
3630 en toute sincérité, ne rencontrera jamais aucune opposition de ma part.

Lancelot a entendu distinctement la réponse de la reine à la requête du roi. À compter de ce moment il se désintéresse du combat, le voilà qui cesse de faire pleu-
3635 voir les coups, tandis que Méléagant, lui, continue de frapper et lui fait pleuvoir dessus deux fois plus de coups, refusant de s'arrêter. Mais le roi se jette entre eux deux et retient son fils qui se met à jurer qu'il n'a que faire de la paix :
3640 — Je veux me battre et je n'ai pas envie de faire la paix.

— Tais-toi donc, lui répond le roi, et écoute-moi, ce sera plus raisonnable de ta part! Tu n'auras à essuyer ni honte ni préjudice si tu m'écoutes. Mais agis comme tu dois le faire. Ne te rappelles-tu donc pas que tu t'es
3645 engagé à livrer bataille contre le chevalier, à la cour du roi Arthur? Eh bien! Ne doute pas que ce serait pour toi un grand honneur de triompher là-bas bien plus qu'ailleurs.

Le roi lui parle ainsi pour essayer de l'ébranler. Il finit
3650 par réussir à le calmer et il les sépare.

Questions

Compréhension

• **Keu accusé (l. 3382 à 3564)**

1. « Mais le jour vint... » : *ces mots viennent rompre le charme et entraîner le lecteur plus avant. Mais cette phrase est à la charnière des deux grandes parties du récit : quels sont les changements immédiatement visibles ? Quelle était l'attente du lecteur ?*

2. *Cet épisode est directement inspiré de la légende de Tristan (cf.* « La courtoisie », p. 229). *Quelle est la richesse de cette reprise puisée dans un fonds commun de légendes ?*

3. *Le contraste Keu / Méléagant : relevez tout ce qui les oppose.*

4. *Le personnage de Keu, entrevu au début, est ici affadi : relevez les passages qui en témoignent et justifiez ce changement.*

• **Le duel judiciaire (deuxième combat entre Lancelot et Méléagant) [l. 3564 à 3639]**

5. *Quels enseignements tirer de ce passage pour notre connaissance du monde des chevaliers (droit, coutumes, croyances...) ?*

6. *En quoi peut-on parler ici de* « duel judiciaire » ? *En quoi consiste exactement ce que l'on appelle aussi une* « ordalie• » ? »

7. *Comparez avec le passage analogue emprunté à Tristan (p. 233) : quelle ruse permet ici de préserver l'authenticité du serment ? Comment concilier cette* « utilisation » *du serment avec la religion ?*

8. *Justice a-t-elle été rendue ? L'attente du lecteur a-t-elle toutefois été déçue ?*

Écriture

• **Keu accusé (l. 3382 à 3564)**

9. *Lancelot quittant à regret la chambre de la reine : observez comme le jeu des négations permet de transposer dans l'écriture le* « mauvais vouloir », *au sens plein, du héros.*

10. *Relevez les termes et les procédés qui, dans toute la scène, mettent en évidence l'importance et la force du regard.*

11. *À quel rang Keu se trouve-t-il ravalé par le jeu du lexique ?*

• **Le duel judiciaire (l. 3564 à 3639)**

12. *À compter de l'arrivée de Lancelot le récit adopte un vocabulaire juridique. Quelle en est la fonction ?*

13. *En quoi peut-on parler, pour ce passage, d'un détournement du rituel religieux ?*

Lancelot, qui était impatient de retrouver monseigneur Gauvain, vint demander congé* au roi puis à la reine. Avec leur congé, il s'achemine très vite vers le Pont sous l'Eau, accompagné d'une escorte nombreuse de cheva-
3655 liers qui le suivaient. Mais il y avait bon nombre de ceux qui le suivaient qu'il eût préféré voir rester. Ils accomplissent de belles journées de marche, ils approchent enfin du Pont sous l'Eau, une lieue les en sépare encore. Avant de s'être approchés suffisamment
3660 du pont pour qu'il fût à portée de vue, ils virent venir à leur rencontre un nain sur un grand cheval de chasse, tenant à la main un fouet pour faire avancer son cheval en le menaçant. Il leur a aussitôt demandé, comme il en avait reçu l'ordre :
3665 — Lequel d'entre vous est Lancelot? Ne me le cachez pas, je suis des vôtres, parlez en toute confiance, c'est dans votre intérêt que je vous le demande.
C'est Lancelot lui-même qui lui répond :
— C'est moi que tu cherches et que tu demandes.
3670 — Ah! Lancelot, noble chevalier, laisse ces gens, fais-moi confiance, viens avec moi, mais allons seuls, je vais te conduire dans un lieu bien plaisant. Surtout, que personne ne te suive à aucun prix, qu'on t'attende ici, au contraire, nous allons revenir tout de suite.
3675 Lancelot, qui ne soupçonne pas la moindre mauvaise intention, a demandé aux gens de son escorte de rester là et a suivi le nain, qui l'a trahi. Ses compagnons qui l'attendent là vont pouvoir l'attendre longtemps, car ceux qui l'ont capturé et fait prisonnier n'ont vraiment aucune
3680 envie de le rendre. Les gens de son escorte se désespèrent de ne pas le voir revenir, mais ils ne savent trop ce qu'ils pourraient faire. Tous disent que le nain les a trahis, et inutile de demander s'ils en furent peinés. Tout en se lamentant, ils entreprennent de le rechercher mais
3685 ne savent où le trouver ni de quel côté le chercher. Ils se concertent et on propose, sur l'avis, me semble-t-il, des plus raisonnables et des plus sages, d'aller jusqu'au passage du Pont sous l'Eau, qui était proche, et de ne se mettre qu'ensuite à la recherche de Lancelot, en suivant
3690 les conseils de monseigneur Gauvain, si tant est qu'ils le trouvent ici ou là. Tout le monde se range à cet avis et

sans donc se détourner le moins du monde de leur chemin, ils se dirigent vers le Pont sous l'Eau. À peine
étaient-ils arrivés au pont qu'ils aperçurent monseigneur
3695 Gauvain : il était tombé du pont et avait fait une chute
dans l'eau, profonde à cet endroit. Un instant on le voit
remonter à la surface, l'instant d'après il est reparti au
fond, tantôt on l'aperçoit, tantôt on le perd de vue. Ils
avancent jusque-là et l'agrippent avec des branches, des
3700 perches et des crocs. Il ne lui restait plus sur le dos que
son haubert* et sur la tête, resté bien attaché, son
heaume* qui en valait bien dix; il avait aussi, bien enfi-
lées sur les jambes, ses chausses* de fer rouillées par la
sueur : il avait en effet subi beaucoup d'épreuves, il
3705 avait traversé bien des périls et des attaques dont il était
sorti vainqueur. Sa lance* ainsi que son écu* et son cheval étaient restés sur l'autre rive. Mais après l'avoir tiré
hors de l'eau ils ne croient pas qu'il puisse être encore
en vie : il avait en effet avalé beaucoup d'eau et tant
3710 qu'il ne l'eut pas toute rendue ils ne l'entendirent pas
prononcer un mot. Mais quand il eut recouvré la voix
et retrouvé la parole, une fois les poumons et la gorge
dégagés, de sorte qu'on pût l'entendre et le comprendre,
enfin dès qu'il put se mettre à parler, il le fit : ce fut
3715 pour s'enquérir aussitôt de la reine et demander à ceux
qui se tenaient devant lui s'ils en avaient quelque nouvelle. Ils lui ont répondu qu'elle ne quittait pas un instant le roi Bademagu, qui lui témoignait grande sollicitude et maints égards.
3720 — Ne serait-il pas déjà venu quelqu'un en ce pays pour
la chercher? demanda monseigneur Gauvain.
— Si, ont-ils répondu.
— Qui?
— Lancelot du Lac, qui est passé par le Pont de l'Épée,
3725 font-ils. Il est venu à son secours, l'a délivrée et nous
tous avec elle. Mais un gueux nous a trahis, un nain
bossu et grimaçant s'est honteusement moqué de nous
en nous enlevant Lancelot et depuis nous ne savons
même pas ce qu'il a fait de lui.
3730 — Quand était-ce donc? demanda monseigneur Gauvain.
— Seigneur, c'est aujourd'hui même que le nain nous a

joué ce tour, tout près d'ici, alors que Lancelot et nous venions à votre rencontre.

3735 — Et qu'a-t-il fait depuis son arrivée dans ce pays?

Ils commencent à le lui raconter, lui font un récit complet sans omettre un seul détail. Quant à la reine, ils lui disent qu'elle l'attend, lui, Gauvain, et a bien dit que rien ne pourrait lui faire quitter ce pays avant de l'avoir
3740 vu ou d'en avoir reçu des nouvelles. Pour toute réponse, monseigneur Gauvain leur demande :

— En quittant maintenant ce pont, allons-nous partir à la recherche de Lancelot?

Tous sont unanimes : ils sont plutôt d'avis de rejoindre
3745 d'abord la reine. Le roi fera rechercher Lancelot, car selon eux, c'est son fils Méléagant, dans sa traîtrise, lui qui hait Lancelot, qui a dû le faire jeter en prison. Où qu'il soit, le roi, s'il vient à l'apprendre, ne manquera pas d'exiger sa remise en liberté. On peut y compter. Tous se rangèrent à
3750 cet avis et ils reprirent aussitôt la route, tant et si bien qu'ils finirent par approcher de la cour où il y avait la reine et le roi, et aussi Keu le sénéchal; mais il y avait également le traître, pétri de fausseté, celui qui a jeté les arrivants dans d'affreuses inquiétudes au sujet de Lance-
3755 lot. Ils jugent qu'on a voulu les tuer et les trahir, et ils s'abandonnent à une vive douleur, tant ils sont accablés. Ce n'est pas une nouvelle agréable qui parvient ainsi, avec ces lamentations, aux oreilles de la reine. Elle se maîtrise pourtant et fait aussi bonne figure que possible. En l'hon-
3760 neur de monseigneur Gauvain il lui faut bien montrer de la gaieté, elle le fait donc. Elle ne cache pourtant pas sa douleur au point qu'elle ne transparaisse. Il lui faut être en même temps joyeuse et triste. Quand elle pense à Lan-celot son cœur défaille, mais devant monseigneur Gau-
3765 vain elle fait joyeuse figure. Il n'y a personne qui ne soit triste et bouleversé en apprenant la nouvelle de la dispari-tion de Lancelot. Le roi se serait réjoui de recevoir mon-seigneur Gauvain, il aurait été heureux de sa venue et aurait eu grand plaisir à faire sa connaissance, mais il est
3770 si triste et si peiné de savoir que Lancelot a été trahi qu'il en reste abattu et anéanti. La reine lui demande avec insistance de faire sans plus attendre rechercher Lancelot d'un bout à l'autre de tout son royaume. Puis

monseigneur Gauvain et Keu font de même, il n'en est
3775 pas un qui ne l'en prie et ne le presse de le faire.

– Laissez-moi m'en occuper, fait le roi, et cessez vos
prières : il y a déjà longtemps que j'ai prévu de le faire. Je
saurai bien faire faire cette recherche sans avoir besoin
d'en être prié ni supplié.

3780 Chacun le salue en s'inclinant devant lui. Le roi envoie
aussitôt à travers tout le royaume ses messagers, des
hommes d'armes expérimentés et avisés qui ont, à travers
tout le pays, demandé des nouvelles de Lancelot. Partout
ils sont allés chercher de ses nouvelles sans avoir rien
3785 appris de sûr. N'ayant rien trouvé, ils reviennent à la cour
où séjournaient les chevaliers, Gauvain, Keu et tous les
autres : ces derniers se déclarent prêts à partir eux-mêmes
à sa recherche, en armes• et la lance• en arrêt, sans plus
envoyer personne à leur place. Un jour, après le repas,
3790 alors qu'ils étaient tous dans la salle occupés à revêtir leur
armure – car le moment était venu de mettre leur projet
à exécution et il ne leur restait plus qu'à se mettre en
route –, voilà qu'un jeune homme fit son entrée, il tra-
versa leur groupe pour aller trouver la reine, qui n'avait
3795 plus son teint de rose : elle avait tant de tristesse de ne
pas avoir de nouvelles de Lancelot qu'elle en avait perdu
ses couleurs. Le jeune homme l'a saluée puis a salué le
roi qui était à ses côtés, et tous les autres ensuite, dont
Keu et monseigneur Gauvain. Il tenait une lettre à la
3800 main, il la tend au roi, qui la prend. Le roi la fait lire
tout haut par un clerc qui savait fort bien s'acquitter de
sa tâche. Celui qui la lut sut bien leur rapporter ce qu'il
vit écrit sur le parchemin : tout d'abord que Lancelot
salue le roi comme son bon seigneur, puis le remercie de
3805 l'honneur qu'il lui a fait et des services qu'il lui a rendus,
et se dit homme entièrement soumis, en toutes choses, à
son commandement. Qu'on le sache aussi avec certitude,
il est avec le roi Arthur, en parfaite santé et plein de
vigueur, et il ajoute qu'il demande à la reine de revenir,
3810 si elle le veut bien, avec monseigneur Gauvain et Keu. Et
la lettre portait assez de marques pour devoir être crue
véritable, ce qui fut le cas. Ce fut la liesse et la joie :
toute la cour résonne d'échos de joie, on dit qu'on veut
s'en retourner le lendemain quand il fera jour.

Questions

Compréhension

• **Lancelot disparaît... (l. 3651 à 3680)**

1. *Le personnage du nain : que rappelle-t-il au lecteur? Quel pressentiment doit-il éveiller?*

2. *Pour quelle raison l'auteur ne décrit-il pas le Pont sous l'Eau avec le même soin que le Pont de l'Épée? Quel indice de sens le lecteur peut-il y trouver?*

• **... Gauvain est retrouvé (l. 3681 à 3815)**

3. *Quelle est la portée symbolique du spectacle pitoyable de sa découverte?*

4. *En quoi réside toute l'ambiguïté de l'éloge de la vaillance de Gauvain par le narrateur (l. 3706)? À quel effet tend ce procédé?*

5. *Commentez l'accueil contrasté qui attend Gauvain à son arrivée au château de Bademagu.*

6. *L'arrivée du jeune homme dans la salle du château déclenche un coup de théâtre (l. 3794 à 3800). Comment ce tableau reprend-il trait pour trait une scène fondamentale, bien antérieure? Relevez les analogies. Quelle est la fonction de ce rappel?*

Écriture

7. *Soulignez tous les éléments du portrait de Gauvain qui permettent ici de parler de caricature.*

8. *Comment la lettre se détache-t-elle du fil du récit sans qu'il soit besoin d'une intervention de l'auteur (observez les transformations du discours)?*

Mise en scène

9. *Combien de tableaux composent ce passage? Sur lesquels feriez-vous porter l'attention si vous aviez à faire revivre ce texte? Par quels procédés? Quelles seraient vos suggestions?*

3815 Et dès le point du jour, tous de se lever, de se préparer et de s'équiper : tout le monde se met en selle et
s'en va, tandis que le roi les suit et les escorte, dans une
atmosphère de fête et de joie, sur une bonne partie du
chemin. Il les accompagne jusqu'à la sortie de son
3820 royaume, et une fois la limite franchie, il a pris congé
de la reine, puis de tous les autres à la fois. La reine,
fort poliment, en prenant congé, le remercie de tout ce
qu'il a fait pour elle et, lui passant les bras autour du
cou, lui offre et lui promet de lui rendre service à son
3825 tour, ainsi que son mari; elle ne pouvait lui promettre
plus. Monseigneur Gauvain lui aussi le traita en seigneur et ami; Keu fit de même, tous promettent la
même chose. Ils se mettent en route aussitôt, le roi les
recommande à Dieu puis il salue l'ensemble des cheva-
3830 liers après avoir salué chacun de nos trois héros et il
s'en retourne. De tous les jours de la semaine, la reine
n'interrompt son voyage une seule fois, et l'escorte qui
l'accompagne non plus. Enfin arrive à la cour la nouvelle, qui réjouit fort le roi Arthur, de l'arrivée pro-
3835 chaine de la reine. Mais c'est aussi pour son neveu qu'il
éprouve une joie immense et un profond bonheur, car il
croit que c'est grâce à sa prouesse que la reine est revenue, ainsi que le sénéchal Keu et tout le reste du menu
peuple. Pourtant il en va tout autrement. Pour venir les
3840 accueillir, tout le monde a quitté la ville et est venu à
leur rencontre. Et chacun de ceux qui les rencontre,
chevalier comme vilain, de dire :
– Bienvenue à monseigneur Gauvain qui nous a
ramené la reine, a libéré mainte dame captive et nous a
3845 rendu maint autre prisonnier!
Mais Gauvain de leur répondre :
– Seigneurs, vous me louez sans raison, cessez maintenant de me faire ces éloges car je n'y suis pour rien. C'est
de honte que me couvrent vos témoignages d'honneur,
3850 car je ne suis pas arrivé là-bas en temps et en heure, j'ai
tout manqué par la faute de mon retard. C'est Lancelot
qui est arrivé à temps et qui en conçut plus de gloire que
n'en eut jamais aucun chevalier.
– Où est-il donc, très cher seigneur, puisque nous ne
3855 le voyons pas ici?

– Où? reprit aussitôt monseigneur Gauvain, mais à la cour de monseigneur le roi! N'y serait-il donc pas?

– Non, par ma foi, ni nulle part dans toute la contrée. Depuis l'instant où fut emmenée ma dame la reine, nous 3860 n'avons eu aucune nouvelle de lui.

C'est à ce moment seulement que monseigneur Gauvain comprit que la lettre était un faux, destiné à les trahir et à les abuser. Voilà qu'ils avaient été trompés par une lettre! Les voilà à nouveau plongés dans leur afflic-3865 tion, ils arrivent à la cour tout en se lamentant, et le roi demande immédiatement ce qui se passe. Il se trouva assez de gens pour lui retracer tout ce qu'avait fait Lancelot, lui dire comment grâce à lui ont pu être délivrés la reine et tous les autres prisonniers, comment et par 3870 quelle ruse le nain le leur a enlevé et soustrait. Cette disparition désole le roi, il en est bien contrarié et bien triste, mais son cœur bat d'une joie si grande à la pensée de revoir la reine que la tristesse finit par céder le pas à la joie. Du moment qu'il a l'être qu'il désire le plus au 3875 monde, il se soucie peu du reste.

C'est durant la période où la reine était restée en exil loin du pays, je crois, que se tint une réunion des dames et demoiselles seules sans la protection d'un mari; elles affirmèrent leur intention de se marier au plus tôt. On 3880 décida au cours de cette réunion d'organiser un grand tournoi : la dame de Noauz y engagerait son camp contre celui de la dame de Pomelegoi. Ceux qui seraient les plus mauvais à la joute, il ne serait plus question d'en parler, mais en revanche ceux qui seraient les meilleurs 3885 auraient leur amour. Elle feraient savoir et annoncer le tournoi dans tous les pays voisins mais aussi dans les pays éloignés, et elles avaient fixé pour le combat une date fort reculée, afin qu'il y eût plus de monde. Or la reine revint avant le terme fixé. Dès qu'elles eurent 3890 connaissance de l'arrivée de la reine, elles prirent la route, pour la plupart, et partirent à la cour trouver le roi : là elles le pressèrent vivement de leur accorder un don et d'accepter par avance ce qu'elles voudraient. Avant même de savoir ce qu'elles souhaitaient, le roi leur 3895 a promis de faire tout ce qu'elles voudraient. Elles lui ont alors dit quel était leur vœu : qu'il permît à la reine de

venir assister à leur tournoi. Lui, qui n'avait pas pour
habitude de revenir sur ce qu'il avait promis, dit qu'il y
consentait si la reine elle-même le souhaitait. Tout heu-
3900 reuses de la réponse, nos demoiselles s'en allèrent trouver la reine et lui dirent aussitôt :

– Dame, n'allez pas nous reprendre ce que le roi nous
a donné.

– De quoi s'agit-il? Ne me faites pas de secret! leur
3905 demanda-t-elle.

Et elles d'expliquer :

– Si vous voulez bien venir assister à notre tournoi, il
ne cherchera pas à vous en empêcher et ne s'y opposera
pas.

3910   Elle répondit qu'elle irait, puisqu'il lui en donnait l'autorisation. Aussitôt, par tout le royaume, les demoiselles
envoient des messagers annoncer qu'elles amèneraient la
reine avec elles au jour fixé pour le tournoi. La nouvelle
s'en répandit partout, très loin, tout près, çà et là. Elle
3915 s'est tellement propagée et a voyagé si loin qu'elle est
parvenue jusqu'au royaume d'où nul ne revenait jamais
– auparavant, car maintenant on pouvait y entrer et en
sortir comme on voulait, sans rencontrer la moindre
opposition. La nouvelle a tellement voyagé par tout le
3920 royaume, elle a tellement fait parler et discourir qu'elle a
fini par arriver chez un sénéchal de Méléagant, ce félon,
ce traître que devrait brûler le feu de l'enfer! Ce sénéchal
avait Lancelot sous sa garde, c'est en prison dans sa maison que l'avait placé Méléagant, l'ennemi de Lancelot qui
3925 le haïssait d'une haine si féroce. La nouvelle du tournoi
parvint jusqu'à Lancelot, avec l'heure et la date fixées. De
ce jour, ses yeux furent toujours mouillés de larmes et
son cœur ne connut plus un instant de joie. Voyant Lancelot perdu dans de tristes pensées, la dame de la maison
3930 alla lui parler en secret :

– Seigneur, pour Dieu et pour le salut de votre âme,
fait la dame, dites-moi la vérité : pourquoi avez-vous tellement changé? Vous ne buvez ni ne mangez, et je ne
vous vois plus ni plaisanter ni rire. Vous pouvez en toute
3935 confiance me dire le fond de votre pensée et la cause de
vos soucis.

– Ah! Dame! Si je suis triste, pour Dieu, ne vous en

étonnez pas! Je me sens vraiment découragé à l'idée de
ne pouvoir me trouver là où vont se réunir les meilleurs
3940 chevaliers au monde, à ce tournoi où tout le monde se
rassemble, il me semble bien. Et pourtant, si vous y
consentiez, et si Dieu vous donnait la générosité de me
laisser y aller, je vous donnerais l'assurance absolue de
me conduire loyalement envers vous et de revenir ici
3945 même en prison.

— Certes, je le ferais bien volontiers, fait-elle, si je n'y
voyais ma perte et ma mort assurées. Mais j'ai une si
grande peur de monseigneur, Méléagant, ce misérable,
que je n'oserais pas le faire : il en mettrait mon mari à
3950 mort. Il ne faut pas vous étonner si je le redoute, vous
connaissez assez sa méchanceté.

— Dame, si vous avez peur que je ne vienne réintégrer
ma prison aussitôt après le combat, je vous promettrai
par serment, et je ne manquerai pas à ma parole, que
3955 rien ne pourra me retenir et m'empêcher de revenir ici
comme prisonnier aussitôt après le tournoi.

— Par ma foi, fait-elle, je le veux bien, mais à une
condition.

— Et laquelle, Dame?

3960 — Celle-ci, seigneur : vous devrez me jurer de revenir
mais aussi me promettre de me donner votre amour.

— Dame, tout l'amour dont je dispose, je vous le
donne à mon retour, sans mentir.

— Alors, je peux considérer qu'il ne me reste rien! fait
3965 la dame tout en riant. Vous avez déjà donné et confié à
une autre, à ma connaissance, l'amour que je vous ai
demandé. Pourtant je ne dédaignerai pas de prendre le
peu que je pourrai avoir, je me contenterai de ce qui
pourra m'être donné. Mais je vais accepter votre serment,
3970 vous allez vous engager à revenir ici même comme
prisonnier.

Lancelot fait comme elle le demande, et prête serment
sur la sainte Église, lui jurant de revenir sans faute. La
dame lui donne aussitôt les armes* vermeilles de son
3975 mari et son cheval, une belle monture remarquable de
robustesse et de courage. Il monte en selle et le voilà
parti, équipé de fort belles armes fraîches et neuves.

Il a parcouru beaucoup de chemin avant d'arriver à

Noauz : c'est le camp qu'il a choisi. Il logea en dehors de
3980 la ville. Jamais un homme de cette qualité n'eut un tel
logis*, car il était fort petit et bas. C'est qu'il ne voulait
pas se loger en un lieu où il risquerait d'être reconnu.
Une foule de chevaliers de qualité et de renom s'était
rassemblée au château; mais au-dehors il y en avait
3985 encore bien plus, car ils étaient si nombreux à être
venus pour la reine qu'un sur cinq au moins ne put
trouver de gîte. Pour un chevalier présent, on en
comptait bien sept qui ne seraient jamais venus du tout
si ce n'eût été pour voir la reine. À cinq bonnes lieues à
3990 la ronde, les barons s'étaient donc logés dans des pavil-
lons, des huttes ou des tentes. C'était merveille que de
voir tant de dames et de demoiselles nobles. Lancelot
avait mis son écu* à l'extérieur, à la porte de son logis, et
pour se mettre à l'aise il avait retiré son armure et s'était
3995 étendu sur un lit qu'il n'appréciait guère, car il était
étroit, fait d'un mince matelas recouvert d'un grossier
drap de chanvre. Une fois libéré de son armure, Lancelot
s'était accoudé sur ce lit, allongé sur un côté. Tandis
qu'il était si piètrement couché, voilà que survient un
4000 pauvre diable, un héraut* d'armes vêtu uniquement
d'une chemise* et qui avait laissé en gage à la taverne sa
cotte* et ses chausses*. Il arrivait à vive allure, nu-pieds,
en plein vent et à peine couvert. Il aperçut l'écu devant
la porte, et il l'examina sans toutefois pouvoir le
4005 reconnaître ni deviner quel en était le propriétaire; il ne
savait qui pouvait bien le porter. Voyant que la porte de
la maison était ouverte, il entra et vit Lancelot couché
sur le lit : au premier regard, il le reconnut et fit un
signe de croix. Lancelot, d'un geste, lui fit comprendre
4010 qu'il lui interdisait formellement de parler de lui, où
qu'il aille, et ajouta que s'il parlait de sa découverte,
mieux vaudrait pour lui s'être arraché les yeux ou
rompu le cou.

— Seigneur, j'ai toujours eu pour vous beaucoup d'es-
4015 time, et j'en ai toujours, fait le héraut. Aussi longtemps
que je serai en vie, à aucun prix je ne ferai quoi que ce
soit qui puisse vous fâcher.

Et aussitôt, d'un bond, le voilà qui sort de la maison et
s'en va criant à tue-tête :

4020 « Voici venu celui qui l'aunera! Voici venu celui qui l'aunera! »

Le drôle allait criant cela partout; voilà que de tous côtés les gens sortent et lui demandent d'expliquer ce qu'il crie. Il ne pousse pas l'audace jusqu'à le révéler, 4025 mais continue d'avancer en criant ce même refrain, et sachez-le, c'est ici qu'on dit ceci pour la première fois : « Voici venu celui qui l'aunera! » Le maître qui nous a enseigné cette expression n'est autre que ce héraut*, car c'est lui qui l'a inventée.

4030 On s'était déjà rassemblé par groupes, la reine avec toutes les dames, les chevaliers avec le reste des hommes, car il y avait de tous côtés une foule d'hommes d'armes, à droite comme à gauche. À l'emplacement prévu pour le tournoi on avait aménagé de grandes tribunes de bois 4035 pour y installer la reine, les dames et les jeunes filles. Jamais encore on n'avait vu de si belles galeries, si longues ni si bien construites. C'est là que ces dames et demoiselles sont toutes venues, le lendemain, à la suite de la reine, pour assister à la rencontre et voir qui joute-4040 rait le mieux ou le plus mal. Les chevaliers arrivent dix par dix, puis vingt par vingt, trente par trente, et voici un groupe de quatre-vingts, puis de quatre-vingt-dix, là de cent, là plus encore et là deux fois plus. Il y a une telle foule assemblée devant les tribunes et tout autour 4045 que les combats peuvent s'engager. Avec ou sans armure les chevaliers s'affrontent, leurs lances* donnent l'impression d'une forêt, car ceux qui veulent s'amuser à en jouer en ont tant fait apporter qu'on ne voyait plus que lances, bannières et gonfanons[1]. Les jouteurs s'avancent 4050 pour jouter, et ils trouvent sans peine un adversaire parmi ces chevaliers venus tout exprès pour la joute. Les autres à leur tour se préparaient à d'autres démonstrations chevaleresques. Une telle foule a envahi les prairies et les terres, les champs et les labours, que l'on 4055 ne saurait estimer le nombre des chevaliers, tant ils étaient nombreux. Point de Lancelot toutefois lors de

---

1. *gonfanons* : bannières de guerre suspendues à la lance*.

cette première rencontre. Mais dès qu'il arriva, à travers prés, le héraut° le vit venir et ne put s'empêcher de s'écrier : «Voici venir celui qui l'aunera! Voici venir celui
4060 qui l'aunera!» «Qui est-ce?» lui demande-t-on alors, mais lui ne veut rien dire. Quand Lancelot entre dans la mêlée, à lui seul il vaut vingt des meilleurs, et dès le début il joute si bien que personne ne peut plus détacher ses yeux de lui, où qu'il se trouve. Dans le camp de
4065 Pomelegoi il y avait un chevalier preux et vaillant, monté sur un cheval fougueux qui courait plus vite qu'un cerf de lande : c'était le fils du roi d'Irlande, admirable à la joute d'adresse et d'élégance. Pourtant tous aimaient quatre fois mieux ce chevalier, qu'ils ne connaissaient
4070 pas. Tout le monde cherche à savoir qui il est et interroge : «Qui est ce chevalier qui joute si bien?» La reine prit alors à part une jeune fille fine et intelligente et lui glissa :

– Demoiselle, il vous faut porter un message; faites-le
4075 vite, il tient en peu de mots! Descendez au bas des tribunes, allez de ma part voir ce chevalier à l'écu° vermeil et dites-lui discrètement que je lui demande ceci : «Au plus mal!»

Celle-ci s'empresse d'exécuter avec habileté l'ordre de
4080 la reine, elle est passée derrière le chevalier, s'en approche enfin très près et, en jeune fille intelligente et fine, lui glisse ces mots sans qu'il n'y ait pour l'entendre voisin ni voisine :

– Seigneur, ma dame la reine me demande de vous
4085 dire ceci : «Au plus mal!»

Ce à quoi il répondit qu'il obéirait bien volontiers à la reine, en homme qui lui était totalement dévoué. Il s'élance alors contre un chevalier aussi vite que peut le porter son cheval et manque alors son coup. À partir de
4090 cet instant et jusqu'au soir il ne jouta que du plus mal qu'il put, pour plaire à la reine. Mais son adversaire, qui l'attaquait à son tour, ne l'a pas manqué, lui, et lui assène au contraire un grand coup, fort et bien senti : alors Lancelot prit la fuite, et de tout le jour il ne tourna plus la
4095 tête de son cheval vers d'autre chevalier. Dût-il en mourir, il ne faisait rien qui ne lui apportât grande honte, indignité et déshonneur. Il feint d'avoir peur de tous

ceux qui vont et viennent, et il est devenu pour les
chevaliers un objet de risée et de raillerie, alors qu'au
4100 début il en était tellement admiré! Pour ce qui est du
héraut* qui allait répétant : «Voici celui qui va tous les
vaincre d'affilée!», le voilà bien penaud et humilié
d'entendre les pointes et les insultes qu'on lui
décoche :
4105   — Tais-toi donc, l'ami! Ton chevalier ne l'aunera pas. Il
a si bien tout mesuré à son aune qu'il a brisé cette aune
que tu vantais tellement! La plupart s'interrogent :
— Qu'est-ce que cela veut dire? Il était si vaillant tout à
l'heure et maintenant le voilà devenu si couard qu'il
1110 n'ose faire face à aucun chevalier. Peut-être n'a-t-il eu
tant de succès au début que parce qu'il n'avait jamais
combattu? C'est pourquoi il était si fougueux à son arrivée qu'aucun chevalier, même aguerri, ne pouvait lui
résister, car il frappait comme un fou furieux. Et mainte-
4115 nant il a si bien appris le métier des armes* que plus
jamais, de toute son existence, il n'aura envie d'en porter.
Il n'a plus le courage d'en supporter davantage, il n'y a
rien au monde de plus trompeur que lui!
La reine n'en est nullement peinée, elle s'en réjouit au
4120 contraire, voilà qui lui plaît beaucoup car elle sait, mais
n'en dit rien, qu'il s'agit bien de Lancelot.
Ainsi toute la journée, jusqu'au soir, il se fit passer
pour un lâche, mais, vêpres* passées, l'heure les sépare.
Au moment de partir il y eut grande discussion entre les
4125 vainqueurs du jour. Le fils du roi d'Irlande pense que,
sans conteste possible, c'est lui qui a mérité de remporter
la gloire et le prix, mais il se trompe grossièrement, car
beaucoup le valaient bien. Le chevalier vermeil avait plu
même aux dames et aux jeunes filles, aux plus gracieuses
4130 et aux plus belles, si bien que de tout le jour elles
n'avaient regardé que lui, car elles avaient vu comme il
s'était battu au début, comme il s'était montré preux et
hardi, puis était ensuite devenu si couard qu'il n'osait
plus faire face à aucun chevalier, si bien que le plus mau-
4135 vais d'entre eux aurait bien pu le renverser et le faire
prisonnier s'il l'avait voulu. Mais tous et toutes furent
d'avis de revenir le lendemain au tournoi, pour que
soient choisis comme maris par les demoiselles ceux qui

auraient mérité ce jour-là les honneurs. Il en fut décidé
4140 ainsi.

Chacun regagne alors son logis•, et une fois rentrés, il
se trouva, en divers endroits, des gens pour commencer
à dire :

– Où est le plus mauvais des chevaliers, ce bon à rien
4145 qui ne mérite que le mépris? Où est-il allé? Où s'est-il
caché? Où le trouver? Où le chercher? Peut-être ne le
reverrons-nous pas, car Lâcheté l'aura mis en fuite : il a
reçu d'elle si généreuse brassée qu'il n'y a pas plus lâche
que lui en ce monde. Mais il n'a pas tort, car il est cent
4150 mille fois plus facile d'être un lâche que d'être un preux,
un guerrier. Lâcheté a la vie beaucoup plus facile, c'est
pourquoi il lui a donné un baiser pour sceller leur
accord et tient d'elle tout ce qu'il a. Jamais en vérité
Prouesse ne s'est abaissée au point d'aller se loger chez
4155 lui ni de s'asseoir à ses côtés. Mais Lâcheté s'est tout
entière réfugiée chez lui, elle a trouvé en lui un hôte qui
l'aime et la sert avec tant de ferveur que pour lui faire
honneur il en perd son propre honneur. Ainsi vont-ils
raillant toute la nuit, s'enrouant à force de médire. Mais
4160 bien souvent qui dit du mal d'autrui est bien pire que
celui qu'il blâme et qu'il méprise. Chacun dit ce qu'il
veut.

Au point du jour tout le monde était prêt de nouveau
et on s'en revint au tournoi. La reine retrouva sa place
4165 dans les tribunes, ainsi que les dames et les jeunes filles.
Il y avait avec elles un certain nombre de chevaliers qui
ne portaient pas d'armes• car ils s'étaient croisés ou
s'étaient déclarés prisonniers au tournoi. Ils leur commentent alors les armoiries des chevaliers qu'ils esti-
4170 maient le plus et bavardent entre eux :

«Voyez-vous ce chevalier qui porte l'écu• barré d'une
bande d'or sur fond rouge? C'est Governal de Roberdic.
Et voyez-vous derrière lui celui qui a fait peindre côte à
côte sur son écu un aigle et un dragon? C'est le fils du
4175 roi d'Aragon; il est venu dans notre pays pour y conquérir honneur et renom. Et celui qui est à côté de lui, qui
s'élance et joute si bien, le chevalier à l'écu mi-parti vert,
avec peint sur le vert un léopard, et l'autre moitié azur?
C'est Ignauré le Désiré, l'amoureux et le séducteur. Et

4180 celui-là qui porte peints sur son écu° ces faisans bec à
bec? C'est Coguillant de Mautirec. Et voyez-vous ces
deux chevaliers côte à côte sur des chevaux pommelés,
avec leur écu d'or aux lions noirs? Le premier s'appelle
Sémiramis et l'autre est son compagnon : ils ont peint
4185 le même blason sur leur écu. Voyez-vous aussi celui
qui porte un écu où est peinte une porte? On a l'impression qu'il en sort un cerf! Par ma foi, c'est le roi
Yder. »

Ainsi allaient les commentaires, dans les tribunes :
4190 « Cet écu a été fait à Limoges, c'est Pilades qui l'en a
rapporté : il veut toujours se lancer dans une bataille,
c'est son plus ardent désir. Cet autre a été fait à Tou-
louse, ainsi que les harnais et le poitrail, c'est Keu d'Es-
traus qui les a rapportés. Celui-là vient de Lyon sur le
4195 Rhône, il n'y en n'a pas de meilleur sous le ciel; il a été
donné, en remerciement d'un grand service qu'il avait
rendu, à Taulas de la Déserte qui sait aussi bien le porter
que le tenir pour s'en protéger. Cet autre est l'œuvre d'un
artisan anglais, il a été fait à Londres : vous y voyez deux
4200 hirondelles qui paraissent sur le point de s'envoler; elles
ne bougent pourtant pas mais reçoivent au contraire
quantité de coups de nos aciers poitevins. C'est Thoas le
jeune qui le porte. »

C'est ainsi qu'ils commentent par le menu les armes°
4205 des chevaliers qu'ils connaissent. Mais ils ne trouvent
pas trace de celui qu'ils tiennent en si grand mépris.
Ils pensent qu'il s'est esquivé, puisqu'il ne prend pas
part à la mêlée. Ne le voyant pas, la reine eut envie
d'envoyer dans les rangs quelqu'un le chercher jusqu'à
4210 ce qu'on le trouve. Elle ne sait qui elle pourrait
envoyer qui pourrait mieux s'acquitter de cette mission
que la jeune fille de la veille. Elle l'appelle donc aussitôt et lui dit :

– Allez chercher votre palefroi°, Demoiselle, et met-
4215 tez-vous en selle! Je vous envoie vers le chevalier
d'hier, cherchez-le jusqu'à ce que vous l'ayez trouvé.
Surtout ne perdez pas une minute et contentez-vous de
lui dire à nouveau qu'il doit encore se battre « au plus
mal »! Et après le lui avoir demandé, écoutez bien sa
4220 réponse.

La jeune fille ne perdit pas de temps, elle avait bien regardé la veille au soir la direction qu'il allait prendre, certaine qu'elle était qu'on la renverrait le chercher. Elle s'est avancée au milieu des rangs de chevaliers, et finit

4225 par le trouver. Aussitôt elle alla lui dire tout bas qu'il lui fallait encore se battre «au plus mal» s'il voulait obtenir l'amour et les bonnes grâces de la reine, qui le lui demandait. Et lui, puisque la reine l'ordonnait, répondit :

4230 – Qu'elle en soit remerciée!

La jeune fille est aussitôt repartie. Mais voici que s'élèvent les huées des valets*, hommes d'armes, écuyers. Tous de s'écrier :

– Voyez cette merveille! Le chevalier aux armes ver-

4235 meilles! Il est revenu, mais pour quoi faire? Il n'y a pas au monde d'être si vil, si méprisable et si lâche! Lâcheté le gouverne, il ne peut rien faire contre elle.

La demoiselle est de retour, elle vient trouver la reine qui la presse de questions jusqu'à ce qu'elle ait entendu

4240 la réponse, qui l'enchante : elle savait maintenant avec certitude que c'était bien celui à qui elle appartenait toute, et qui lui aussi lui appartenait, sans doute aucun. Elle demanda à la jeune fille de vite retourner lui transmettre maintenant sa prière et son ordre de jouter du

4245 mieux qu'il pourrait. La jeune fille répond qu'elle y va sur-le-champ, sans prendre un instant de répit. Elle est redescendue jusqu'en bas où l'attendait le valet qui lui gardait son palefroi*. Elle se met en selle et avance jusqu'à ce qu'elle trouve le chevalier. Elle lui dit aussitôt :

4250 – Maintenant ma dame vous demande, seigneur, de vous battre du mieux que vous le pourrez.

– Vous lui direz qu'il n'y a pour moi rien de difficile à exécuter, à partir du moment où cela lui plaît, car tout ce qui lui plaît me convient.

4255 La jeune fille, alors, ne fut pas longue à rapporter le message, se doutant bien qu'il allait ravir et enchanter la reine. Elle coupa au plus droit vers les tribunes. La reine s'est aussitôt levée pour venir à sa rencontre, sans pourtant descendre jusqu'en bas de la tribune, elle a préféré

4260 l'attendre en haut des marches. La jeune fille s'approche, prête à lui transmettre un message qui va lui plaire. Elle commence à gravir les marches et, arrivée auprès de la reine, elle lui dit :

4265 — Dame, je n'ai jamais vu de chevalier d'un si agréable caractère, car il tient résolument à faire tout ce que vous lui demandez, si bien que, si vous voulez savoir la vérité, il réserve le même accueil à toutes vos prières, que vous lui demandiez de faire bien ou mal.

— Par ma foi, fait-elle, c'est bien possible.

4270 Elle repart alors à sa place devant la fenêtre, d'où elle peut regarder les chevaliers. Lancelot, sans plus attendre, saisit son écu* par les courroies, brûlant d'un vif désir de faire la démonstration de sa prouesse. Il redresse la tête de son cheval et le lance entre deux rangées de cheva-
4275 liers. Les voilà qui vont en demeurer stupéfaits, tous ceux qui se sont laissé abuser et tromper, et qui ont perdu une bonne partie du jour et de la nuit à se moquer de lui. Ils se sont vraiment bien amusés et divertis, à grande joie, à ses dépens! Ayant passé au bras son
4280 écu qu'il tenait par les courroies, le fils du roi d'Irlande s'élance d'en face et fond sur lui avec la dernière frénésie. Mais ils échangent de tels coups que, pour ce qui est de jouter, le fils du roi d'Irlande n'en redemande plus : il a brisé et mis en morceaux sa lance, car ce n'est pas sur de
4285 la mousse qu'il a asséné ses coups, mais sur des lattes dures et sèches. Au cours de cette joute, Lancelot lui a enseigné l'un de ses coups favoris : lui plaquant l'écu contre le bras, puis immobilisant le bras contre le buste, il l'a fait tomber de cheval et envoyé rouler à terre. Aussi-
4290 tôt des chevaliers s'élancent comme des flèches, des deux côtés on fonce et on pique des éperons, les uns pour sortir de cette mauvaise passe le fils du roi d'Irlande, les autres pour l'y enfermer. Les premiers pensent venir en aide à leur seigneur, mais en fait la plupart vident les
4295 étriers au beau milieu du combat. De toute la journée, Gauvain n'est pas intervenu une seule fois dans la mêlée. Il était pourtant là avec les autres, mais il prenait un tel plaisir à regarder les prouesses du chevalier aux armes* vermeilles que celles des autres lui semblaient manquer
4300 d'éclat, on ne les voyait plus à côté des siennes. Le héraut* en fut alors revigoré, et tous l'entendaient crier son annonce :

«Or est venuz qui l'aunera!
5964 Huimés verroiz que il fera,
Huimés aparra sa proesce.»
Et lors li chevaliers s'adresce
Son cheval et fet une pointe
5968 Ancontre un chevalier mol cointe,
Et fiert si qu'il le porte jus
Loing del cheval .C. piez ou plus.
Si bien a faire le comance
5972 Et de l'espee et de la lance
Qu'il n'est nus qui armes• ne port
Qu'a lui veoir ne se deport,
Nes maint de ces qui armes portent
5976 S'i redelitent et deportent,
Que granz deporz est de veoir
Con fet trabuchier et cheoir
Chevax et chevaliers ansanble.
5980 Gaires a chevalier n'asanble
Qu'an sele de cheval remaingne,
Et les chevax que il gaaigne
Done a toz ces qui les voloient.
5984 Et cil qui gaber le soloient
Dient : «Honi somes et mort!
Molt avomes eü grant tort
De lui despire et avillier.
5988 Certes il valt bien un millier
De tex a en cest chanp assez,
Que il a vaincuz et passez
Trestoz les chevaliers del monde,
5992 Qu'il n'i a un qu'a lui s'aponde.»
Et les dameiseles disoient,
Qui a mervoilles l'esgardoient,
Que cil les tolt a marier
5996 Car tant ne s'osoient fier
En lor biautez n'an lor richeces,
N'an lor pooirs, n'an lore hauteces,
Que por biauté ne por avoir
5600 Deignast nules d'eles avoir
Cil chevaliers, que trop est prouz.

«Voici venu celui qui l'aunera! C'est aujourd'hui que
vous allez voir ce qu'il va faire! C'est aujourd'hui que va
4305 éclater aux yeux de tous sa prouesse!» Lancelot redresse
alors son cheval, l'éperonne en direction d'un chevalier
fort élégant et vient le heurter si fort qu'il l'envoie rouler
à terre à cent pieds de là ou davantage. Il commence à si
bien jouer de l'épée et de la lance• que c'est un plaisir de
4310 le voir pour tous ceux qui ne combattaient pas; et même
parmi ceux qui combattaient, plus d'un y prend grand
plaisir aussi, car c'est un vrai divertissement de voir comment il fait culbuter et tomber chevaux et chevaliers tout
à la fois. De tous ceux qu'il rencontre, rares sont les che-
4315 valiers qui restent en selle. Quant aux chevaux qu'il
gagne, il les donne à qui les veut. Et tous ceux qui le
raillaient la veille de se lamenter maintenant :
– Nous voici morts de honte! Nous avons eu grand
tort de le mépriser et de l'humilier. Assurément, à lui
4320 seul il vaut bien mille de ceux qui sont sur le champ de
bataille; il a vaincu et surpassé tous les chevaliers du
monde, aucun n'arrive à sa hauteur. Mais les demoiselles
disaient, en le regardant avec de grands yeux émerveillés,
qu'il leur ôtait tout espoir de se marier : elles n'osaient se
4325 fier assez en leur beauté, en leurs richesses, en leur pouvoir ni en leur noblesse pour espérer qu'il daignerait
épouser l'une d'entre elles, pour sa beauté ou pour sa
fortune. C'était un chevalier de trop grand mérite.

Et neporquant se font tex vouz
Les plusors d'eles qu'eles dient
6004 Que s'an cestui ne se marient,
Ne seront ouan mariees,
N'a mari n'a seignor donees.
Et la reïne qui antant
6008 Ce dom eles se vont vantant
A soi meïsmes an rit et gabe,
Bien set que por tot l'or d'Arrabe,
Qui trestot devant li metroit,
6012 La meillor d'eles ne prandroit,
La plus bele ne la plus gente,
Cil qui a totes atalante.
Et lor volentez est comune
6016 Si qu'avoir le voldroit chascune,
Et l'une est de l'autre jalouse
Si con s'ele fust ja s'espouse,
Por ce que si adroit le voient
6020 Qu'eles ne pansent ne ne croient

Que nus d'armes•, tant lor pleisoit,
Poïst ce feire qu'il feisoit.
Si bien le fist qu'au departir
6024 D'andeus parz distrent sanz mantir
Que n'i avoit eü paroil
Cil qui porte l'escu vermoil,
Trestuit le distrent et voirs fu.

Pourtant presque toutes ont en secret fait le vœu que si
4330 elles ne se mariaient pas avec lui elles ne se marieraient
pas de l'année, ni ne prendraient seigneur et maître.
Entendant les espoirs qu'elles nourrissent, la reine sourit
et se moque d'elles en son for intérieur : elle sait bien que
pour tout l'or d'Arabie, le lui mettrait-on là devant lui, il
4335 n'épouserait pas pour autant la plus belle ni la plus gra-
cieuse d'entre elles, alors qu'elles songeaient toutes
qu'à lui. Elles voulaient toutes la même chose, l'avoir chacune pour soi, et chacune est jalouse de l'autre, comme
s'il était déjà son époux. Elles le voient si adroit qu'à leur
4340 avis, elles en sont convaincues, aucun autre chevalier ne
saurait se montrer si habile à manier les armes*, tant il les
enchantait. Il jouta en effet si bien qu'au moment de se
séparer on a dit dans les deux camps qu'il n'y avait eu
vraiment personne pour égaler le chevalier qui portait
4345 l'écu* vermeil. Tous l'ont dit, et c'était vrai.

Mais, en partant, il laissa tomber son écu au milieu de
la foule, là où il avait vu qu'elle était la plus dense, ainsi
que sa lance* et la housse[1] de son cheval, puis il s'éloigna
à vive allure. Il s'éloigna si discrètement que, de toute
4350 l'assemblée présente, personne ne s'en aperçut. Il se mit
en route et reprit aussi vite que possible, mais en sens
inverse, avançant tout droit, le chemin qu'il avait pris
pour venir, pour s'acquitter de son serment. À l'issue du
tournoi, tout le monde le cherche et le réclame, mais on
4355 ne trouve pas trace de lui, car il s'était enfui, ne tenant
pas à être reconnu. Les chevaliers en furent très affectés
et peinés, car ils l'auraient beaucoup fêté s'il avait été des
leurs. Mais en l'apprenant, les demoiselles en furent
encore bien plus chagrines, et déclarèrent que, par saint
4360 Jean, elles ne se marieraient de l'année : puisqu'elles
n'avaient pas celui qu'elles voulaient, elles en tiendraient
tous les autres pour quittes! Le tournoi se termine ainsi
et on se sépare sans qu'aucune n'ait pris de mari.

---

1. *housse* : «couverture» du cheval pendant le tournoi. Elle portait habituellement
les couleurs du chevalier.

Compréhension

• **Retour à la cour d'Arthur (l. 3834 à 3876)**

1. Comparez l'accueil que le roi Arthur réserve aux siens à l'accueil que reçut Gauvain auprès de Bademagu. Lequel des deux rois campe le mieux le modèle du roi conforme à l'idéal courtois?

2. «Mais il en va tout autrement» (l. 3839) : quelle est la portée réelle, pour le récit, de ce bref aparté d'auteur?

• **Le tournoi (l. 3979 à 4331)**

3. Qui est juge du tournoi? Quel en est l'enjeu? Quelle en est l'issue? Quel enseignement en tirer au regard de la morale courtoise?

4. Quel est le sens à donner à l'épreuve que subit ici Lancelot? Quelle est la signification courtoise de son obéissance?

5. En quoi cette manifestation revêt-elle l'apparence d'une réunion entre membres d'une caste aristocratique?

6. «Voici venu celui qui l'aunera» : comment interpréter cette expression?

7. Après lecture de ce passage, quelle est, selon vous, la plus grande qualité d'un chevalier «courtois»?

8. Le point de vue courtois sur le mariage : dans quelle mesure ce passage est-il riche d'enseignements?

Écriture

9. La présence du narrateur revêt ici une nouvelle forme, établissant une sorte de connivence entre l'auteur et son public. Mettez en lumière ce procédé, au début du passage, et commentez.

10. Relevez tous les indices qui montrent que nous sommes dans le cadre d'une manifestation sportive.

11. L'apparat du tournoi : montrez-en l'importance et soulignez-en la transposition dans l'écriture du narrateur.

12. La description des blasons répond à une logique d'écriture différente. Analysez-la.

13. Le «proverbe» du héraut d'armes, cri de tournoi, est répété comme un refrain. Quel est l'effet produit sur le lecteur-auditeur?

14. L'hyperbole*, négative ou positive, est ici d'emploi fréquent. Relevez-en les traits essentiels. Quelle est sa fonction?

L'action

• Ce que nous savons

Au lendemain de la nuit d'amour de Lancelot et Guenièvre, Méléagant accuse Keu d'avoir déshonoré la reine. Une sorte de duel judiciaire s'ensuit, où Lancelot défend le sénéchal. Ce combat reste, à son tour, inachevé, à la demande de la reine, sollicitée une fois encore par Bademagu.

Un rebondissement relance le récit quand on pouvait croire menée à son terme la mission de Lancelot : celui-ci disparaît au moment où Gauvain est retrouvé. C'est désormais ce dernier qui prend en charge le retour de la reine à la cour du roi Arthur et le sort des gens de Logres.

Lancelot demeure introuvable, tandis que l'action se porte à la cour d'Arthur. Pleuré un temps, il paraît oublié de tous, sauf de la reine qui le reconnaît sous l'adresse d'un chevalier remarquable entrevu au tournoi de Noauz. Là encore, Lancelot accepte sans mot dire de se plier aux caprices de sa dame et de se battre «au mieux» comme «au pire». Ce nouvel exemple de courtoisie extrême ne marque dans le récit qu'une sorte de parenthèse : Lancelot disparaît à nouveau aux yeux du lecteur.

• À quoi nous attendre?

1. *Dans cet Autre Monde que représente l'univers de Gorre, un nain a enlevé Lancelot : quel rebondissement du récit faut-il en attendre à l'encontre du héros?*

2. *La scène revient à la cour du roi Arthur : quel présage peut-on attendre de ce retour à la situation initiale?*

3. *Observez comment le tournoi atteste les origines aristocratiques de la noblesse. Quels signes d'une appartenance nobiliaire, passés à la postérité, retrouvez-vous ici? Qu'est-ce que l'héraldique?*

Les personnages

• Ce que nous savons

Gauvain, modèle du chevalier courtois, réapparaît dans une bien triste condition. Affaibli dans ce rôle comme dans son corps, il prend désormais la seconde place : en l'absence de Lancelot, il le remplace et se fait le défenseur de la reine et des prisonniers, mais il ne se substitue pas à lui et lui reste loyalement dévoué.

Excepté la reine et Gauvain, tous à la cour du roi Arthur semblent avoir oublié Lancelot. On ne sait où il est, pas plus qu'on ne savait d'où il venait au début du récit.

La situation initiale est reconstituée à la cour du roi Arthur : rétabli, Keu paraît y avoir retrouvé sa place au milieu de ses compagnons. La reine est revenue, les prisonniers sont rentrés et à nouveau laissés au second plan, comme ils s'y trouvaient à l'ouverture du récit. Le rideau retombe sur le tableau d'une cour joyeuse, rassemblée autour du couple royal entouré des premiers chevaliers... La distribution des rôles est immuable.

• À quoi nous attendre?

1. *Les deux rois* : Bademagu paraît s'accommoder moins bien de l'absence de Lancelot que ne le fait Arthur. Quelles sont vos hypothèses sur le rôle qui lui sera dévolu dans la conclusion du conte?

2. Lors du tournoi, Lancelot, à nouveau anonyme, donne une nouvelle preuve de son dévouement total à la reine. Quelle en est la signification? Quelle en est la portée sur la suite du récit? Qui va décider du devenir de leur amour?

3. Gauvain est maintenant revenu sur le devant de la scène. Faut-il voir là un signe de l'effacement total de Lancelot?

Lancelot, lui, sans s'attarder, regagne vite sa prison.
4365 Mais le sénéchal arriva deux ou trois jours avant lui, et
demanda où était Lancelot. La dame, elle qui avait fait
présent à Lancelot de ses armes* vermeilles, si solides et
si joliment travaillées, ainsi que de son harnais et de son
cheval, a dit la vérité au sénéchal, expliquant dans
4370 quelles conditions elle l'avait laissé partir au tournoi de
Noauz, là où s'était déroulée la rencontre :

– Dame, vous ne pouviez vraiment pas faire pire, fait
le sénéchal! Voilà qui me vaudra, je suis sûr, de sérieux
ennuis, car mon seigneur Méléagant me traitera plus mal
4375 encore que ne le ferait, si j'avais fait naufrage le géant de
la mer. Ce sera ma perte et ma mort dès qu'il l'appren-
dra, car il n'aura aucune pitié de moi.

– Cher seigneur, ne vous tourmentez pas, fait la dame.
Ce n'est pas la peine d'avoir une telle frayeur. Rien ne
4380 peut l'empêcher de revenir, car il m'a juré sur les saintes
reliques qu'il reviendrait le plus tôt qu'il pourrait.

Le sénéchal se met en selle sur-le-champ et va trouver
son seigneur pour lui exposer tout ce qui était arrivé.
Mais il le rassure en lui disant que sa femme avait obtenu
4385 que Lancelot lui fît serment de regagner sa prison.

– Il ne se mettra pas en faute, j'en suis sûr, fait Méléagant. Pourtant je trouve regrettable ce qu'a fait votre
femme : pour rien au monde je n'aurais voulu qu'il participe au tournoi. Mais hâtez-vous de rentrer chez vous et
4390 quand il sera de retour, veillez à ce qu'il trouve en votre
demeure une prison si bien fermée qu'il ne puisse plus
en sortir, et à ce qu'il ne soit pas libre de ses mouvements. Et rendez-moi compte aussitôt!

– Il sera fait comme vous l'ordonnez, fait le sénéchal.
4395 Et il s'en va. Chez lui il trouva Lancelot qui était de
retour dans sa prison. Un messager est vite reparti par le
chemin le plus court, envoyé par le sénéchal à Méléagant
pour l'informer du retour de Lancelot. Quand il apprit la
nouvelle, Méléagant convoqua maçons et charpentiers
4400 pour leur faire exécuter les plans qu'il avait dessinés, que
cela leur plût ou non. Il avait fait venir les meilleurs de
tout le pays, et leur a demandé de lui bâtir une tour et
d'y mettre tout leur labeur pour qu'elle soit vite achevée.
La pierre fut extraite en bordure de mer, car de ce côté-là

4405 le pays de Gorre est longé par un large bras de mer; au
milieu de ce bras de mer il y avait une île que Méléagant
connaissait bien : c'est là qu'il ordonna d'apporter la
pierre et le bois de construction pour bâtir la tour. En
moins de cinquante-sept jours elle était complètement
4410 achevée, c'était une tour haute et large, aux murs puissants et épais. Quand elle fut tout à fait terminée, il y fit
amener Lancelot, de nuit, et il l'enferma dans la tour. Il
ordonna ensuite de murer les portes et fit jurer à tous les
maçons de ne jamais dire un mot de cette tour. Il voulait
4415 ainsi la garder secrète, il n'y resta ni porte ni ouverture,
juste une petite fenêtre. C'est donc là que fut obligé de
vivre Lancelot, et on lui donnait à manger, avec rareté et
parcimonie, par cette petite fenêtre dont je viens de parler,
comme l'avait décidé et ordonné ce félon plein de traî-
4420 trise. Maintenant Méléagant a fait tout ce qu'il voulait
faire, et il se rend alors tout droit à la cour du roi Arthur.
L'y voici, il est déjà arrivé. Dès qu'il fut devant le roi, plein
d'orgueil et d'arrogance, il entama un long discours :
    — Roi, je me suis engagé par serment à livrer une
4425 bataille devant toi, à ta cour, mais je ne vois pas trace de
Lancelot, qui y est engagé contre moi. Néanmoins je lui
fais offre de se battre, comme j'y suis tenu, devant tous
ceux que je vois ici présents. S'il est en ces lieux, qu'il
s'avance et soit prêt à me tenir sa parole devant votre
4430 cour d'ici un an jour pour jour. Je ne sais si on vous a dit
comment et dans quelles circonstances fut décidée cette
bataille, mais j'aperçois ici des chevaliers qui ont assisté à
notre arrangement, ils sauraient bien vous le dire s'ils
acceptaient de reconnaître la vérité. Si Lancelot, lui, veut
4435 la nier, je n'irai pas chercher de mercenaire, mais je
prouverai moi-même mon droit contre lui!
    La reine, qui était assise à côté du roi, l'attire vers elle
pour lui glisser ces mots :
    — Seigneur, savez-vous qui est cet homme? C'est
4440 Méléagant qui m'a enlevée alors que j'étais escortée par le
sénéchal Keu. Quelle honte et quelle souffrance ne lui
a-t-il pas causées!
    — Dame, je l'ai bien compris, répond le roi. Je sais fort
bien que c'est cet homme qui retenait les gens de mon
4445 pays en exil.

La reine n'ajoute rien, tandis que le roi s'adresse cette fois à Méléagant :

– Ami, fait-il, Dieu m'en soit témoin, nous n'avons aucune nouvelle de Lancelot et c'est pour nous un sujet 4450 de tourment.

– Sire roi, fait Méléagant, Lancelot m'a dit que je le trouverais ici sans faute, et c'est en votre cour seule que je dois l'assigner à la bataille. Je veux que tous les barons ici présents soient témoins de cette sommation : dans un 4455 an à compter d'aujourd'hui, je le somme de se battre, conformément à l'accord que nous avons passé le jour où nous avons décidé de cette bataille.

À ces mots, monseigneur Gauvain se lève, fort irrité par ce qu'il venait d'entendre :

4460 – Sire, il n'y a pas trace de Lancelot en ce pays, mais nous allons le faire rechercher et, s'il plaît à Dieu, on le retrouvera avant la fin de l'année, à moins qu'il ne soit mort ou emprisonné. Et pour le cas où il ne viendrait pas, alors accordez-moi ce combat, je le soutiendrai moi-4465 même. Je porterai les armes* pour Lancelot au jour fixé, s'il n'est pas arrivé avant.

– Ah! par Dieu! Très cher roi, acceptez! fait Méléagant. Lui le veut et moi je vous le demande : je ne connais aucun chevalier au monde, Lancelot excepté, avec lequel 4470 j'aimerais autant me mesurer. Sachez toutefois que si l'un des deux ne pouvait pas se battre avec moi, je n'accepterais aucun échange ni aucune suppléance sinon de ces deux chevaliers là.

Le roi donne son accord pour le cas où Lancelot n'ar-4475 riverait pas à temps. Aussitôt Méléagant repart et quitte la cour du roi.

Il n'eut de cesse qu'il n'ait trouvé le roi Bademagu son père. Devant lui, pour bien montrer comme il était valeureux et estimé, il se composa l'apparence et le 4480 visage d'un homme admirable. Ce jour-là, le roi tenait une cour très joyeuse dans sa cité de Bade. C'était le jour de son anniversaire, aussi tenait-il grande cour plénière. Il était entouré d'une foule des plus variées, et tout le palais était empli de chevaliers et de jeunes filles. Parmi 4485 ces dernières, il y en avait une (c'était la sœur de Méléagant) à propos de laquelle je vais vous dévoiler plus loin

mes intentions et mes projets. Mais je ne veux pas en faire mention maintenant, car ce n'est pas à cet endroit de mon récit qu'il convient d'en parler : je ne veux pas le
4490 défigurer, le dénaturer ni le torturer, mais je veux lui faire suivre un bon et droit chemin. Pour le moment, je me contenterai de vous dire ce qu'il est advenu de Méléagant : devant tout le monde, petits et grands, le voilà qui interpelle son père d'une voix forte :
4495 — Père, fait-il, Dieu vous accorde le salut! Dites-moi, s'il vous plaît, s'il n'a pas lieu d'être très heureux et s'il n'est pas réellement d'un grand mérite, celui que son habileté aux armes° fait craindre à la cour du roi Arthur?

Sans écouter plus avant, son père répond à la question :
4500 — Mon fils, tous les hommes de valeur doivent honorer et servir qui a su mériter pareille estime. Ils doivent également rechercher sa compagnie.

Et, utilisant douceur et prière, il lui demande alors de ne pas cacher plus longtemps la raison de cette allusion
4505 et de dire ce qu'il cherche, ce qu'il veut et d'où il vient.

— Seigneur, reprit son fils Méléagant, je ne sais si vous vous souvenez des arrangements dont nous étions convenus, formulés lors de l'accord que vous nous avez fait conclure, Lancelot et moi-même. Vous vous rappelez,
4510 j'imagine, que devant témoins il nous a été dit à tous deux que nous devions nous tenir prêts à combattre, après un délai d'un an, à la cour du roi Arthur. J'y suis allé en temps voulu, je me suis équipé et j'ai pris toutes les dispositions nécessaires. J'ai fait tout ce que je devais
4515 faire, j'ai demandé et réclamé Lancelot avec lequel j'avais à traiter, mais je n'ai pu le voir ni le retrouver : il s'est esquivé et a pris la fuite. Toutefois je ne suis pas reparti sans garantie : Gauvain m'a juré que si Lancelot n'était plus en vie ou s'il ne venait pas dans les délais prévus,
4520 on ne reporterait pas la bataille, il me l'a promis et répété, il se battrait avec moi à la place de Lancelot. Arthur n'a pas de chevalier qui soit aussi estimé que celui-là, c'est bien connu. Mais avant que les sureaux ne soient en fleurs je verrai bien, pour peu que nous ayons
4525 à nous mesurer, si la réalité s'accorde à sa réputation. Mon vœu serait que ce fût maintenant!

— Mon fils, c'est à bon droit que tu passes ici pour un

sot! À qui l'aurait ignorée jusqu'à maintenant, tu apprends toi-même ta folie. Il est bien vrai qu'un cœur
4530 méritant est plein de modestie, mais que celui qui est d'une folle outrecuidance ne sera jamais exempt de toute folie. C'est pour toi que je dis cela, mon fils, car tu es d'un tempérament par trop dur et par trop sec, il n'y a pas place en toi pour une once de douceur ni d'amitié.
4535 Ton cœur est trop dépourvu de pitié, tu es trop enflammé par ta folie furieuse. C'est ce qui me fait te mépriser, c'est ce qui te perdra. Si tu es valeureux, il se trouvera bien assez de gens qui sauront en témoigner parfaitement, le moment venu. Un homme de bien n'a
4540 pas à vanter son courage pour donner du prix à ses actions, car les faits se suffisent à eux-mêmes. L'éloge que tu fais de toi ne t'aide pas à augmenter ton renom de la valeur d'une alouette, mais au contraire tu baisses dans mon estime. Mon fils, je te fais la leçon, mais à quoi
4545 bon? Tout ce qu'on dit à un fou est peine perdue, car on ne fait que s'agiter en vain quand on veut délivrer un fou de sa folie. On a beau enseigner et montrer le bien, cela ne sert à rien s'il n'est pas mis en pratique, car il est vite perdu et oublié.
4550 Méléagant perdit alors tout contrôle et, hors de lui, fut en proie à une rage terrible. Jamais on ne vit aucun être humain, je peux vous l'affirmer avec certitude, aussi rempli de colère. De fureur, leur accord en fut brisé à compter de ce moment, car il ne marque plus aucun res-
4555 pect envers son père, mais lui dit maintenant :
— Est-ce moi qui rêve, ou vous qui êtes en train de divaguer quand vous me dites que je suis fou alors que je viens tout simplement vous parler de moi? Je croyais être venu vers vous comme vers mon seigneur et mon
4560 père. Mais il ne semble pas que ce soit le cas, car vous m'insultez plus grossièrement que vous ne devriez, me semble-t-il. Vous ne sauriez dire pour quelle raison vous vous êtes mis à le faire.
— Oh si, je saurais bien.
4565 — Et laquelle, alors?
— C'est que je ne vois en toi que rage et folie, et je ne connais que trop ton caractère qui va encore t'attirer bien des ennuis. Et maudit soit qui va aller penser que Lancelot,

ce parfait chevalier, estimé de tous sauf de toi, se serait
4570 enfui par peur de toi! Mais peut-être est-il plutôt enfoui
sous terre ou bien enfermé dans une prison à la porte si
bien fermée qu'il n'en peut sortir sans autorisation. Voilà
ce dont je serais à coup sûr mécontent : qu'il soit mort
ou qu'il lui soit arrivé malheur! Ah, ce serait certes une
4575 trop grande perte si un être aussi exceptionnel, si beau,
si valeureux, si raisonnable avait péri avant l'heure. Mais
plaise à Dieu que ce soit faux!

Alors Bademagu se tait, mais tout ce qu'il a dit et
raconté avait été entendu et écouté par l'une de ses filles;
4580 c'était, sachez-le bien, celle à laquelle j'ai fait allusion un
peu plus haut. Elle n'est pas contente d'entendre rapporter de telles nouvelles sur Lancelot. Elle comprend bien
qu'on le cachait quelque part, puisqu'on n'a de lui ni
nouvelles ni trace. «Que Dieu me damne si je prends le
4585 moindre repos avant d'en avoir des nouvelles sûres et
certaines!» Aussitôt, sans attendre, sans faire de bruit ni
laisser entendre le moindre murmure, elle court monter
sur une mule fort belle et très facile à mener. Mais pour
ma part je peux vous dire qu'elle ne sait nullement de
4590 quel côté se diriger au moment où elle quitte la cour. Elle
ne le sait ni ne le demande, mais elle s'engage dans le
premier chemin qu'elle trouve et file à grande allure, sans
savoir où, à l'aventure, sans chevalier ni homme d'armes
pour l'escorter. Elle se hâte, elle est pressée d'atteindre
4595 le but qu'elle poursuit. Elle multiplie ses efforts; et de
chercher une piste, et de poursuivre la piste... mais elle
n'aura pourtant pas fini de si tôt! Il ne lui faut pas s'arrêter pour se reposer, ni s'attarder nulle part longtemps si
elle veut mener à son terme son dessein, c'est-à-dire tirer
4600 Lancelot de prison, si toutefois elle le trouve et si elle le
peut. Mais je crois qu'avant de le trouver, elle aura parcouru, visité et retourné en tous sens bien des pays sans
avoir trouvé la moindre nouvelle de lui. Mais à quoi bon
vous décrire ses gîtes nocturnes et ses journées de
4605 recherche? Elle a tourné par tant de chemins, à tant
monter, descendre, remonter et redescendre encore,
qu'il s'était écoulé un mois ou plus sans qu'elle ait pu en
apprendre davantage que ce qu'elle savait déjà, c'est-à-
dire rien du tout! Un jour où elle traversait un champ,

4610 plongée dans de bien tristes pensées, elle aperçut au loin
sur le rivage, près d'un bras de mer, une tour; or à une
lieue à la ronde il n'y avait ni maison, ni cabane, ni abri.
C'était Méléagant qui l'avait fait bâtir pour y mettre Lancelot, mais elle n'en savait rien. Sitôt qu'elle l'aperçut,
4615 elle la fixa des yeux, sans pouvoir les en détourner. Son
cœur lui promet avec certitude que c'est là ce qu'elle a
tant cherché. Maintenant elle touche au but : après
l'avoir soumise à tant d'épreuves, Fortune l'y a menée
tout droit. La jeune fille s'approche de la tour et a mar-
4620 ché jusqu'à l'atteindre : elle fait le tour, tend l'oreille et
écoute avec beaucoup d'attention pour être bien sûre
d'entendre tout bruit qui lui permettrait de se réjouir.
Elle examine le pied de la tour, puis en fixe des yeux le
sommet : elle voit qu'elle est haute et large; mais elle
4625 s'étonne beaucoup de n'y voir ni porte ni fenêtre, sauf
une, petite et étroite. Sur cette tour, qui se dressait de
toute sa hauteur, il n'y avait pourtant ni échelle ni esca-
lier. Elle est donc persuadée que c'est à dessein, et que
Lancelot est à l'intérieur. Mais elle ne mangera plus rien
4630 avant d'en avoir le cœur net! Elle allait l'appeler par son
nom, elle voulait crier : «Lancelot!», mais elle se retint
car, tandis qu'elle faisait silence, elle entendit une voix
qui gémissait dans cette étrange tour, et qui ne réclamait
plus que la mort. Il désire la mort, il a trop de tour-
4635 ments, il souffre trop, il veut mourir : il n'avait plus que
mépris pour sa vie et pour son corps, et il disait faible-
ment, à voix basse et rauque :

«Ah! Fortune! Comme ta roue a tourné pour moi de
cruelle façon! Pour mon malheur tu me l'as fait tourner à
4640 l'envers : j'étais en haut, maintenant je suis tout en bas;
j'étais heureux, me voici malheureux; tu pleures sur moi
maintenant alors que tu me souriais. Ah! Pauvre malheureux! Pourquoi t'être fié à elle, alors qu'elle t'a si vite
abandonné? En peu de temps elle m'a bel et bien fait
4645 descendre du plus haut au plus bas. Fortune, en te
moquant de moi, tu as bien mal agi. Mais que t'importe?
Le sort des gens se laisse indifférente. Ah! Sainte Croix!
Saint-Esprit! Me voilà perdu! Me voilà anéanti! C'est fini,
j'ai déjà parcouru tout le chemin de la vie!

4650   Ah! Gauvain! Vous qui avez tant de mérite, vous dont

la vaillance est sans égale, je m'étonne vraiment beaucoup que vous ne veniez pas me porter secours. Vraiment vous tardez trop, vous manquez de courtoisie, celui
que vous aimiez tant méritait bien de recevoir votre aide.
4655 Oui assurément, de ce côté-ci de la mer ou de l'autre, je
peux le dire sans mentir, il n'y aurait eu de lieu écarté ni
de cachette où je ne vous aurais cherché, moi, pendant
sept ans au moins, ou même dix, jusqu'à avoir pu vous
retrouver, si j'avais su que vous étiez en prison. Mais à
4660 quoi bon tout ce débat? C'est que vous ne vous souciez
pas assez de moi pour vouloir vous donner cette peine.
Le vilain dit avec raison qu'il est difficile de trouver un
ami, mais qu'il est facile de vérifier, dans le besoin, qui
est un véritable ami. Hélas! Voilà plus d'un an que l'on
4665 m'a mis en prison dans cette tour. Gauvain, je considère
que c'est vraiment une faute de votre part de m'y avoir
abandonné.

Mais peut-être ne le savez-vous pas, et peut-être
suis-je en train de vous blâmer à tort. Oui, c'est vrai, j'en
4670 conviens; quelle injure et quelle injustice de ma part
d'avoir cru cela! Je suis sûr en effet que rien sous la
voûte céleste n'aurait pu vous empêcher, vous et vos
gens, de venir m'arracher à ce malheur et à cette adver-
sité, si vous aviez connu la vérité. De plus c'était pour
4675 vous un devoir, s'agissant d'un compagnon et d'un ami.
Je ne pense pas autrement. Mais à quoi bon? Il ne peut
en être ainsi. Ah! Qu'il soit maudit par Dieu et par saint
Sylvestre, et que Dieu lui fasse le destin qu'il mérite,
celui qui me condamne à pareille infamie! C'est la pire
4680 des créatures vivantes, c'est Méléagant qui, par jalousie,
m'a fait là ce qu'il pouvait de pis. »

Alors il s'apaise, alors il se tait celui qui passe sa vie
dans la douleur. Mais celle qui s'attardait au pied de la
tour avait entendu tout ce qu'il avait dit; elle n'a pas
4685 attendu davantage car elle savait qu'elle touchait au but,
aussi, pleine de bon sens, l'appela-t-elle en criant de
toutes ses forces :

– Lancelot! Ami, vous qui êtes là-haut, répondez-moi,
je suis votre amie!
4690 Mais lui, à l'intérieur, ne l'entendit pas. Elle se mit
donc à crier de plus en plus fort, si bien que Lancelot,

qui était épuisé, discerna tout juste sa voix, et se
demanda qui pouvait bien l'appeler. Il entend la voix, il
entend qu'on l'appelle; mais qui appelle, il ne le sait pas.
4695 Il pense être le jouet d'une hallucination. Il regarde tout
autour de lui, scrute les lieux pour chercher s'il peut y
voir quelqu'un, mais il ne voit que sa prison et lui-
même. « Dieu! fait-il, qu'est-ce que j'entends donc? J'en-
tends parler et je ne vois rien! Par ma foi, c'est plus
4700 qu'étrange : je ne dors pas, au contraire j'ai les yeux bien
ouverts. Si cela m'était arrivé en songe, je pourrais croire
que c'est mensonge, mais je suis éveillé, c'est ce qui me
chagrine. » Alors, non sans peine, il se lève et se dirige
vers la petite ouverture, à petits pas, tout doucement.
4705 Une fois arrivé, il s'y appuie pour chercher à regarder :
en haut, en bas, devant lui, de côté. En jetant les yeux à
l'extérieur, regardant comme il pouvait, il vit alors celle
qui l'avait appelé : il ne la reconnaissait pas, mais au
moins il la voyait. Elle en revanche l'a aussitôt reconnu,
4710 et lui a dit :

— Lancelot, je suis venue de loin pour vous chercher.
Maintenant j'ai eu enfin la chance, Dieu merci, de vous
avoir trouvé. Je suis celle qui vous a demandé un don,
quand vous alliez vers le Pont de l'Épée, don que vous
4715 m'aviez accordé très volontiers quand je vous l'ai
réclamé : c'était la tête du vaincu; je vous l'ai fait trancher car je ne l'aimais pas beaucoup. C'est pour ce don
et c'est pour le service rendu que je me suis donné tout
ce mal, et c'est aussi pour cela que je vous ferai sortir
4720 d'ici.

— Demoiselle, grand merci! répond le prisonnier. Je
serai bien récompensé du service que je vous ai rendu si
on me fait sortir d'ici. Si vous pouvez me faire sortir, je
peux vous assurer et vous promettre de vous être vrai-
4725 ment toujours dévoué, l'apôtre saint Paul m'en soit
témoin! Et, puissé-je voir la face de Dieu, il ne se passera
pas de jour où je ne ferai tout ce qu'il vous plaira de me
commander. Et quoi que vous puissiez me demander,
vous êtes sûre de l'obtenir sans délai, si c'est quelque
4730 chose dont je dispose.

— Ami, n'ayez vraiment aucune crainte : vous allez
bientôt être tiré d'ici; vous serez sorti et délivré aujour-

d'hui même, m'offrirait-on mille livres que je ne renonce-
rais pas à vous faire sortir avant demain. Je vais vous
4735 ménager alors un long séjour dans un endroit agréable
pour vous permettre de vous reposer. Chez moi, il n'y
aura rien qui vous plaise que je ne vous donne aussitôt,
si vous le souhaitez. N'ayez plus la moindre inquiétude.
Mais tout d'abord il me faut chercher quelque part dans
4740 les parages un outil qui permette, si je le trouve, d'agrandir suffisamment cette ouverture pour que vous puissiez
y passer.
    – Que Dieu vous permette de le trouver! répond Lan-
celot, qui approuve. J'ai ici de la corde en quantité, les
4745 hommes d'armes me l'ont donnée pour me permettre de
hisser mes repas, du pain d'orge bien dur et de l'eau
trouble qui me donne la nausée.
    La fille de Bademagu trouve un pic solide et bien
taillé, très pointu, et le lui fait passer aussitôt. Il en
4750 heurte, martèle, frappe et creuse tant le mur qu'à la fin,
même s'il est épuisé, il a pu sortir par l'ouverture, suffi-
samment élargie. Quel grand soulagement, quelle grande
joie c'est alors pour lui, soyez-en certains, de se voir tiré
de prison et de s'échapper de ce lieu où il est si long-
4755 temps resté enfermé comme un oiseau en mue. Le voici
maintenant à l'air libre, l'oiseau peut s'envoler! Soyez
sûrs aussi que pour tout l'or du monde, lui en aurait-on
offert une montagne, il n'aurait pas voulu revenir en
arrière. Voici donc Lancelot sorti de prison, mais il était
4760 si fatigué qu'il chancelait, de fatigue et de faiblesse. La
jeune fille l'installe alors avec douceur, pour éviter de le
blesser, devant elle sur sa mule, puis ils s'en vont à vive
allure. La demoiselle s'écarte volontairement du chemin
pour éviter qu'on ne les voie, ils chevauchent en se
4765 cachant, car s'ils étaient allés à découvert ils auraient pu
rencontrer quelqu'un qui la reconnût et eût tôt fait de
leur nuire, ce qu'elle n'aurait voulu à aucun prix. C'est
pourquoi elle évite de se hasarder dans des passages dangereux. Elle arrive à une demeure où elle séjournait
4770 souvent parce que le lieu était agréable et accueillant. La
demeure ainsi que tous ses gens étaient tout à ses ordres.
Il y avait là de tout en abondance, c'était un lieu sûr et
discret. Lancelot est arrivé : c'est là qu'il va séjourner.

Dès son arrivée, une fois qu'on l'eut déshabillé, la demoi-
4775 selle le fait doucement s'allonger sur une belle et haute
couche, puis elle le lave et lui prodigue tant de soins que
je ne saurais en dire ni en décrire la moitié. Elle le masse
doucement et le traite comme s'il se fût agi de son père ;
elle lui rend vigueur et santé, le transforme et le change
4780 du tout au tout : à présent le voilà aussi beau qu'un
ange, il n'a plus l'air d'un galeux qui meurt de faim, mais
il est fort et beau. Il se lève donc, la jeune fille est allée
lui chercher la plus belle tenue de chevalier qu'elle a pu
trouver, et la lui fait revêtir au moment où il se lève. Il l'a
4785 passée avec joie et s'est senti plus léger qu'un oiseau. Il
donne un baiser à la demoiselle en la prenant par le cou,
et lui dit avec beaucoup d'amitié :

— Amie, c'est à vous seule, avec Dieu, que je dois
rendre grâces d'avoir recouvré ma santé. C'est vous qui
4790 m'avez arraché à ma prison, et pour cela vous pourrez
disposer quand bon vous plaira de mon cœur, de mon
corps, de mes services et de tout ce que je possède. Vous
avez tant fait pour moi que je vous appartiens. Mais voilà
longtemps que je ne suis pas allé à la cour de mon sei-
4795 gneur Arthur, qui m'a toujours grandement honoré ; j'aurais beaucoup à y faire. Douce et noble amie, puis-je
vous prier, au nom de notre amitié, de bien vouloir me
donner l'autorisation d'y aller ? J'irais bien volontiers là-
bas, si vous le vouliez bien.
4800 — Lancelot, très cher et doux ami, je le veux bien,
répond la demoiselle, car partout, où que ce soit, je ne
veux que votre honneur et votre bien.

Questions

Compréhension

- **Construction de la tour (l. 4364 à 4421)**

1. *Depuis quel moment le lecteur a-t-il «perdu de vue», au sens propre, le héros? Que signifie ce silence de la part du narrateur?*

2. *Quels sentiments Méléagant inspire-t-il aux gens de Gorre (sénéchal, artisans...)? Quelle est l'étendue réelle de son pouvoir?*

- **À la cour du roi Arthur (l. 4422 à 4476)**

3. *Comment sa duplicité et son machiavélisme confirment-ils Méléagant dans son rôle d'anti-héros?*

4. *Retour à la situation initiale : Méléagant vient porter un défi à la cour du roi Arthur. Observez plus particulièrement la réaction du roi Arthur (l. 4439 à 4445) et comparez-la à sa première réaction de résignation, au début du récit. Quelle est la portée de cette reprise? Commentez l'importance de ce passage.*

5. *Le personnage du roi Arthur diffère sensiblement de sa légende. Analysez et expliquez le caractère que lui prête ici l'auteur : répond-il, à votre avis, à l'attente du public du XIIᵉ siècle?*

6. *Des deux quêtes de Lancelot, laquelle paraît être la plus importante aux yeux du roi Arthur? Quelle réplique permet de l'affirmer? Était-ce aussi net au début du récit?*

7. *Que peut signifier, de manière symbolique, l'exigence de Méléagant, refusant tout autre adversaire que Lancelot ou Gauvain (l. 4470 à 4473)?*

- **À la cour de Bademagu (l. 4477 à 4577)**

8. *Bademagu fête son anniversaire, comme il était d'usage de le faire pour les rois. Commentez le choix de ce jour, du point de vue de l'auteur puis du point de vue de Méléagant.*

9. *L'affrontement père-fils prend ici la forme de deux tirades également longues (l. 4506 à 4549) : quel est en fait le véritable enjeu de cette joute verbale?*

10. *En quoi réside l'affront final fait à Méléagant? Quelle est la portée de l'éloge de Lancelot dans la bouche de son père? Le lecteur attend une évolution irréversible, la suite ne peut surprendre : évoquez les pistes possibles pour un prochain dénouement.*

- **Lancelot délivré (l. 4578 à 4802)**

11. *Quand survient la première description de la tour? Pourquoi avoir retardé ce moment?*

12. *La jeune fille vient fort opportunément rappeler le don que lui a fait le héros. Quelle est la fonction de ce rappel auprès du lecteur? Comparez les deux parties du récit ainsi mises en miroir: quels prolongements riches de sens pouvez-vous effectuer à partir de cette mise en relation?*

13. *Quelle est la véritable signification du* rétablissement *et de la* métamorphose *du héros?*

Écriture

• À la cour du roi Arthur (l. 4422 à 4476)

14. *Dans son adresse au roi, l'autoritarisme de Méléagant paraît renforcé par l'écriture: observez-en les traits dans ce discours (champs lexicaux*, ponctuation, forme du discours, énonciation*).*

15. *Depuis que Lancelot a été fait prisonnier, les repères temporels sont devenus très ténus. Quels sont-ils ici?*

• À la cour de Bademagu (l. 4477 à 4577)

16. *Méléagant commence sa démonstration par une question négative (l. 4495 à 4498). Quelle est la force de ce type de tournure?*

• Lancelot délivré (l. 4578 à 4802)

17. *Observez comme le rythme de la phrase se calque sur celui de la quête de la jeune fille (l. 4601 à 4609): comment le narrateur parvient-il à suggérer le temps écoulé, en dépit de l'absence de vrais repères temporels?*

18. *Dialogue avec le prisonnier (l. 4711 à 4747): lexique, énonciation, rythme de la phrase, divers éléments concourent à transposer dans l'écriture le contraste entre Lancelot et la jeune fille. À partir de vos observations, esquissez à grands traits l'état d'esprit de chacun à ce moment précis.*

Mise en scène

• Méléagant à la cour de Bademagu (l. 4477 à 4578)

19. *Comment représenteriez-vous le jeu des deux adversaires, père et fils, dans ce rude affrontement verbal? Imaginez plusieurs « lectures » possibles pour le rôle de l'un et de l'autre.*

Elle possédait un cheval merveilleux, le meilleur que l'on ait jamais vu : elle le lui offre, il l'enfourche sans se
4805 soucier des étriers, et le voilà en selle sans seulement s'en etre aperçu. Alors ils se recommandent l'un l'autre à Dieu, qui jamais ne ment.

Lancelot s'est mis en route si joyeux que, même si j'avais juré de le faire, et quels que fussent mes efforts, je
4810 ne pourrais décrire la joie qui l'habite à l'idée d'avoir pu ainsi échapper à la prison dans le piège de laquelle il était tombé. Maintenant, il se le répète souvent, il a fait son propre malheur, ce traître, ce dégénéré qui l'a retenu prisonnier, on va rire de lui, il a été joué à son tour :
4815 « Oui, malgré lui, je suis bel et bien dehors! » Il jure donc sur le cœur et le corps de Celui qui a créé le monde que pour toutes les richesses que l'on peut trouver de Babylone jusqu'à Gand, il ne laissera pas Méléagant en réchapper, pour peu qu'il vienne à le tenir et à
4820 avoir le dessus au combat : ce misérable lui a causé trop de souffrance et de honte. Mais la tournure des événements va bientôt lui offrir l'occasion de se venger, car ce même Méléagant qu'il menace et tient presque déjà était ce jour-là venu à la cour sans que personne l'y ait appelé.
4825 Une fois arrivé, il demanda avec tant d'insistance monseigneur Gauvain qu'il réussit à le voir. Ce misérable traître lui demande alors des nouvelles de Lancelot : l'avait-on revu ou retrouvé? Comme s'il n'en savait rien! Mais il ne savait pas tout, justement, il était mal informé,
4830 or il croyait l'être bien. Gauvain lui dit sans mentir qu'il ne l'avait pas vu et qu'il n'était pas revenu.

– Puisqu'il en est ainsi et que je vous trouve, vous, fait Méléagant, venez donc et tenez votre promesse, car je n'attendrai pas davantage.

4835 – Je vais tenir parole sous peu, s'il plaît à Dieu en qui je crois, fait Gauvain. Je compte bien m'acquitter de ma dette envers vous. Mais si nous jouons à marquer le plus de points et que je marque plus de points que vous, alors, que Dieu et sainte Foy m'en soient témoins, je met-
4840 trai dans ma bourse la totalité de la mise, sans hésiter!

Sans plus attendre, Gauvain demande alors que l'on étende à terre un tapis devant lui. Les écuyers ne se sont pas dérobés, ils exécutent ses ordres sans maugréer ni

rechigner. Ils prennent le tapis et le placent à l'endroit
4845 qu'il a indiqué. Gauvain s'assied alors dessus et demande
aux jeunes nobles qui se trouvent là, sans manteau, de
bien vouloir lui revêtir ses armes*. Ils étaient trois, qui
étaient ses cousins ou ses neveux, je ne sais plus, en tout
cas ils connaissaient vraiment bien les armes. Ils l'ar-
4850 mèrent de manière parfaite, personne au monde n'aurait
rien pu trouver à redire dans le détail de leur service.
Après l'avoir armé, l'un d'eux lui amène un destrier* d'Espagne, un cheval plus rapide pour courir à travers
champs, bois, montagnes et vallons que ne le fut le vail-
4855 lant Bucéphale[1]. C'est sur ce cheval dont je vous parle
que monta le glorieux chevalier, Gauvain, le chevalier le
plus accompli qui ait jamais reçu bénédiction. Il saisissait
déjà l'écu*, quand il vit descendre de cheval, devant lui,
Lancelot, auquel il ne s'attendait pas. Il le regarda avec
4860 grand étonnement, tant son arrivée avait été soudaine!
Sans mentir, c'était pour lui un miracle aussi grand que
s'il l'avait vu tomber du ciel devant lui, à l'instant. Mais
quand il voit que c'est bien Lancelot, alors aucune néces-
sité, si urgente soit-elle, ne peut l'empêcher de mettre
4865 pied à terre. Il va vers lui, bras grands ouverts, le prend
par le cou, le salue et l'embrasse. Quelle grande joie et
quel bonheur pour lui d'avoir retrouvé son compagnon!
Je vais même vous dire, et c'est vrai, n'en doutez pas, que
Gauvain aurait sans hésiter refusé d'être choisi comme roi
4870 si en échange il avait dû ne pas connaître ce moment. Le
roi le sait déjà, tout le monde le sait déjà : Lancelot, n'en
déplaise à certains, après avoir été depuis si longtemps
attendu, vient de revenir sain et sauf. Tous ensemble font
grandes réjouissances, et la cour se réunit pour le fêter,
4875 après l'avoir si longtemps espéré. Il n'y a personne, d'aucun âge que ce soit, jeune ou vieux, qui ne laisse libre
cours à sa joie. Cette joie chasse et efface la tristesse
qui régnait ici auparavant. La peine s'enfuit, voici
venir la joie, à laquelle ils s'adonnent si généreusement.

---

1. *Bucéphale* : c'était un cheval merveilleux, monture d'Alexandre le Grand.

4880 Et la reine, ne prend-elle pas part à ces manifestations de joie?

– Mais si, et la toute première.

– Comment cela?

– Dieu, où serait-elle donc? Rien ne lui causa jamais si
4885 grande joie que son arrivée, et elle ne serait pas venue l'accueillir? Mais si, elle est là, en vérité si près de lui qu'il s'en faut de peu que le corps ne suive le cœur.

– Et où était donc son cœur?

– Il donnait caresses et baisers à Lancelot.

4890 – Et le corps, pourquoi se cachait-il? Sa joie n'était-elle pas parfaite? Éprouvait-elle de la colère ou de la haine?

– Non, en aucun cas. Mais c'est peut-être qu'il y a là quelques personnes, le roi et les autres ici présents, qui
4895 ont les yeux grands ouverts et auraient tôt fait de tout comprendre, si, au vu de tous, elle laissait son corps obéir aux désirs de son cœur. Et si Raison ne lui ôtait ces folles pensées et cet emportement, ils perceraient ainsi le fond de son cœur, et ce serait alors une immense folie.
4900 C'est pourquoi Raison enferme et enchaîne son cœur insensé et ses idées folles; elle lui a rendu un peu de bon sens et la reine a remis les choses à plus tard, jusqu'à ce qu'elle voie et déniche un endroit propice et plus discret, où ils pourraient, mieux qu'en ce moment, arriver à bon
4905 port.

Le roi prodigue à Lancelot nombre de marques d'honneur et, quand il lui eut assez témoigné sa joie, il lui dit :

– Ami, il y a vraiment longtemps que je n'ai reçu de nouvelles de quiconque avec autant de plaisir; mais je
4910 suis très étonné : sur quelle terre, dans quel pays avez-vous bien pu rester si longtemps? Durant tout l'hiver et tout l'été je vous ai fait rechercher par les monts et les plaines, sans que jamais personne ne pût vous trouver.

– Certes, cher sire, fait Lancelot, je peux vous dire en
4915 quelques mots ce qui m'est arrivé. Méléagant, cet infâme traître, m'a retenu en prison à compter du moment où les prisonniers qu'il retenait sur sa terre ont été délivrés. Il m'a fait vivre dans des conditions ignobles, enfermé dans une tour en bordure de mer. Il m'y a fait mettre et
4920 enfermer, et j'y mènerais encore une vie cruelle s'il n'y

avait eu l'une de mes amies, une jeune fille à qui j'avais jadis rendu un petit service. Elle, pour ce don modeste, m'a donné une généreuse récompense, me comblant d'honneurs et de bienfaits. Mais celui pour qui je n'ai
4925 vraiment nulle amitié, celui qui est à l'origine de ce traitement ignoble et de ce crime, celui qui en est l'instigateur et l'auteur, celui-là je veux lui rendre son dû ici même et sans délai. Il est venu chercher son dû, eh bien! il va l'avoir! Il ne faut pas le faire attendre, car tout est
4930 prêt : gain, principal et intérêt. Dieu fasse qu'il n'ait pas à s'en féliciter!

Gauvain s'adresse alors à Lancelot :

– Ami, ce versement-là, si c'est moi qui le fais à votre créancier, ce ne sera qu'un modeste service de ma part.
4935 Je suis déjà en selle et prêt pour le combat, comme vous le voyez. Très cher ami, ne me refusez pas ce don, je vous le demande et vous le réclame.

Mais ce dernier répond qu'il préférerait se laisser arracher de la tête un œil, voire les deux, plutôt que de
4940 devoir accepter. Il jure bien que cela ne se passerait pas ainsi, c'est lui qui a une dette et c'est lui qui la remboursera, car il en a, de sa main, prêté le serment. Gauvain voit bien que tout ce qu'il pourrait dire ne sert à rien. Quittant donc son haubert*, il s'en dévêt puis se
4945 désarme entièrement. Lancelot revêt aussitôt cette armure, sans plus attendre. Il croit ne jamais voir arriver l'heure où il se sera acquitté de sa dette et où il aura payé; il ne goûtera pas un instant de bonheur tant qu'il n'aura pas rendu tout ce qu'il lui doit à Méléagant, qui
4950 pour sa part reste frappé de stupeur par le prodige qu'il voit de ses propres yeux. Il s'en faut de peu qu'il ne se mette à divaguer et c'est à peine s'il n'en perd pas la raison.

«Assurément, j'ai agi en insensé en n'allant pas voir,
4955 avant de venir, si je le tenais encore, enfermé dans ma prison et dans ma tour, celui qui vient de me jouer ce tour. Ah Dieu! Pourquoi donc y serais-je allé? Comment, pour quelle raison aurais-je pensé qu'il puisse en sortir? Les murs ne sont-ils pas assez solidement bâtis, et la tour
4960 assez solide et élevée? Il n'y avait ni ouverture ni faille par où il aurait pu passer, à moins d'une aide venue du

dehors. Peut-être a-t-il été découvert. Admettons que les murs aient pu s'user et se soient effondrés et écroulés : n'aurait-il pas péri en même temps, le corps écrasé, 4965 mutilé et broyé? Bien sûr que si, par Dieu! S'ils étaient tombés, à coup sûr il serait mort. Mais, à mon avis, avant que les murs ne viennent à présenter quelque défaut, c'est la mer tout entière qui nous aura fait défaut, sans qu'il reste une goutte d'eau, et ce sera la fin du monde. 4970 Ou encore le mur aura été abattu de force. Mais il en va tout autrement, cela ne s'est pas passé ainsi. Il a eu de l'aide pour sortir, il ne s'est pas envolé autrement, c'est un complot qui a causé ma perte. Quoi qu'il en soit, il est dehors, mais si j'avais été assez vigilant avant, tout 4975 cela n'aurait jamais été et ne serait pas arrivé, il ne serait pas venu à la cour. Mais je me repens trop tard : le vilain, qui n'a nul désir de mentir, énonce en son proverbe une vérité bien établie : *Une fois le cheval volé, on ferme trop tard l'écurie.* Je sais bien que je vais maintenant 4980 être accablé d'injures honteuses et infâmes, à moins d'avoir beaucoup à endurer et à subir. Endurer et subir quoi? Tant que je pourrai tenir, je vais lui donner bien de l'occupation, s'il plaît à Dieu, en qui j'ai foi.

Il continue ainsi, cherchant à se redonner quelque 4985 assurance. Il n'attend plus rien d'autre que leur rencontre en champ clos. Le moment approche, me semble-t-il, car Lancelot vient le chercher, persuadé de le vaincre bien vite. Mais avant le premier assaut, le roi leur dit de descendre tous les deux au pied de la tour sur la lande (il 4990 n'y a pas plus belle d'ici jusqu'en Irlande). Ainsi font-ils, ils sont allés là-bas, ils eurent bien vite dévalé la pente. Le roi y va lui aussi, accompagné de toute sa cour, par grands groupes et en véritables cortèges. Ils s'y rendent tous sans exception. Beaucoup d'autres se dirigent aussi 4995 vers les fenêtres : chevaliers, dames et demoiselles, belles et gracieuses, venues pour voir Lancelot. Sur la lande il y avait un sycomore comme il ne pouvait en exister de plus beau. Il occupait un large espace. Il était entouré d'une bordure de belle herbe fraîche, qui se 5000 renouvelait en toute saison. Au pied de ce sycomore vénérable et beau, planté au temps d'Abel, jaillit une source limpide qui courait vivement sur un beau fond de

gravier blanc qui brillait comme de l'argent. Elle sortait
d'un conduit fait, je crois, d'or fin des plus purs et cou-
5005 rait en descendant à travers la lande entre deux bois,
dans un vallon. C'est là que le roi veut s'asseoir, car il ne
voit là rien qui lui déplaise. Il fait reculer la foule, et
Lancelot fond aussitôt sur Méléagant avec la dernière
fureur, comme quelqu'un à qui il pouvait vraiment por-
5010 ter une haine immense. Mais avant de le frapper, il lui
crie d'abord d'une voix forte et menaçante :

– Venez donc par là, je vous lance un défi! Et
sachez-le bien, vous pouvez en être sûr, je ne vous épar-
gnerai pas.

5015 Il éperonne alors son cheval, et revient un peu en
arrière, à une portée d'arc environ, puis ils s'élancent l'un
contre l'autre de toute la vitesse de leurs chevaux. Ils se
portent maintenant un coup si violent sur leurs écus*,
pourtant si résistants, qu'ils les ont traversés et transper-
5020 cés, mais ils ne sont blessés ni l'un ni l'autre et ne se sont
pas atteints dans leur chair pour l'instant. Entraîné dans
son élan, chacun croise l'autre sans s'arrêter, puis, de
tout l'élan de leurs chevaux, ils reviennent donner de
grands coups sur leurs écus, résistants et solides. Leurs
5025 assauts redoublent de violence, les chevaliers donnent
la preuve de leur vaillance et de leur courage, les chevaux de leur force et de leur rapidité. Comme ils se sont
asséné des coups d'une rare violence sur leurs écus qu'ils
portent attachés au cou, ils les ont transpercés de leurs
5030 lances* qu'ils n'ont pas brisées, ni même fendues, mais
qui cette fois ont touché leur chair mise à nu. Ils se
poussent l'un l'autre avec une telle brutalité qu'ils se sont
mutuellement envoyés rouler à terre, sans que poitrail,
sangles ni étriers n'aient pu les retenir et les empêcher
5035 chacun de vider la selle et tomber en arrière, sur la terre
nue. Les chevaux partent en tous sens. L'un rue, l'autre
mord, ils cherchent tous deux à s'entretuer. De leur côté,
les chevaliers qui étaient tombés se sont relevés le plus
vite qu'ils le purent. Ils ont eu tôt fait de dégainer leur
5040 épée qui portait des inscriptions. Ils placent leur écu
devant leur visage et cherchent désormais le moyen de se
faire le plus de mal possible du tranchant de leurs épées
d'acier. Lancelot n'a pas peur de son adversaire, car il

savait deux fois plus d'escrime que lui, il y avait été initié
5045 dès l'enfance. Tous deux s'assènent des coups terribles sur
leurs écus*, portés au cou, sur leurs heaumes* lamés d'or.
Mais Lancelot serre son adversaire de très près, et lui
décoche un coup d'une force redoutable, le touchant au
bras droit, pourtant bardé de fer, qu'il tenait à découvert
5050 devant son écu : il le lui a coupé net et tranché. Quant
l'autre sent le dommage subi et se rend compte de la perte
de sa main droite, il dit qu'il va le faire payer cher à
Lancelot s'il en trouve le moyen et sans hésiter : rien ne
pourra le retenir, car il est en proie à une telle souffrance,
5055 une telle colère et une telle rage qu'il en devient presque
fou. Il s'estimerait mal payé s'il ne pouvait placer un mauvais coup à son adversaire. Il fonce vers lui, croyant le
surprendre, mais Lancelot était sur ses gardes. Avec son
épée bien tranchante Lancelot lui porte un coup de taille
5060 dont il ne se remettra pas avant que ne passe avril ou
mai : il lui enfonce le nasal dans les dents et lui en brise
trois. Méléagant suffoque tellement de colère qu'il ne peut
plus parler ni dire un seul mot ; il ne daigne pas non plus
demander grâce, car bien mal le conseille la folie de son
5065 cœur qui l'emprisonne et le garotte. Lancelot s'approche,
lui délace le heaume et lui tranche la tête. Ce misérable ne
pourra plus lui échapper : il est tombé mort, c'en est fait
de lui. Mais je peux vous dire que parmi tous ceux qui
assistent à cette scène, il n'y eut personne pour avoir pitié
5070 de lui. Le roi et tous ceux qui sont là manifestent une
grande joie. Les plus démonstratifs désarment alors Lancelot et l'entraînent avec eux, lui faisant joyeuse escorte.

Seigneurs, si je poursuivais, je déborderais de mon
sujet. Je m'apprête donc à conclure, c'est ici la fin du
5075 roman. Godefroi de Lagny, le clerc, a terminé *La Charrette,*
mais que personne ne vienne lui reprocher d'avoir continué Chrétien, car il l'a fait avec l'accord de Chrétien qui l'a
commencée. Il a entrepris son récit au moment où Lancelot venait d'être emmuré et l'a poursuivi jusqu'au bout.
5080 Voilà sa part. Il ne veut plus rien ajouter ni retrancher,
pour ne pas malmener le conte.

Ici se termine le roman de Lancelot de la charrette.

Questions

Compréhension

• **Le troisième combat entre Lancelot et Méléagant : préliminaires (l. 4803 à 4990)**

1. *En quoi Gauvain illustre-t-il le type même du parfait chevalier?*

2. *Commentez l'accueil réservé à Lancelot par le roi Arthur.*

3. *L'accueil que lui réserve la reine : où transparaît la malice de l'auteur?*

4. *Lancelot condense le récit de son enfermement et concentre l'essentiel sur cinq vers (l. 4916 à 4919). Quel contraste est ainsi opéré? Quelle en est la fonction?*

5. *La rivalité pour combattre : quel est le sens caché de cette rivalité entre les deux chevaliers d'élite, Lancelot et Gauvain? Quel geste est particulièrement riche de symbole?*

6. *Les remords de Méléagant : de quelle utilité sont-ils, à ce moment précis, pour la lecture? Dans quelle mesure cette forme de «repentir» achève-t-elle de noircir le personnage?*

• **Le troisième combat Lancelot-Méléagant (l. 4990 à 5072)**

7. *Quels éléments de solennité viennent marquer ce dernier tableau?*

8. *Comparez avec les deux combats précédents dont il est l'achèvement. Mettez en évidence la supériorité de celui-ci.*

9. *Quel sentiment nouveau anime Lancelot? N'est-ce pas en contradiction avec les vertus chevaleresques?*

10. *Quel symbole revêt l'amputation de la main droite, châtiment que Lancelot inflige à Méléagant avant de le tuer?*

11. *La fin de Méléagant : commentez-en la sobriété. S'agit-il d'un vrai dénouement?*

Écriture

12. *Par quels procédés l'arrivée de Lancelot est-elle mise en valeur?*

13. *L'accueil que la reine réserve à Lancelot : qui sont les*

195

interlocuteurs de ce dialogue fictif (l. 4880 à 4905)? Quel est l'effet recherché?

14. *Par quels éléments stylistiques, lexicaux et syntaxiques l'auteur met il en lumière ce dernier tableau (l. 4490 à 5006)? Pourquoi a-t-on pu parler d'une «poésie picturale»?*

Mise en scène

15. *Le personnage du roi Arthur : quel rôle lui composeriez-vous à la fin du récit, en tenant compte de tous les indices et signes d'évolution glanés depuis le début? À qui l'opposeriez-vous? Comment souligner sur scène (ou à l'écran) cette opposition?*

L'action

• Ce que nous savons

Emmuré dans une tour sans porte ni fenêtre, Lancelot disparaît aux yeux du lecteur et de ses compagnons. Le premier rôle revient alors à Méléagant qui s'illustre dans sa fonction d'«anti-héros»: fou d'orgueil et d'outrecuidance, il n'hésite pas à venir braver successivement les deux rois, Arthur et Bademagu.

À la cour du roi Arthur, que l'on n'entend guère, Gauvain se substitue à Lancelot absent et s'apprête à défendre son honneur. Bademagu, en revanche, bafoué dans son autorité paternelle et menacé dans son pouvoir, en vient à renier son fils. Louant publiquement les qualités d'exception de Lancelot, il le reconnaît implicitement comme son fils spirituel.

Tout est donc en place pour le dernier acte: Méléagant, le personnage antipathique, a outrepassé son rôle et doit nécessairement être éliminé. Le combat inachevé doit enfin se conclure, et, pour ce faire, Lancelot doit retrouver sa place. Le jeu des alliances désigne la jeune fille à la mule rousse comme dernier adjuvant : elle se révèle être la sœur de Méléagant, et la fille de Bademagu, dont elle accomplit ici la volonté implicite.*

Un troisième combat, solennel et terrible, vient donc combler ces attentes: Lancelot tranche la tête de Méléagant, puis s'éloigne à nouveau... Le décor est reconstitué, mais c'est un épilogue sans dénouement. Les aventures de Lancelot sont loin d'être achevées.

• À quoi nous attendre?

1. L'affrontement père-fils, déjà entrevu dans le corps du récit, trouve ici son aboutissement. En quoi procède-t-il des scènes similaires? Quelle conclusion se dessine à partir des indices antérieurs?

2. En quoi cette fin n'est-elle pas un véritable dénouement?

Les personnages

• Ce que nous savons

Seul personnage nouveau, la jeune fille à la mule rousse ne l'est pas vraiment : elle n'est qu'une reprise du motif des demoiselles déjà rencontrées. Sa fonction d'adjuvant est donc toute tracée, et dès lors le lecteur pressent le dénouement. Toutefois, son rôle capital n'est pas d'avoir libéré Lancelot, mais de l'avoir «méta-morphosé» et réhabilité en sa qualité de chevalier : c'est grâce à elle que le «chevalier de la charrette» disparaît définitivement pour laisser place au «plus valeureux des chevaliers».

Les autres personnages, tous fidèles à eux-mêmes, paraissent bien ternes au regard de ces deux héros : on a pu se demander si Godefroy de Lagny, auteur de cette partie du récit, n'aurait pas souhaité unir définitivement le devenir de Lancelot à celui de la jeune fille.

• À quoi nous attendre?

1. *Le rôle de la jeune fille à la mule rousse est ambigu. Quel peut être, selon vous, le devenir de Lancelot? Où voit-on que cette suite, laissée à la libre imagination du lecteur, peut diverger de l'esthétique courtoise? Quelles sont les pistes ouvertes par le continuateur de Chrétien de Troyes?*

2. *À la fin du récit, Lancelot est «requalifié» avec éclat. En quoi cette consécration résulte-t-elle d'une somme de requalifications successives, commencées dès le premier jour?*

3. *La mort de Méléagant est-elle simple vengeance ou relève-t-elle de la justice de Dieu et des hommes. Analysez l'importance de cette fin pour le sens du récit. Quelles sont les valeurs condamnées avec l'individu qui les illustrait?*

DATES	ÉVÉNEMENTS HISTORIQUES	ÉVÉNEMENTS CULTURELS
476	Chute de l'Empire romain d'Occident.	
768-814	Règne de Charlemagne.	
842	Serments de Strasbourg (premiers écrits en langue romane).	
987	Hugues Capet : arrivée au pouvoir de la dynastie des Capétiens.	
v. 1065		ART ROMAN *Chanson de Roland.* *Tapisserie de la reine Mathilde* (dite de Bayeux). ↓
v. 1090	Première croisade.	
1137	Avènement de Louis VII, cinquième des Capétiens. Il épouse Aliénor d'Aquitaine.	
1138		*Historia* (Geoffroy de Monmouth).
1145		ART GOTHIQUE Atelier d'enluminures à Troyes.
1147	Le roi part pour la deuxième croisade.	Apogée de l'art gothique : construction des grandes cathédrales (Paris, Chartres, Rouen).
1152	Divorce de Louis VII et d'Aliénor d'Aquitaine. Aliénor épouse Henri Plantagenêt.	
1154	Henri Plantagenêt devient roi d'Angleterre (Henri II).	*Roman de Thèbes.* *Roman de Brut* (Wace).
1160-1180		*Lais* de Marie de France.
1164	Mariage de Marie, fille d'Aliénor, avec Henri le Libéral, comte de Champagne.	
1165		*Le Roman de Troie* (Benoît de Sainte-Maure). *Philomena* (Chrétien de Troyes).
1169		*Érec et Énide.*
1172		*Tristan* de Thomas.
1170	Début des rivalités entre le roi de France et le roi d'Angleterre, puissant prince français.	
1174	Fin des soulèvements en faveur d'Henri, fils du roi d'Angleterre en rébellion contre son père (soutien du roi de France).	

DATES	ÉVÉNEMENTS HISTORIQUES	ÉVÉNEMENTS CULTURELS
1175-1200		Grande période du vitrail en Champagne.
1176		*Cligès.*
1177		Début du *Chevalier de la Charrette* et du *Chevalier au Lion.*
1179	Départ en croisade du comte de Champagne.	*Le Roman de Renart* (branche 1).
1180	Début du règne de Philippe Auguste, dit le Conquérant. Forte opposition féodale.	*Tristan* de Béroul.
1181	Mort du comte de Champagne de retour de croisade Rivalités accrues entre le roi de France et les Plantagenëts. Début des hostilités.	Achèvement du *Chevalier au Lion* et du *Chevalier de la Charrette.*
1181-1190		*Conte du Graal.*
		De amore (Le Chapelain).
1189	Mort d'Henri II, roi d'Angleterre. Avènement de son fils, Richard, dit Cœur de Lion.	
1191	Mort de Philippe d'Alsace, deuxième mécène de Chrétien.	
1198	Mort de Marie de Champagne.	
1204	Prise de Constantinople. Mort d'Aliénor d'Aquitaine.	
À partir de 1220		*Lancelot-Graal,* roman en prose (Robert de Boron?) *Lancelot en prose. La Quête du Graal. La Mort le roi Artu.*
1225		*Tristan* en prose.
1229	Louis IX (Saint Louis) sacré roi de France.	
1234		*Le Roman de la Rose* (Guillaume de Lorris).
1270	Mort de Saint Louis en croisade.	
1275		*Le Roman de la Rose* (Jean de Meung).
1293		*La Divine Comédie* (Dante).
1337-1453	La guerre de Cent Ans.	
1343	La grande peste (dite Peste noire).	

(colonne ÉVÉNEMENTS CULTURELS, en marge : ART GOTHIQUE)

LE « ROMAN » : UNE LANGUE ET UNE FORME NARRATIVE

Naissance d'une littérature française
●

Avec les premières œuvres écrites en langue vulgaire (« roman ») et non plus latine, le XIIe siècle marque la naissance d'une littérature française. La « langue française » n'étant encore ni fixée ni unifiée, on rassemble sous cette appellation les dialectes parlés dans la France du Nord (la langue d'oïl, celle des trouvères) et du Sud (la langue d'oc, celle des troubadours). La langue d'oïl (picard, anglo-normand...) constitue le fonds de notre ancien français.

Trois formes littéraires nouvelles marquent cette période :
– **La chanson de geste**, au début du siècle. C'est un poème épique qui relate les hauts faits guerriers de chefs militaires idéalisés. La plus ancienne, *La Chanson de Roland* (vers 1125), évoque les exploits de Charlemagne et de ses barons.
– **La poésie lyrique courtoise**, sous l'influence des troubadours des grandes cours du Sud. Associant vers et musique, le troubadour célèbre l'amour, vertu nouvelle du chevalier du XIIe siècle, selon la mode courtoise. Le code courtois est calqué sur le code féodal, et le motif de la dame suzeraine, inaccessible, est le thème central des chansons de troubadours.
– **Le roman**, dès la seconde moitié du siècle. C'est ainsi que l'on nomme initialement des récits qui sont des « adaptations-traductions » (en « roman ») de textes latins. De 1130 à 1170, on assiste à l'essor des **romans antiques** : d'inspiration mythologique, ces récits affectent un souci de vérité historique. L'authenticité de la source antique y paraît toutefois fortement estompée derrière l'effort d'adaptation, bien insolite aux yeux du lecteur moderne : l'Antiquité y a le prestige du passé, mais sa représentation est teintée d'un anachronisme surprenant ; la Rome antique emprunte l'architecture et les couleurs d'une cité médiévale, Grecs et Troyens s'adonnent à des tournois... Les différentes variantes du *Roman d'Alexandre* : *Énéas*, *Le Roman de Thèbes*, *Le Roman de Troie*, sont les romans antiques les plus connus. Proches de la chanson de geste dont ils privilégient les épisodes guerriers, ces récits innovent en accordant une grande place à l'amour et aux personnages féminins.

Un type d'écrit nouveau : le roman
●

Ces récits ouvrent la voie à un type d'écrit nouveau, le **roman**, qui ne constitue pas encore un genre littéraire, mais signe un récit narratif créé de toutes pièces, sans être défini comme traduction ni adaptation. Chrétien de Troyes, auteur d'un cycle de cinq romans, en est le maître incontesté.

L'ÉCRIVAIN AU XIIᵉ SIÈCLE

Le terme «écrivain» désigne alors celui qui «écrit» le livre, c'est-à-dire le copiste. Il reste généralement anonyme. Le lettré qui adapte des textes traduits du latin n'invente pas, il prend au contraire soin d'attester l'authenticité historique de ses sources. La mentalité du Moyen Âge ne reconnaît qu'à Dieu le pouvoir de créer; l'homme, lui, se contente de vulgariser un savoir inaccessible à ceux qui ne savent pas le latin. D'où la mode des romans antiques à laquelle Chrétien, traducteur des poètes latins, a lui-même sacrifié (*Philomena,* récit tiré des *Métamorphoses* d'Ovide).

On peut donc mesurer toute l'audace de l'auteur du *Chevalier de la Charrette,* avançant pour source unique du récit la commande reçue du mécène (*cf.* Prologue)... Mais aussi se défend-il d'y ajouter autre chose que *«sa peine et son application».*

PUBLIC ET TRADITION ORALE

Jongleurs et troubadours diffusent récits, poèmes et chansons, car la transmission de ces textes est orale. On a dit que *«les troubadours divertissaient les châteaux et les jongleurs les villes».*

Les jongleurs
•

Les jongleurs sont des «ménestrels», mais sont aussi des conteurs et les interprètes de chansons de geste ou de fabliaux. Ce sont souvent des marginaux qui vont de ville en ville, selon le calendrier des grandes manifestations de foule (foires, marchés). Ils peuvent tout à loisir enrichir le texte écrit (mémorisé), ou l'interpréter avec une grande liberté (gestes, mimiques, commentaires, transformations...). En revanche, jamais ils ne créent leur propre texte. Chrétien donne piètre opinion de ceux qui, à *«gagner leur vie à réciter devant les rois et les grands ont pris l'habitude de morceler et corrompre»* leur récit (*Érec et Énide*). Marginaux errants souvent rejetés par l'Église, ils sont toujours en quête d'un protecteur.

Les troubadours et les poètes
•

Ils composent eux-mêmes leurs textes et les chantent ou les récitent dans les châteaux, devant un public de seigneurs. La poésie courtoise, inspirée par la solitude des dames de la cour (les seigneurs étant en guerre ou aux croisades), s'adresse en effet à une élite sociale, à la noblesse pour laquelle elle recompose un idéal, celui du chevalier *fin'amant*.

Les clercs
•

Jongleurs et troubadours chantent plus qu'ils ne lisent. Mais clercs et *« clercs lisant »* fréquentent aussi les cours pour y lire des manuscrits (l'épisode de la lettre de Lancelot en donne un excellent exemple). Un roman tel celui du *Chevalier de la Charrette* était lu à haute voix devant un public essentiellement féminin. Ces clercs, cultivés, au même titre que les poètes ou « écrivains », sont tributaires d'un mécène qu'ils recherchent parfois longtemps : eux aussi mènent une existence méconnue et marginale, lettrés ni vraiment écrivains ni vraiment hommes d'Église.

LES MÉCÈNES

Aliénor d'Aquitaine
•

Aliénor d'Aquitaine, épouse de Louis VII puis d'Henri II Plantagenêt, fut la petite-fille du premier troubadour connu (Guillaume d'Aquitaine) et fonda elle-même la première cour d'inspiration courtoise où elle invita artistes, lettrés, poètes.

La cour de la comtesse Marie de Champagne
•

Elle était la fille du roi de France Louis VII et d'Aliénor d'Aquitaine. Cette dernière, remariée en 1154 avec Henri Plantagenêt, futur roi d'Angleterre, fut à l'origine d'une véritable révolution des mœurs et des lettres par la cour brillante qu'elle tenait à Poitiers, où elle invitait les plus illustres troubadours. Sa fille Marie, épouse du comte Henri, séduite par le climat culturel entrevu à Poitiers, avait à son tour instauré à la cour de Champagne la vogue des jeux littéraires et de vastes débats intellectuels. Troyes était alors une ville puissante et un important carrefour d'échanges. La comtesse fut le mécène de plusieurs lettrés et poètes, dont Chrétien. Sa cour, renommée, fut un foyer de création littéraire et de propagation des idées courtoises.

Pour plus de clarté, dans le présent schéma, le héros sera désigné par son nom « Lancelot », plutôt que par « le chevalier ».
Les personnages marqués d'un (A) ou d'un (O) seront lus comme adjuvants* ou opposants*, à ce moment précis du récit.

DÉCOR	ACTION (ce qu'on voit)	PROTAGONISTES	PERSONNAGES SECONDAIRES ET FIGURANTS	HORS SCÈNE (récit de ce qu'on sait)
Première journée (pp. 15 à 28)				
La cour d'Arthur.	– Défi d'un chevalier inconnu. – Mouvement de colère de Keu. – Enlèvement de la reine.	Arthur, Keu, la reine.	La cour (foule des barons).	
La forêt.	– Rencontre d'un chevalier mystérieux. – La charrette.	Arthur, Gauvain. / Gauvain et le chevalier mystérieux.	Leur escorte. / Le nain (O).	Une bataille en forêt (traces).
Un château.	– Le lit périlleux. – La lance.	Gauvain et Lancelot.	La première demoiselle.	Gîte du soir.
Deuxième journée (pp. 33 à 46)				
Le château.	Extase de Lancelot qui manque de tomber de la fenêtre.	Gauvain, Lancelot.	La première demoiselle (A).	Cortège dans la prairie (la reine).
Forêt : le carrefour.		Gauvain, Lancelot.	La deuxième demoiselle (A).	Précieuses indications (on apprend les noms de Gorre, Bademagu, Méléagant).
Forêt : le gué.	– Deuxième extase de Lancelot. – Premier combat (avec le gardien du gué). – Lancelot accorde sa grâce.	Lancelot, seul.	– Le gardien du gué (O). – La troisième demoiselle (A?).	Début de la quête solitaire. / Premier passage à franchir.

À PROPOS DE L'ŒUVRE

DÉCOR	ACTION (ce qu'on voit)	PROTAGONISTES	PERSONNAGES SECONDAIRES ET FIGURANTS	HORS SCÈNE (récit de ce qu'on sait)
Un autre *château*.	Un viol monté de toutes pièces : – Lutte et triomphe de Lancelot contre les serviteurs de la demoiselle. – Le lit chaste.	Lancelot.	La quatrième demoiselle et sa maisonnée (O).	Une promesse, un château étrange.
Troisième journée (pp. 49 à 65)				
Forêt.	– Troisième extase de Lancelot, à la fontaine. – Rencontre du chevalier amoureux qui défie Lancelot. – Affrontement père / fils.	Lancelot.	La quatrième demoiselle (A), le chevalier amoureux (O), son père, la foule du pré aux jeux.	La fontaine où Lancelot trouve le peigne d'ivoire de la reine. Les coutumes (l'escorte de la jeune fille).
Moutier et cimetière.	L'exploit et la révélation.	Lancelot.	Le moine (A), la quatrième demoiselle (A), le chevalier et son père.	La mission prophétique du chevalier.
La *demeure* d'un vavasseur.		Lancelot.	La maisonnée (dont les deux fils [A] qui partiront avec Lancelot) et le vavasseur (A).	Accueil et échange d'informations.
Quatrième journée (pp. 70 à 75)				
Forêt : le Passage des Pierres.	Deuxième combat : Lancelot triomphe du gardien, les hommes d'armes s'enfuient.	Lancelot.	– Le gardien et ses hommes d'armes. – Les deux fils du vavasseur accompagnent Lancelot.	Deuxième passage à franchir.

206

DÉCOR	ACTION (ce qu'on voit)	PROTAGONISTES	PERSONNAGES SECONDAIRES ET FIGURANTS	HORS SCÈNE (récit de ce qu'on sait)
La *lande*.	Rencontre d'un étrange chevalier.	Lancelot.	– Les deux jeunes gens. – Le chevalier insistant. – Un écuyer.	Annonce de la révolte des gens de Logres au loin.
Un *château*.	Ce château est un piège où Lancelot et ses compagnons se retrouvent enfermés. Ils parviennent à se libérer.	Lancelot.	Les deux jeunes gens (A).	
La mêlée dans la *plaine* au loin.	Une scène de bataille.	Lancelot.	– Les deux compagnons de Lancelot (A). – La foule de Logre (A) contre les gens de Gorre (O).	– « Adoubement » ou cooptation comme chevalier du plus jeune des compagnons. – Reconnaissance de la foule.
Cinquième journée (pp. 77 à 86)				
Forêt.	« *Aucune aventure*. »	Lancelot.	Les deux compagnons (A) de Lancelot.	Poursuite de la *droite voie*.
La *demeure* d'un chevalier.	– Accueil. – Arrivée du chevalier orgueilleux : défi.	Lancelot. Lancelot.	Le chevalier-hôte, sa famille.	Accueil et échange d'informations.
La *lande*.	Troisième combat : Lancelot tranche la tête de son adversaire après avoir été deux fois vainqueur.	Lancelot.	Le chevalier orgueilleux (O). La jeune fille à la mule fauve. La maisonnée (A). Les deux chevaliers compagnons de Lancelot (A).	

À PROPOS DE L'ŒUVRE

DÉCOR	ACTION (ce qu'on voit)	PROTAGONISTES	PERSONNAGES SECONDAIRES ET FIGURANTS	HORS SCÈNE (récit de ce qu'on sait)
La demeure.	Retour à l'intérieur.	Lancelot.	Toute la maisonnée (A).	Réjouissances, repas.
Sixième journée (pp. 88 à 100)				
Le Pont de l'Épée. / La tour.	L'exploit : la traversée prodigieuse. / L'accueil de Bademagu.	Lancelot seul. / Bademagu, Lancelot.	Bademagu (A) et Méléagant (O) à la fenêtre de la tour.	Troisième passage à franchir.
Septième journée (pp. 105 à 129)				
La tour.	– Premier combat contre Méléagant. / – Lancelot est nommé (v. 3660). / – Le combat reste inachevé (le roi intercède en ce sens).	Lancelot, Méléagant.	Bademagu (A), la reine, la foule de ceux qui sont venus assister au combat.	
Le château (intérieur).		La reine, Keu. / Lancelot, le roi.		Visite à la reine et à Keu.
Forêt : vers le Pont sous l'Eau.	– Lancelot est fait prisonnier par les gens de Gorre. / – La double fausse nouvelle.	Lancelot. / Lancelot, la reine.	L'escorte (A), les gens de Gorre (O).	Double fausse nouvelle. / Double tentative de suicide.
Séquence 8 (pp. 132 à 139)				
Château de Bademagu.	– Retour de Lancelot. / – Visite à la reine.	Bademagu, la reine, Lancelot. / La reine, Lancelot.		Joie du retour. / Joie de se retrouver.

À PROPOS DE L'ŒUVRE

DÉCOR	ACTION (ce qu'on voit)	PROTAGONISTES	PERSONNAGES SECONDAIRES ET FIGURANTS	HORS SCÈNE (récit de ce qu'on sait)
Le château, la nuit : chambre de la reine.	La nuit d'amour.	La reine, Lancelot.	Personne : « tout le monde dort », « pas le moindre curieux ».	« La joie la plus parfaite. »
Séquence 9 (pp. 143 à 149)				
Le château : chambre de la reine.	Keu accusé.	Keu, la reine, Méléagant. Arrivée de Bademagu et de Lancelot.	Les gardes. Formation d'un attroupement.	
La tour.	– Duel judiciaire : deuxième combat contre Méléagant. – Le combat est une nouvelle fois interrompu par le roi.	Lancelot, Méléagant.	Le roi, la reine, les chevaliers présents.	
Séquence 10 (pp. 151 à 154)				
La forêt.	Enlèvement de Lancelot.	Lancelot.	L'escorte (A), le nain (O).	
Le Pont sous l'Eau.	Gauvain est retrouvé.	Gauvain.	L'escorte.	
Château de Bademagu.	– Retour de Gauvain. – Arrivée d'un valet. – Départ de la reine et des gens de Logres.	La reine, Bademagu, Keu, Gauvain. La reine, Bademagu, Keu, Gauvain. Bademagu, la reine, Gauvain, Keu.	L'escorte. La foule des gens de Logres.	Joie et tristesse. Lettre. Joie.

209

DÉCOR	ACTION (ce qu'on voit)	PROTAGONISTES	PERSONNAGES SECONDAIRES ET FIGURANTS	HORS SCÈNE (récit de ce qu'on sait)
Séquence 11 (pp. 156 à 171)				
La cour d'Arthur.	Retour de la reine.	La reine, Gauvain, Keu.	La foule des gens de Logres.	Joie et tristesse.
Le tournoi de Noauz.	Lancelot, venu clandestinement, joue « au mieux » et « au plus mal ».	Lancelot, la reine.	Les participants (foule des nobles chevaliers).	Lancelot est prisonnier chez le sénéchal de Méléagant.
Séquence 12 (pp. 175 à 185)				
La tour.	Lancelot est emmuré.	Lancelot, Méléagant.	Les artisans.	57 jours de construction.
La cour d'Arthur.	Défi de Méléagant.	Méléagant, Arthur, Gauvain.	La foule des chevaliers.	
La cour de Bademagu.	– Arrogance de Méléagant. – Affrontement père / fils.	Méléagant, Bademagu.	La foule des nobles invités.	– Affrontement père / fils : – Bademagu renie son fils.
La tour.	Lancelot est délivré.	Lancelot.	La jeune fille à la mule fauve (A).	
Séquence 13 (pp. 188 à 194)				
La cour d'Arthur.	Retour de Lancelot.	Gauvain, Lancelot.	Le roi, la reine, la foule.	Joie.
La tour.	Troisième combat contre Méléagant : Lancelot lui tranche la tête. Épilogue : Lancelot part avec des chevaliers…	Lancelot, Méléagant.	Le roi, la reine, Gauvain, tous les chevaliers et la foule de Logres.	

DES FIGURES ET DES FIGURANTS...

Personnages positifs, négatifs, intercesseurs ou simple présence, ils forment un important personnel de plateau.

Les demoiselles
•

Six demoiselles, toutes mystérieuses, un peu femmes et un peu fées, croisent « à l'aventure » le chemin du chevalier. Réplique ou annonce l'une de l'autre, elles sont autant de signes qui ne peuvent se lire seuls. Leur succession guide les pas du chevalier et, juxtaposant les indices, permet de construire le sens de la quête :

La première demoiselle (l. 308), au premier soir, ouvre la voie de la quête qualifiante (le *lit périlleux*). La scène donne les éléments essentiels du conte : le héros prend la place du roi dans un lit qui lui promet la plus grande joie... Il triomphe d'une épreuve prodigieuse, la jeune fille lui offre armes et cheval, « sa première réhabilitation » : dans ce monde de signes, seul parle le geste.

La deuxième (l. 431), tout aussi inattendue, « complète les indices » laissés par la première en donnant avec une remarquable concision toutes les indications nécessaires à la poursuite du roman : identité et qualité du ravisseur, caractéristiques du royaume de Gorre, moyens d'accès, difficulté des passages... Elle exige un *don* et attend un *guerredon* : le lecteur attend donc de la retrouver.

La troisième à son tour (l. 525) vient s'inscrire dans cette chaîne mystérieuse et intervient au bon moment pour obtenir la grâce du chevalier gardien du gué. Reconnue du seul Lancelot, elle est la plus mystérieuse : serait-ce la précédente, réclamant ici son *guerredon* ? ou le visage d'une fée ? La grâce accordée « la première fois » au vaincu doit rester un « motif » déterminant de la trame narrative.

Infiniment plus complexe, la quatrième demoiselle (l. 678), comme la première, soumet le chevalier à une « épreuve qualifiante ». Mais l'épreuve est triple : épreuve de bravoure, de fidélité et de courtoisie chevaleresque. Fée ou sœur selon les interprétations, ce personnage a aussi pour fonction d'éclairer sur l'éthique courtoise de l'œuvre. Elle permet à la fois la découverte de l'amour du chevalier pour la reine (épisode du peigne d'ivoire) et la révélation de sa « mission » surnaturelle (la tombe prophétique).

Les deux dernières, enfin, ne font qu'une : la jeune fille sur la mule fauve (l. 2029) est ultérieurement identifiée comme la sœur de Méléagant. Aussi les deux apparitions se répondent-elles parfaitement : la première fois elle demande en *don* au chevalier la tête de l'adversaire dont il venait de triompher. Elle le soumet ainsi à une « nouvelle épreuve », le contraignant à déroger au code d'honneur chevaleresque puisque c'est la mort et non la vie du vaincu qu'elle réclame. Deux fois vainqueur, Lancelot tranche la tête de son adversaire, comme il fera plus tard de Méléagant.

Le *guerredon* promis justifie l'intervention salvatrice de la demoi-selle (l. 4713) pour permettre cette fin.

Ces personnages sont de simples « figures de carton » sans réa-lité, a-t-on dit ; les demoiselles ne sont là que pour donner visage, mais avec combien de grâce et de poésie, à des fonctions narratives et informatives. Il est toutefois intéressant de noter que tout le savoir nécessaire à la quête se conduise dans ces interventions féminines. Plus fées que femmes, elles connaissent tout, jusqu'à l'issue, annoncée, du roman : la fidélité du *fin' amant*, la bravoure du chevalier, son habileté de combattant, la joie d'amour goûtée dans le lit d'un roi, la tête tranchée de l'agresseur félon... tout est déjà dit.

Les vavasseurs et les valets
•

Dévoués et accueillants, les premiers assurent une fonction d'aide et de conseil, et offrent généreusement l'hospitalité. Les seconds font preuve de dévouement et d'amabilité, s'empressant autour du chevalier pour lui procurer une aide matérielle : tâches domestiques, préparatifs de table et surtout « service des armes• » (ces jeunes gens, souvent futurs chevaliers, excellent à aider le chevalier à revêtir les pièces de son armure, ou à s'en dévêtir).

Les uns et les autres sont intégrés à un groupe plus vaste, famille ou *maison*. Adjuvants* sans vraie consistance drama-tique, ils ne font qu'amplifier les faits et gestes du chevalier : leur rôle est un rôle passif, ils éprouvent joie et tristesse avec lui, compatissent (*cf.* leurs commentaires pour déplorer la triste coutume de la charrette, l. 1899 et suiv.) ou admirent (*cf.* le combat sur la lande, l. 2144 et suiv.), en un mot ils soutiennent leur champion.

La foule
•

Souvent dense, elle se trouve là comme décor de chaque combat. Les « *gens de Logres* » n'hésitent pas à jeûner trois jours et à marcher toute la nuit pour venir encourager leur champion. Anonyme et peu décrite, la foule forme un arrière-plan bruyant et houleux : elle partage des sentiments extrêmes traduits en un luxe de manifestations souvent trop démonstratives (*cf.* les *remerciements des captifs*, l. 2830 et suiv. ; les évanouissements lors du premier combat, l. 2665 et suiv.). Selon qu'elle rassemble les gens de Logres ou de Gorre, la foule est de l'un ou l'autre camp dont elle épouse la cause. Ces figurants ne sont ni adjuvants* ni opposants*.

Les pères
●

Le père du chevalier amoureux (l. 1226) préfigure le rôle difficile de Bademagu. Ce premier vieillard aux cheveux d'argent use successivement de l'argumentation puis de la force pour ramener son fils à la raison. Il l'empêche de se battre contre Lancelot, mais dans son propre intérêt : ni adjuvant ni opposant, il fait un peu office de médiateur.

Bademagu, figure de père infiniment plus complexe, reprend ce motif du médiateur : certes il vient en aide à Lancelot, lui fournissant armes*, cheval et médecin (l. 2525 et suiv.). Mais c'est sa qualité de chevalier exceptionnel qu'il honore ainsi. Bademagu est surtout celui qui retarde et empêche l'issue des combats, pour épargner son propre fils qu'il n'a pu raisonner. Personnage ambivalent, il admire Lancelot et le reconnaît implicitement comme son fils spirituel, mais fait tout pour retarder sa victoire.

Les jeunes chevaliers
●

Ce type de jeunes guerriers représente un personnage négatif, violent et impétueux : le chevalier du gué (l. 533) par fonction, les deux autres (le chevalier amoureux, l. 1141, et le chevalier orgueilleux, l. 1878) par nature. Tous trois lancent un défi à Lancelot, et le bravent tant en paroles qu'en acte. Le héros affronte victorieusement les trois et, nous le savons, tranche la tête du dernier. Seul son père a pu sauver la vie du deuxième. Le premier a su demander merci « *la première fois* » : de même que les demoiselles préfiguraient l'aventure amoureuse, ces personnages sont les prémices d'un chevalier à venir, Méléagant, dont ils écrivent l'histoire par avance.

À l'instar de leur personnage, ils sont du côté des opposants. Là encore, la découpe épurée de ces figures sans épaisseur n'a qu'une fonction seconde : la répétition de ce motif contribue au climat merveilleux (tout est écrit) et facilite la prise de repères du public-auditeur.

QUELQUES SILHOUETTES...

Arthur
•

Peu visible, facilement résigné (l. 43 et 173), le roi, qui ne peut ou ne veut se défendre, délègue cette tâche à son neveu Gauvain, le premier dans la hiérarchie des chevaliers (*cf.* Index thématique). Observons toutefois qu'il est dans la logique féodale de voir le roi défendu par ses jeunes seigneurs.

Contraint par la parole donnée, le roi *« qui jamais n'a manqué à sa parole »* fait figure de roi affaibli, impuissant et soumis. Il tolère sans broncher l'incursion indélicate de Méléagant au début du récit, paraît accepter avec le même fatalisme la captivité des siens et le départ de la reine, abandonnée à un *don* imprudent. Le roi s'efface ensuite, laissant volontiers place à la généreuse initiative de Gauvain... pour ne retrouver le devant de la scène qu'avec le retour des uns et des autres. Seul Lancelot manque à la fin, et le roi n'en paraît pas longtemps affecté, le temps de quatre vers seulement, clin d'œil au lecteur peut-être (l. 3875).

Peu disert, le roi Arthur exprime pourtant remarquablement (l. 4439 à 4445) la primauté qu'il accorde à ses vassaux sur la reine : chez lui l'attachement collectif l'emporte sur la préoccupation privée, contrairement à Lancelot. Ressentiment personnel ou rivalité pour le pouvoir, le roi traite bien mal le sauveur de son peuple. Fatigué, affaibli, ce roi n'a plus rien de la prestance à laquelle nous a habitués la légende.

Bademagu
•

Présenté d'emblée comme totalement antithétique de ce que représente son fils Méléagant, le roi de l'Autre Monde ne se définit que par ses relations aux autres personnages.

Le narrateur (l. 2289 à 2295), puis Keu (l. 2910 à 2925) dépeignent ainsi Bademagu et Méléagant en une sorte de diptyque, comme on les affectionne au Moyen Âge (*cf.* les fresques et les vitraux) : le roi n'existerait donc qu'en complément de cet autre lui-même, image en négatif. Chrétien lui réserve toutefois un grand nombre de vers, marque de son importance : Bademagu paraît être en effet le « modèle du roi courtois ». Générosité, honneur, loyauté, mesure, respect sont ses qualités essentielles. Roi ennemi, il secourt Keu, veille sur la reine et rend honneur à Lancelot (l. 2440).

Bademagu est, enfin, humain et, beaucoup plus qu'Arthur, capable de sentiments ; c'est ce qui le rend plus attachant. Il se montre infiniment plus accessible à la joie ou à la tristesse et déplore la disparition de Lancelot (l. 4571), suppléant là le roi de Logres dans un rôle que ce dernier ne tient plus.

Gauvain
•

Le neveu d'Arthur est le «*chevalier courtois*» explicitement désigné (l. 174). Beau, richement armé, fort et vaillant, il n'a pas peur de se battre (il regrette au contraire de n'avoir pas pris part au combat initial, l. 222). Ce guerrier sait aussi se montrer agréable en société, il n'est que de l'observer chez leur première hôtesse. Il sait enfin se garder de tout excès, ce qui le différencie de Lancelot : à la demoiselle du carrefour, il répond par une promesse tellement plus sage et réservée que ne le fait son compagnon (l. 444). Il incarne un type de chevalier idéal, droit, qui n'infléchit jamais sa route et ne risque pas d'imprudence (*cf.* son choix du Pont sous l'Eau, le moins périlleux, l. 498). Doté d'un très vif sentiment de l'honneur, il rejette comme folie l'idée de monter dans la charrette (l. 277).
Cependant Gauvain échoue dans sa mission et, plus étrange, le narrateur semble s'amuser à ses dépens, lui infligeant une noyade ridicule dont il ressort «*rouillé*» (l. 3703)... C'est que Gauvain ne reste qu'un chevalier «ordinaire», il ne laisse pas prise au surnaturel et, surtout, il n'«aime» pas et sa quête ne lui est pas dictée par Amour.

Guenièvre
•

Lointaine, déconcertante, peu encline à se confier (excepté lors du long monologue du désespoir, l. 3036 à 3068), la reine est une dame secrète dont l'amour se découvre peu à peu. En dame courtoise, elle se plaît à se prouver qu'elle a tout pouvoir sur son amant. C'est elle qui décide de leur devenir, elle qui chasse d'abord Lancelot puis lui accorde la «*merveille*» de leur nuit d'amour, elle enfin qui n'a qu'un mot à dire pour que Lancelot se montre «*le meilleur*» ou «*le pire*» des jouteurs... Difficile à appréhender par une mentalité moderne, Guenièvre est le type même de la dame courtoise, adultère et exigeante, poussant le raffinement jusqu'à tenir rigueur à son amant de sa dérisoire hésitation, le temps de deux pas!

Keu
•

Le sénéchal, premier officier de la cour, paie cher dans ce récit son incartade du début et son mauvais caractère légendaire.

216

Même emprisonné et maltraité par Méléagant, il continue toutefois d'incarner des valeurs arthuriennes : loyauté, fidélité, respect du seigneur et de la dame. Le temps passé à la cour de Bademagu en fait un pauvre gisant (*cf.* la litière tout d'abord, l. 396, puis le second lit dans la chambre de la reine, l. 3267), que l'on ne reconnaît même plus apte à assurer sa défense (l. 3537). Naïf en cette scène, il s'entête à protester de la loyauté de la reine... ce qui le rend presque niais.

Le narrateur ne force pas ce trait : quelque temps plus tard, le lecteur retrouve Keu revêtant son armure avec ses compagnons, comme si de rien n'était. C'est le propre du conte : tout doit rentrer dans l'ordre, et chacun revenir à sa place.

UN HÉROS ET SON DOUBLE NÉGATIF

Lancelot
●

Le chevalier est le seul personnage à n'être pas prévisible, à se créer « à l'aventure » du roman. Déconcertant, paradoxal mais indéniablement supérieur, Lancelot paraît invincible. Rien ne l'arrête, il poursuit toujours plus avant sa droite voie, brave la mort et en fait plusieurs fois l'expérience prémonitoire (absences au monde, début de défenestration, emmurement). Héros jusqu'à l'ultime, il reste conforme à l'idéal courtois tout en assumant des comportements extrêmes.

Sa supériorité lui est donnée par Amour, qui est son signe d'élection. *Fin'amant,* Lancelot pousse au plus haut degré le sacrifice du service d'amour. Avant tout dévoué à sa dame, il n'assume pas la double mission dont il est investi, et ne revendique jamais que la quête de la reine : sa quête amoureuse reste une aventure individualiste.

Méléagant
●

Ce chevalier présente toutes les qualités physiques d'un chevalier hors pair, aussi l'a-t-on souvent comparé sur ce point à Lancelot (*cf.* les remarquables descriptions de duels). Ce sont deux combattants d'exception. Mais la comparaison s'arrête là : Méléagant est une sorte d'anti-héros, de faire-valoir pour Lancelot, a-t-on dit parfois. Il représente l'envers du héros : bavard, orgueilleux, insolent, excessif en tout et surtout félon, il incarne les forces négatives du Mal.

PRÉSENCE DE L'AUTEUR

Présence non dissimulée dans le prologue, le temps de préciser la portée et l'engagement de la dédicace, le «je» de l'auteur s'efface bientôt, une fois données les orientations de lecture : dès le vers 24 apparaît, à la 3ᵉ personne, le «narrateur» Chrétien. La fiction pose donc d'emblée auteur et narrateur comme distincts, habile subterfuge qui donne à l'auteur l'avantage considérable d'une prise de distance apparemment objective, tandis qu'il continue de tirer à son gré les fils du récit.

Il reste en effet présent, comme nous l'indiquent tantôt de discrets rappels (*«sachez que...»*, *«vous dirai-je que...»*), tantôt des interventions soutenues, conséquentes, avec l'intention délibérée de solliciter quelques instants l'attention de l'auditoire. Ces interruptions viennent toujours souligner un moment important du récit, comme pour marquer une pause, sorte de parenthèse explicative : c'est le cas de la digression sur la charrette, inutile à l'action, mais primordiale pour le sens du récit.

C'est aussi, de la part de l'auteur, une mise à distance délibérée du lecteur, tempérant toute charge émotionnelle ou excessive identification : ainsi en est-il assurément de cette intrusion dans la *«joie si merveilleuse»* de la nuit d'amour (l. 3377). C'est enfin un appel à la vigilance du lecteur, interpellé sur un détail apparemment anodin : ainsi est-il aisé d'imaginer, dès la ligne 4485, que la sœur de Méléagant va jouer un rôle capital par la suite.

UN TEXTE DESTINÉ À LA LECTURE ORALE

Cette longue somme de plus de sept mille vers, non découpée en séquences narratives, ne comportait que des indices approximatifs de ponctuation, repos destinés à aider la lecture. Le lecteur-auditeur trouvait alors ses repères dans les marques orales de la narration : alternance récit-discours, dialogues, changement de temps, évocation de tableaux successifs.

Une succession de différents tableaux
•

La théâtralité est en effet la caractéristique de ce texte où les temps narratifs s'agencent en différents tableaux, comme si l'attention du «lecteur» était soutenue par une suite de plans, à l'instar des vitraux de cathédrales qui «racontaient» ainsi l'Histoire sainte. Le premier jour (l. 23 à 384), par exemple, se décomposerait ainsi en quatre «plans» :
– La cour du roi Arthur un jour de fête.

– La forêt : disparition de la foule, l'escorte s'estompe dans le lointain. Seuls restent dans le champ Gauvain et le chevalier mystérieux.
– La forêt : la charrette (gros plan).
– Le château de la première demoiselle.

La diversité des formes d'écriture
•

La diversité des formes d'écriture assume la fonction dramatique, créant la théâtralité par des personnages et des décors, usant à l'extrême des possibilités suggestives de la phrase :
– **Le discours** l'emporte nettement sur le récit. C'est le plus souvent un discours au style direct, calqué sur les dialogues qu'il reproduit, au présent, ponctué de quelques «chevilles» qui soulignent la présence du narrateur-auteur : «dit-il», «fait-il»...
Il est le support de l'action.
– **Le récit** proprement dit, au passé, est généralement utilisé comme transition entre deux tableaux. Le changement de temps, immédiatement perceptible à l'oreille, introduit un changement de perspective (cf. par exemple le premier soir, l'arrivée au château et le souper : cette narration, d'intérêt mineur, précède l'épisode crucial du lit périlleux).
– **L'alternance des registres** induit des contrastes entre des tableaux successifs : ainsi, lors du dernier combat contre Méléagant, sommes-nous tout d'abord invités au lyrisme d'une description quasi bucolique (au passé) avant d'assister au combat (au présent) qui n'en paraît que plus grandiose, subsistance du goût épique de la chanson de geste.
– Le recours au **discours indirect libre** suscite certaine connivence avec le lecteur-auditeur : elliptique, plus légère que la subordination, cette forme permet de déceler l'information mise en valeur, sans qu'il soit besoin de glose (cf. la lettre, l. 3802).
– **La phrase elle-même** concourt au portrait moral du personnage : l'outrecuidance bavarde d'un Méléagant, personnage anticourtois, tranche avec la sobriété de Lancelot, héros courtois qui ne perd pas de temps en vaines paroles et use souvent de la **litote***, à l'instar de la reine (cf. «votre fils, que je n'aime point» l. 2744) : ce tour est calqué sur l'idéal de mesure courtois.
– **L'éloquence et la rhétorique**, au goût de l'époque, ont aussi leur place dans ce récit : des allégories aident à rendre la vie intérieure compréhensible et à donner une entité aux vertus courtoises (cf. Amour et Raison, l. 256 ; Largesse et Pitié, l. 2071 ; et surtout Amour, l. 3170 à 3176). Monologue intérieur et complainte en usent aussi, mais sur un autre mode, plus

lent, qui détonne étrangement avec le rythme alerte de cette aventure si dense. Mais la complainte n'est-elle pas l'une des formes lyriques favorites des troubadours, reprise par les poètes jusqu'au XVIᵉ siècle (Rutebeuf, Villon)?

Humour, sourires complices, refrains (« *Je ne suis pas venu pour autre chose* ») assurent au demeurant la continuité de ce récit qui donne à voir autre chose que ce qu'il dit. Signes et métaphores donnent le sens de cette lecture qui est une véritable « mise en images ».

Moine écrivant.
Bibliothèque de Charles V, Paris, musée du Louvre.

LES SOURCES

Les romans antiques : *Le Roman de Brut* et l'*Histoire des rois de Bretagne*
•

Vers 1155, un clerc normand, Wace, écrit *Le Roman de Brut* : ce récit relate l'histoire de Brutus, descendant d'Énée, parti conquérir un royaume en Angleterre après avoir été chassé du Latium. Selon l'auteur, ce texte ne serait qu'une «traduction» d'une œuvre récente, l'*Historia regum Britanniae* (*Histoire des rois de Bretagne*), écrite vers 1138 par Geoffroy de Monmouth, clerc gallois. Mais le récit n'a rien de la chronique historique annoncée sur les liens de la Rome antique avec la Grande-Bretagne, et il fait une large part au mythe, notamment par la place accordée à la légende du roi Arthur.

En vulgarisant cette «traduction» (*translation* est le terme médiéval), Wace innove donc : son récit ne prétend pas à la véracité historique. La matière antique nourrit bien le sujet, mais Wace exalte et amplifie la saga d'un roi guerrier et conquérant. À la fidélité historique il substitue le «sens» de l'œuvre : il montre comment Arthur a véritablement ouvert une ère de raffinement et de courtoisie.

La matière de Bretagne
•

C'est le terme générique donné au foisonnement des légendes et traditions orales celtiques venues enrichir le roman d'Arthur. Les conteurs bretons rencontraient un grand succès, jusqu'en France où leurs récits étaient rapidement parvenus. La poétesse Marie de France a elle-même entrepris d'adapter en français ce fonds de fables bretonnes pour les faire connaître (*cf.* les *Lais*). Merveilleux et dépaysement apportent une séduction nouvelle, font rêver mieux que l'univers antique. C'est l'origine même de la légende de *Tristan,* si souvent reprise et exploitée durant la deuxième moitié du XII⁰ siècle (notamment par Marie de France, Chrétien, Béroul, Thomas, dont les versions ont été perdues ou mutilées).

Lanzelet d'Ulrich von Zatzikhoven
•

Ce texte allemand de la fin du XII⁰ siècle est une traduction d'un texte français perdu. Il témoigne de «sources» communes qui démontrent que Chrétien n'a pas inventé son personnage. Les héros diffèrent toutefois sensiblement : le texte allemand

221

propose une version de l'éducation de Lancelot auprès de la fée du lac, mais ignore son amour pour la reine Guenièvre.

LES PROLONGEMENTS

Les continuations, un genre fécond
●

Lancelot et Perceval (*Le Conte du Graal*) connaissent une fortune nouvelle au XIIIe siècle. Avec l'achèvement de *La Charrette* par un clerc, nous avons vu comment un récit pouvait être « continué » : au XIIIe siècle, l'histoire de Perceval fait l'objet de trois longues « **continuations** ». Lancelot, pour sa part, subit diverses amplifications. Les auteurs, anonymes, construisent ainsi autour de cette figure une sorte de grande fresque, un peu à la manière des Rougon-Macquart.

L'histoire de Lancelot
●

Avec la naissance du roman en prose, aux environs de 1220, c'est autour de Lancelot que se cristallise la somme du *Lancelot-Graal,* trilogie due à un (ou des) auteur(s) anonyme(s). Le récit orne, dilate, enrichit la trame de Chrétien et le complète, notamment sur les points jugés trop elliptiques : ainsi recrée-t-il les « enfances » du héros, la Dame du Lac n'étant qu'à peine évoquée dans *Le Chevalier de la Charrette.* Les aventures sont nombreuses, mêlées, sans cesse renaissantes : c'est l'amorce d'une séquence ouverte où l'on peut créer indéfiniment, à l'intérieur du cycle du Graal. Plusieurs héros se croisent, leurs récits s'entrelacent, l'aventure de Lancelot se poursuit en celle de son fils Galaad. La quête de Lancelot se trouve prolongée du motif de la quête du Graal. Le succès de cet ensemble est considérable. À l'instar des *Tristan,* ce vaste *Lancelot* est construit sur le mode biographique, contrairement au *Chevalier de la Charrette* qui ne relate qu'un moment de la vie du héros. Il se termine par *La Mort le roi Artu,* où l'on retrouve en place centrale l'amour de Lancelot et Guenièvre, amour qui est cette fois cause de la disparition du monde arthurien. La trilogie se présente ainsi :
1. Les « enfances » de Lancelot ou *Lancelot en prose.*
2. *La Quête du saint Graal.*
3. *La Mort le roi Artu.*
Premiers « romans » en prose de notre littérature, ces romans arthuriens ont pérennisé l'aventure exaltante du chevalier-amant.

UNE RECONNAISSANCE TARDIVE

Si la figure mythique de Lancelot a connu une fortune étonnante au Moyen Âge et inspiré nombre d'auteurs et «continuateurs» restés anonymes, Chrétien de Troyes est demeuré un auteur ignoré de la critique jusqu'à une date récente.

> Au début du XXe siècle, Lanson, dans son Histoire de la littérature française, présentait Chrétien de Troyes comme un romancier tout juste bon pour le public féminin et ses «faibles cervelles troublées». Il lui avait pourtant réservé une place importante dans le chapitre intitulé «Les Romans bretons». Mais, ne trouvant finalement que des formules négatives et dépréciatives pour le caractériser, il affirmait que «ce Champenois avisé et content de vivre était l'homme le moins fait pour comprendre ce qu'il contait». On aurait pu retourner le compliment au critique : malgré des efforts louables pour s'informer auprès de spécialistes comme Joseph Bédier, Lanson était peu fait pour comprendre cet aspect de la littérature médiévale. La tradition qu'il représentait, et dont le chef de file avait été Brunetière, aura du mal à apprécier cette esthétique du XIIe siècle qu'éclipsera le prestige d'un autre Moyen Âge, celui dont Richard Wagner renouvelle l'image romantique.
>
> Cinquante ans plus tard, dans son volume Poètes et romanciers du Moyen Âge, où il présente le roman d'Yvain ou Le Chevalier au Lion, Albert Pauphilet peut transformer la critique dont Chrétien avait fait l'objet en compliment : «Il a eu le double mérite d'avoir du talent et de comprendre parfaitement les goûts nouveaux de l'aristocratie de son temps.» Mais le nombre des recherches se multiplie et, dès la réédition en 1952 de cette anthologie, Régine Pernoud, ayant lu notamment Reto Bezzola, fait remarquer que de nouveaux travaux «conduisent à élargir singulièrement nos vues et à donner une portée beaucoup plus profonde aux romans arthuriens». Depuis, le processus de révision, d'élargissement, d'approfondissement n'a cessé de se manifester à travers une bibliographie devenue écrasante.
>
> Daniel Poirion, Œuvres complètes de Chrétien de Troyes, Paris, Gallimard, coll. «Bibliothèque de la Pléiade», Introduction, 1994.

RICHESSE DES ÉTUDES ACTUELLES

Chrétien de Troyes est désormais l'auteur le plus «visité» par les médiévistes et les érudits. Glanées parmi ces remarquables travaux, voici quelques pistes de réflexion qui aideront le lecteur profane.

Sur le sens de l'œuvre

•

Il faut bien, d'ailleurs, que Chrétien propose un sens, puisqu'il ne prétend plus à la vérité référentielle. Il faut bien qu'il suggère que ses romans proposent un autre type de vérité. C'est ce qu'il fait en particulier dans les prologues. Dédaignant de revendiquer, comme ses prédécesseurs, la véracité de sa source, dont il se plaît au contraire à souligner l'insignifiance dans le prologue d'Érec, quand il ne la passe pas simplement sous silence, il laisse entendre qu'il est seul à l'origine d'un sens que révèle en particulier l'organisation (conjointure) qu'il donne à son récit. Ce sens, qui a valeur d'enseignement ou de leçon, ne se confond pas avec le sens littéral du récit, mais il n'a pas non plus l'existence autonome du sens second que propose une œuvre allégorique. Distinct du sens littéral, il lui est cependant immanent et ne peut que le rester. Le récit n'est pas le prétexte du sens. Les aventures vécues par le héros sont à la fois la cause et le signe de son évolution. L'aventure extérieure est à la fois la source et l'image de l'aventure intérieure.
Car le sens est tout entier celui de l'aventure et de l'amour. La figure solitaire du chevalier errant, que Chrétien a pratiquement inventée de toutes pièces, manifeste l'enjeu de ses romans : la découverte de soi-même, de l'amour et de l'autre.

Michel Zink, *Littérature française du Moyen Âge*,
Paris, PUF, 1992, pp. 144-145.

Sur la «clôture» du texte

•

Chrétien n'a pas terminé lui-même la rédaction du Chevalier de la Charrette, comme si quelque chose l'avait gêné dans la fin de cette quête. Godefroy de Lagny, clerc désigné par Chrétien pour continuer son œuvre à partir du moment où Lancelot se trouva emmuré par Méléagant, tout en multipliant à la fin du roman les assurances de fidélité, trahit aussi par de longues explications embarrassées quelque réticence à l'égard de cette liaison amoureuse du héros avec la reine. Il a au contraire insisté sur le pacte amical, peut-être amoureux, qui unit Lancelot à celle qui va lui permettre de s'évader de prison : la sœur de Méléagant. La déclaration finale, de Godefroy de Lagny, révélant qu'il a lui-même terminé le texte du Chevalier de la Charrette, conformément aux directives de Chrétien, nous fait douter de la clôture du texte...

Daniel Poirion, *Œuvres complètes de Chrétien de Troyes*,
Introduction au *Chevalier de la Charrette*, Paris, Gallimard,
coll. «Bibliothèque de la Pléiade», 1994.

Sur l'influence du «roman breton» et l'amour courtois

•

En quoi le roman breton se distingue-t-il de la chanson de geste, qu'il supplanta dès la seconde moitié du XIIe siècle avec une étonnante rapidité? En ceci qu'il donne à la femme le rôle qui revenait précédemment au suzerain. Le chevalier breton, tout comme le troubadour méridional, se reconnaît le vassal d'une Dame élue. Mais en fait il demeure le vassal d'un seigneur....

Selon la thèse officiellement admise, l'amour courtois est né d'une réaction à l'anarchie brutale des mœurs féodales. On sait que le mariage, au XIIe siècle, était devenu pour les seigneurs une pure et simple occasion de s'enrichir, et d'annexer les terres données en dot ou espérées en héritage. Quand l'«affaire» tournait mal, on répudiait sa femme. Le prétexte de l'inceste, curieusement exploité, trouvait l'Église sans résistance : il suffisait d'alléguer sans trop de preuves une parenté au quatrième degré pour obtenir l'annulation. À ces abus, générateurs de querelles infinies et de guerres, l'amour courtois oppose une fidélité indépendante du mariage légal et fondée sur le seul amour. Il en vient même à déclarer que l'amour et le mariage ne sont pas compatibles.

Denis de Rougemont, *L'Amour et l'Occident*,
Paris, Plon, 1972.

Sur l'interprétation

•

Le plaisir que nous prenons à lire les «romans» du Moyen Âge tient sans doute, bien souvent, à un malentendu. Il se peut que nous donnions trop d'importance à ces récits, que nous chargions de trop de préoccupations esthétiques et idéologiques des œuvres qui furent en leur temps écrites pour divertir et plaire, qui firent rêver leur public avant que de l'instruire, puis de devenir, en nos mains, un objet d'étude. Ces œuvres, au reste, nous les interprétons peut-être trop, ou trop peu, ou de travers, dans l'ignorance où nous sommes si souvent de leur auteur, de ses intentions, de son milieu de formation, du public qu'il espérait, de l'écoute plus ou moins attentive, plus ou moins longue, qu'il a obtenue.

Emmanuèle Baumgartner, *Le Récit médiéval*,
Paris, Hachette, 1995.

À PROPOS DE L'ŒUVRE

Le XIIᵉ siècle, que l'on a parfois appelé «petite Renaissance», correspond à une période de grand dynamisme, essentiellement économique et social, mais aussi culturel et artistique (développement de l'art roman et naissance de l'art gothique, cathédrales, vitraux, enluminures...).

UNE PÉRIODE D'EXPANSION EN OCCIDENT

L'épanouissement des villes et des campagnes est dû à plusieurs facteurs : développement démographique, défrichements, amélioration des rendements agricoles, élaboration de nouveaux outils et instruments agraires... Les grands fléaux que sont les invasions et les épidémies épargnent cette période. Les villes, en déclin depuis le IVᵉ siècle, deviennent un important carrefour d'échanges où se vendent les surplus des campagnes et où se forme une véritable classe marchande, tandis que les artisans s'organisent en corporations.

Le christianisme marque fortement la vie quotidienne (sacrements, fêtes religieuses). Les chrétiens se rendent en pèlerinage sur le tombeau d'un saint (Saint-Jacques-de-Compostelle) ou partent aux croisades pour gagner leur salut. C'est au cours du XIIᵉ siècle que naît la croyance dans le purgatoire – jusque-là on n'envisageait que deux issues après la mort (enfer ou paradis) –, qui inspire grande crainte.

ORGANISATION DU MONDE FÉODAL

Le territoire n'est pas encore unifié et le roi vit de son domaine encore modeste, tandis qu'il éprouve de grandes difficultés à s'imposer auprès de seigneurs territoriaux plus puissants et plus riches que lui. Louis VII tente d'instaurer un pouvoir centralisateur que Philippe Auguste saura exploiter pour agrandir le royaume. La structure féodale est fortement hiérarchisée : chaque seigneur est vassal• d'un autre plus puissant (voire de plusieurs : le puissant comte de Champagne est vassal de dix suzerains). À la tête de l'édifice, le roi est le dernier suzerain et donc de fait assuré du soutien, même indirect, de ses vassaux qui ont prêté serment en recevant leur fief. Toutefois, cette allégeance demeure théorique au début de cette période, car de nombreux princes territoriaux ont pris leurs distances, se désintéressant du roi et refusant même de lui prêter hommage. Au milieu du XIIᵉ siècle, la pyramide féodale est donc, dans la pratique, presque inversée du fait du morcellement des fiefs, ce qui constitue un facteur d'anarchie permanent.

Pyramide féodale

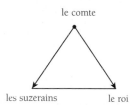

**Exemple de vassal puissant :
le comte de Champagne
(lié à plusieurs suzerains)**

LES HOMMES

Ceux qui prient et ceux qui travaillent
•

La société est en pleine mutation, mais s'organise encore selon le schéma simple proposé par le clerc Adalbérion de Laon : « *La maison de Dieu est divisée en trois : les uns prient, les autres combattent, les autres enfin travaillent.* » *Ceux qui travaillent* sont pour la majorité des paysans, car le pays est encore agricole. *Ceux qui prient* sont les gens d'Église, influents, mais surtout les très nombreux moines qui ont contribué au défrichement des terres. L'Église tente d'endiguer l'anarchie toujours menaçante en imposant un nouvel idéal aux guerriers, idéal du guerrier « bienfaisant » susceptible de canaliser la violence latente (ce que l'on a appelé « *la paix de Dieu* »).

Ceux qui combattent : les chevaliers
•

Mus par la volonté de l'Église de réagir contre une brutalité guerrière qui ne faisait que diviser le pays, les guerriers se sont peu à peu constitués en une véritable caste dotée d'un code moral très strict.
Lui-même fils d'un chevalier, le futur chevalier, à l'âge de six ans, doit rejoindre la cour d'un autre seigneur pour y devenir écuyer. C'est ainsi qu'il apprend à chasser, à monter à cheval, à

227

se battre. À l'âge de dix-huit ans, il reçoit ses armes* et son titre de chevalier au cours de la cérémonie de l'*adoubement*. Il lui reste alors à mener une vie de combattant : partir aux croisades à défaut de guerre, s'entraîner au tournoi, devenir homme d'armes d'un seigneur. Il est lui-même seigneur par ses origines. Sur un territoire si morcelé, le droit d'aînesse vient empêcher un nouveau morcellement des fiefs laissés en héritage, mais contraint donc au célibat nombre de jeunes cadets de l'aristocratie, chevaliers sans fief qui constituent une part importante de la société du temps. L'errance de ces chevaliers célibataires est un souci souvent résolu par l'appartenance au service d'un seigneur. Le mode de vie de ces chevaliers est parfaitement dépeint dans le récit : Lancelot, Gauvain sont au nombre de ces chevaliers sans fief au service d'un suzerain.

Hérédité, rituels codifiés, éthique morale et sentiment d'appartenir à une élite, tout concourt à la constitution de la chevalerie en un ordre nouveau.

UN NOUVEL IDÉAL DE SOCIÉTÉ

Au XIIe siècle, ce mouvement intellectuel et moral, déjà répandu dans le sud de la France, gagne le Nord. Il instaure de nouvelles relations humaines, moins rudes, moins centrées sur la passion guerrière. C'est tout à la fois une mentalité et un mode de vie : l'idéal courtois associe raffinement des mœurs, souci de se cultiver et reconnaissance de la place de la femme dans la société. La courtoisie, littéralement « culture de cour », tend à offrir de nouvelles valeurs aux jeunes seigneurs alors que s'émousse l'aspiration aux valeurs militaires. L'essor des croisades, exutoire de l'ardeur guerrière, contribue à canaliser la violence. Les « guerriers » se font chevaliers courtois. Princes et seigneurs encouragent les arts et notamment la lecture, invitant à leur cour poètes, clercs et lettrés. La cour de Marie de Champagne, durant la deuxième moitié du siècle, est l'une des plus illustres. C'est à la cour de la comtesse Marie que le clerc Le Chapelain entreprend de codifier les lois de la doctrine courtoise.

La courtoisie associe un *art de vivre* à une *élégance morale*. Le roman de Chrétien illustre parfaitement ce code de valeurs que son public averti peut aisément reconstruire au fil du récit.

Un art de vivre
•

Dans ce milieu fermé et policé qui réunit les membres d'une même caste, une même étiquette règle l'accueil des hôtes de passage : témoignages de joie et d'honneur à leur arrivée, marques de prévenance (on désarme le chevalier, on le revêt d'un manteau court, on lui offre gîte et repas soigné), veillée en leur compagnie, octroi du congé•, au moment de leur départ. C'est à l'hôte qui accueille de veiller au bien-être de celui qu'il reçoit, de le garder plusieurs jours pour soigner ses blessures s'il y a lieu (*cf.* Bademagu), ou de lui offrir cheval frais et armes• nouvelles s'il en est dépourvu (*cf.* la première demoiselle, le vavasseur•, Bademagu, la femme du sénéchal). Ces usages sont calqués sur les nécessités de la vie du chevalier qui doit pouvoir subsister loin de la cour.

À l'exception de Méléagant, les héros se comportent tous en hommes courtois : loyauté, générosité, fidélité, respect de la parole donnée, refus de la lâcheté règlent leur conduite, sans qu'aucune différence ne soit marquée entre les deux pays, Logres et Gorre – en terme de courtoisie, l'ennemi reste un chevalier, et à ce titre mérite le respect. Ce thème est fort bien illustré par Bademagu.

229

Une élégance morale
•

Prouesse, valeur, beauté, bonté, pitié et largesse sont les mots clés du roman et les principales valeurs de l'éthique chevaleresque. La noblesse qui les inspire passe la simple civilité : ainsi la première demoiselle donne-t-elle lance* et cheval au chevalier charreté qui vient pourtant de braver son interdit. De même voit-on Bademagu armer et soigner l'intrus qui vient porter bataille sur ses terres. Les vertus courtoises, on le voit au fil du récit, existent chez tous, demoiselles comme chevaliers, et ne sont l'apanage ni du sexe ni de l'âge : elles règlent toutes les relations humaines entre seigneurs.

Certaines qualités sont plus particulièrement soulignées : modestie et discrétion sont deux vertus majeures que Lancelot pratique naturellement (n'attendant pas d'être loué à l'issue du tournoi, l. 4349, faisant fi de l'envahissante reconnaissance des captifs, l. 1776 à 1781) et que Bademagu expose de façon quelque peu didactique (l. 4526 à 4563). En contrepoint, il est aisé de voir que les agissements et le caractère de Méléagant le situent à l'exact opposé du monde courtois (*cf.* Personnages, p. 217) : emporté, orgueilleux, traître, il ne respecte pas les femmes, ce qui est de loin son plus grave défaut pour un roman dont l'orientation est courtoise (*cf.* le *sens* du prologue).

LA FIN'AMOR

Une idéalisation extrême de l'amour courtois
•

La *fin'amor* ou «amour parfait» (amour est féminin en ancien français) est une abstraction imaginée par les troubadours du Midi, dont certains avaient fortement influencé Chrétien (Bernard de Ventadour, Raimbaut d'Orange). C'est un art d'aimer que l'on trouve illustré çà et là par divers textes et chansons : il ne faut pas y voir une doctrine figée que définiraient ces textes. La *fin'amor* se construit peu à peu, idéalisation extrême de l'amour courtois, mais constitue plus un état d'esprit qu'une théorie bien définie.

Des constantes se dégagent néanmoins, tant dans les chansons de troubadours que dans les jeux littéraires des cours, où l'on aimait à imaginer des «cas», situations-problèmes où l'amour était au centre du débat; on faisait varier les données, le jeu consistant à rechercher une issue «courtoise». On a souvent dit que *Le Chevalier de la Charrette* paraissait être bâti sur l'un de ces cas d'étude.

Les traits de la *fin'amor* sont en effet les suivants :

– un amour nécessairement secret puisque adultère, le mariage étant conçu comme contrainte sociale ;

– un lien amoureux calqué sur la logique du lien féodal : la dame est suzeraine de son amant qui doit tout entier se consacrer à son service ;

– un culte mystique de la dame, véritable religion de l'amour caractéristique des chansons de troubadours ;

– un « amour de loin » qui, sans être platonique, tire son intensité de son insatisfaction : la dame est inaccessible (géographiquement ou socialement), les amants ne peuvent être durablement réunis. Notons que ces exigences, avant d'être un enjeu littéraire, repondent fort simplement aux contraintes de la vie féodale : en cette période, nombre d'hommes nobles sont croisés (le comte de Champagne lui-même prend les armes* en 1179) ; la dame, épouse du suzerain, reste seule, sous la protection des vassaux* ; il importe donc que, vénérée par tous, elle prenne garde de n'en privilégier aucun (sinon en secret), sous peine de détruire cette organisation sociale garante de la sécurité de ses terres.

Lancelot, *fin'amant* exemplaire
•

L'amour de Lancelot et de Guenièvre est, il est vrai, une parfaite illustration de la *fin'amor* : Lancelot est tout entier dévoué au service de sa dame, lui dédie toutes ses aventures, tire toute sa force de cet amour qui lui donne sa supériorité... Il aime plus qu'il n'est aimé, sait que la nuit d'amour ne peut se renouveler et obéit à toutes les exigences de sa dame, qui de surcroît est reine ! Le roman de *La Charrette,* illustration la plus aboutie du roman courtois, offre enfin l'intérêt de soulever plusieurs questions fondamentales : l'amour courtois est-il compatible avec la religion ? avec la prouesse, le code d'honneur chevaleresque ? et surtout avec le mariage ?

Le mariage en question
•

Sous l'influence courtoise se dessine en effet une réaction contre le mariage imposé qui est encore la réalité de la vie quotidienne dans le pays. L'attention nouvelle portée à la femme laisse envisager une évolution des mœurs matrimoniales. Le roman traite ce sujet d'actualité tant par l'illustration (l'adultère des héros) que par un détour didactique (anecdote des jeunes filles « *des-conseilliées* » qui cherchent mari).

Résolument novatrices, ces jeunes filles (l. 3879) proposent un autre regard sur le mariage : elles n'en récusent nullement l'utilité sociale, elles le réclament au contraire pour ne pas rester « *sans défense* ». Elles innovent toutefois en prenant elles-mêmes la décision, qui incombait au roi : elles organisent tous les préparatifs du tournoi et en sont même arbitres. Le schéma traditionnel est inversé, ou presque car, au lieu de choisir comme prévu, chacune rêve enfin d'être choisie... par Lancelot ! Chrétien leur accorde en souriant de tirer une piquante leçon de leur aventure : aucune ne prendra de mari. L'anecdote, pour être légère, n'en dit pas moins l'essentiel : la réflexion sur une civilisation qui cherche à se redéfinir.

L'adultère, illustration de la *fin'amor* ?
•

Que la commanditaire soit à l'origine de l'idée directrice atteste l'éclairage délibérément courtois donné au récit. Les lecteurs modernes ont cependant été souvent gênés par la glorification de l'amour adultère du héros. Diverses questions se sont en effet posées : Chrétien adhérait-il aux conceptions de la *fin'amor* ? Se contentait-il d'obéir à la commande qui lui avait été faite ? En laissant le roman inachevé, manifestait-il ses divergences avec les vues de la comtesse de Champagne ? Ces questions ont appelé diverses interprétations. La quête amoureuse de Lancelot peut toutefois se lire comme une aventure singulière parmi d'autres : Lancelot est l'amant parfait, le *fin'amant* de la littérature ; la dame qu'il aime est donc suzeraine de haute qualité, exigeante et secrète comme l'exige ce rôle, enfin elle est reine... Or, dans l'univers féodal comme dans le conte, la reine est avant tout l'épouse du suzerain (*cf.* Index thématique : nom propre). Les chevaliers célibataires errants, sans fief, comme Lancelot, sont légion et tous fascinés par cette figure féminine. La situation du roman est une donnée de l'époque, non un *exemplum*. La comtesse a donné le sujet, Chrétien a créé les rôles, et l'aventure a pour ainsi dire improvisé la suite. L'adultère était ici une péripétie inévitable. La richesse de ce texte en autorise une lecture plurielle, et l'on doit pouvoir le suivre comme une invite à l'évasion, sans nécessairement y chercher l'illustration d'un point de doctrine.

Le Chevalier de la Charrette et la légende de *Tristan*
•

Tristan et Yseut, dont Chrétien connaissait la légende, seront plus tard le second couple d'amants courtois, moins exemplaires cependant (une passion trop réciproque et, surtout, due au «boire amoureux» et non à la fascination du chevalier par la dame).

Les parallèles sont nombreux entre les deux histoires. Les fragments retrouvés de l'œuvre de Béroul et de Thomas sont éclairants, tant sur le sujet même (amour adultère du héros pour la reine) que sur les motifs communs (draps tachés de sang, accusation, serment) :

> *La veille, dans la forêt Tristan avait été blessé à la jambe par un gros sanglier et il souffrait beaucoup. La plaie avait abondamment saigné. Mais pour son malheur le bandage était défait. Tristan ne dormait pas, je crois. Alors le roi se lève à minuit et sort de la chambre, suivi par le nain bossu.*
>
> *La chambre était très obscure, car il n'y avait d'allumée ni chandelle ni lampe. Tristan se dresse sur son lit. Mon Dieu! Pourquoi le fit-il? Écoutez bien! Il joint les pieds, évalue la distance, saute et tombe dans le lit du roi. Sa plaie se rouvre et saigne d'abondance. Le sang qui en coule rougit les draps. Sa plaie saigne, mais il ne s'en rend pas compte car il est tout à son plaisir.*
>
> Le Roman de Tristan, Béroul, trad. de P. Jonin,
> v. 701 à 734 Champion, Paris, 1982.

YVAIN, UN AUTRE POINT DE VUE COURTOIS SUR LE MARIAGE

Dans d'autres romans, Chrétien «autorise» en effet le mariage du héros et de la dame, et tente de l'accorder, non sans mal, nous le verrons, au contexte courtois. *Le Chevalier au Lion*, récit écrit simultanément, enrichi d'un autre éclairage la réflexion sur l'amour. Nous y trouvons **une définition de l'amour courtois** que ne démentirait pas Lancelot :

> [Yvain, le chevalier-héros, a tué en combat singulier l'époux de Laudine. Fasciné par la beauté de la dame, il en tombe amoureux.]
>
> *[Aimer] d'une manière telle qu'il ne peut y avoir de plus grand amour; telle que mon cœur ne vous quitte pas et que jamais ailleurs je ne le trouve; telle qu'ailleurs je ne puis mettre mes pensées; telle qu'à vous je m'abandonne sans réserve; telle que je vous*

aime bien plus que moi-même, telle qu'à votre gré, si c'est votre désir, pour vous, je veux mourir ou vivre.

Chrétien de Troyes, *Le Chevalier au Lion*, v. 2027 à 2034, trad. et notes de C. Buridant et J. Trotin, Paris, Champion, 1972.

Ou encore un **plaidoyer sur l'utilité sociale du mariage** dans le monde féodal :

[C'est ici le sénéchal de Laudine, la dame restée veuve, qui exhorte les barons à approuver son remariage... avec Yvain.]

« Seigneurs, la guerre nous menace, il n'est de jour que le roi ne s'équipe, sans négliger aucun préparatif, pour venir dévaster nos terres. Avant que passe la quinzaine, tout ne sera ici que ruine si nous n'avons un vaillant défenseur. Lorsque ma dame se maria, il n'y a pas encore six ans révolus, ce fut sur vos conseils. Son mari est mort, quel malheur pour elle ! [...] La femme n'est pas faite pour porter l'écu•, ni pour manier la lance• ; ma dame peut pallier cette faiblesse et devenir puissante en prenant un vaillant époux. »

Ibid., v. 2083 à 2101.

Non sans avoir illustré avec humour que **l'amour ne paraît pas être une composante nécessaire du mariage**. Il suffit d'observer comme se succèdent les époux, sans plus de formalité :

Désormais, mon seigneur Yvain est seigneur et maître, et le mort est bien oublié. Voilà marié celui qui le tua ; il a sa veuve pour épouse, ils partagent la même couche ; et les gens ont pour le vivant bien plus d'affection et d'estime qu'ils n'en eurent jamais pour le mort.

Ibid., v. 2166 à 2171.

Le récit évoque cependant **la difficile conciliation de l'amour et du mariage** :

[Gauvain, venu participer aux réjouissances, exhorte son ami Yvain à ne pas rester auprès de sa femme.]

« Plus que jamais votre renom doit croître. Rompez le frein et le licou, nous irons courir les tournois vous et moi, afin qu'on ne vous appelle point jaloux. Vous ne devez pas rêvasser, mais hanter les tournois et vous y engager, et tout abandonner, quoi qu'il doive vous en coûter. [...] Un bonheur retardé gagne en saveur et plaisir léger, remis à plus tard, est plus doux à goûter qu'une félicité savourée sans répit. La joie d'amour qui tarde ressemble à la bûche verte qui brûle et rend une chaleur d'autant plus grande et plus durable qu'elle est plus lente à s'allumer. »

Ibid., v. 2501 à 2525

L'épilogue tente une proposition d'amour conjugal heureux; encore n'est-ce qu'un souhait, car le récit s'est ingénié jusque-là à souligner l'échec d'Yvain dans le mariage.

L'originalité de ces deux romans (*La Charrette* et *Le Lion*) tient à la simultanéité de leur conception. Les deux « content » d'amour courtois, mais proposent des voies différentes. Tout se passe comme si l'auteur offrait plusieurs traitements d'un même thème. Les traits de l'amour courtois, adoucis chez Yvain, sont exacerbés chez Lancelot, qui n'a pas le choix : modèle du chevalier-amant, il aime la plus haute suzeraine, la reine, et leur amour se doit donc d'être unique.

La mentalité courtoise sous-tend sans conteste toute l'œuvre de Chrétien, créant un « climat », plus féerique que didactique. L'auteur est un clerc et un poète, non l'un de ces intellectuels qui débattent de la question du mariage à la cour de Champagne. Il n'est le chantre ni de l'amour adultère ni du mariage, il met en scène un type de héros, simplement.

L'entrevue des amants. Enluminure du Livre de Messire Lancelot du Lac, tome II, XVᵉ siècle. Paris, bibliothèque de l'Arsenal.

AMOUR
•

> «*elle savait maintenant que c'était bien celui à qui
> elle appartenait toute, et qui lui aussi lui appartenait.*»
> (l. 4240 à 4242)

● Dans l'œuvre :
Une aliénation consentie : folie, vertige, maladie, les symptômes de
l'amour n'en font pas une valeur positive. Il est tentant de l'assimiler
à une pathologie : n'est-ce pas l'amour qui paralyse soudain Lancelot, devenu une marionnette incapable de se défendre (l. 2676)?
Cependant il est aussi le meilleur remède, protège le héros de tous
les maux (l. 1059) et le rend insensible à ses blessures (l. 3350).
C'est que ce mal est délicieux, Lancelot ne cherche ni médecin ni
baume pour s'en guérir (l. 960, 2269).
La femme aimée : toute-puissante, la dame règne sur le cœur et la
personne de l'amant qui lui «appartient tout entier», Amour le tient
sous son emprise (l. 884). Elle est obéie dans ses moindres exigences, et le service d'amour peut comporter bien des sacrifices (*cf.*
la charrette, le combat «*au pire*»). C'est peu dire que la dame est
respectée, elle est vénérée : Lancelot voue à la reine une adoration
quasi mystique (l. 3356). Ce point de vue illustre la doctrine courtoise : la dame, suzeraine du cœur de son amant, est tout à la fois
honorée, adorée, servie (l. 3145 à 3160).
Un signe d'élection : d'abord pressentie, la «qualité» du héros est peu
à peu reconnue et saluée par la rumeur. Il est sans conteste «*le
meilleur chevalier*» : «*tous l'ont dit et c'était vrai*» (l. 4345, tournoi).
Supérieur à Gauvain qui échoue dans sa quête, Lancelot est «désigné». Il appartient aux élus qu'Amour «*gouverne*».

● Rapprochements : Chrétien insiste sur l'amour exceptionnel que
connaît son héros. Mais il ne méconnaît pas l'enchaînement fatal ni
l'aliénation morbide de la passion : au destin près, Guenièvre et
Lancelot présentent tous les signes de la passion racinienne (perte de
l'appétit, trouble, paralysie, désir de mort). Tristan, l'autre héros
arthurien, fait, lui, l'expérience fatale d'une telle passion, mais ses
désordres proviennent d'une cause extérieure (le philtre).

CHEVALIER
•

> «*il n'existait pas au monde un seul chevalier comme lui,
> si loin que ventent les quatre vents.*»
> (l. 1413-1414)

● Dans l'œuvre :
Les qualités chevaleresques : il est aisé de les distinguer, elles par-
courent et ponctuent le récit, l'illustrant au besoin *a contrario*

236

(Méléagant). Force physique, vaillance, goût de l'aventure, prestance, honneur, fidélité à la parole donnée, prouesse et pitié définissent un chevalier idéal. Gauvain, Lancelot, les jeunes fils du vavasseur* en sont l'illustration. Les combats exaltent la prestance et la force des adversaires, minutieusement décrits, comme si les coups portés avaient valeur essentiellement esthétique (*cf.* combat avec le chevalier orgueilleux, l. 1954 à 2006; premier combat avec Méléagant, l. 2550 à 2720; tournoi, l. 4270). Le chevalier est en effet un guerrier, mais moins féru de guerre que d'exercice : on voit que le tournoi présente tous les traits d'une manifestation sportive (l. 4270 à 4317).

Une caste aristocratique : les chevaliers ont un rang à la cour d'Arthur; ils appartiennent à leur seigneur qu'ils servent fidèlement (*cf.* le départ de Keu, l. 61). Lors des grandes fêtes ils se retrouvent entre pairs et avec un certain apparat, ce qui est une constante des récits de chevalerie. Le chevalier est aussi un seigneur qui aime à se distinguer par la beauté et la puissance de ses armes* (*cf.* les combats), la robustesse et la rapidité de son cheval. Sa vie se règle sur l'errance de la mission de soldat : le récit abonde en rites d'accueil, le chevalier est toujours fêté et traité avec honneur. Repas, jeux d'intérieur, joutes forment enfin l'essentiel de ses loisirs. Le spectacle donné par le tournoi fournit l'occasion d'un riche recensement d'armoiries (l. 4171 à 4204) : la chevalerie s'établit clairement comme la source de la noblesse de sang.

Un chevalier supérieur : le chevalier remplit une triple fonction sociale, secondant son seigneur, protégeant les faibles et aidant à faire triompher la justice. Gauvain et Lancelot, les deux chevaliers arthuriens du récit, cumulent ces rôles. Partis rechercher la reine pour la ramener au roi qui ne peut le faire lui-même, ils sont également conduits à se faire le champion d'un autre chevalier (Lancelot pour Keu, l. 3570, ou Gauvain pour Lancelot, l. 4465), à secourir les captifs de Logres.

● **Rapprochements** : «*Je peux vous nommer quelques-uns des barons parmi ceux de la Table Ronde qui furent, nous le savons, les meilleurs barons du monde. Parmi les bons chevaliers, la première place revient à Gauvain, la deuxième à Érec, fils de Lac, la troisième à Lancelot du Lac...*» (Chrétien de Troyes, *Érec et Énide*, v. 1676 à 1684). Le roman arthurien a inventé une nouvelle génération de chevalier, promis au succès pour des siècles : le parfait chevalier, amoureux de la dame. Ce même thème parcourt les *Lais* de Marie de France (contemporaine de Chrétien). Au XVIIᵉ siècle, Cervantès a tenté de railler ces romans de chevalerie (*cf. Don Quichotte*, 1615). Vulgarisé, allégé, traduit, ce type de roman a cependant connu un succès considérable et de nombreuses adaptations cinématographiques.

COUTUMES
●

> *«la coutume exigeait que tout chevalier qui venait à rencontrer seule une jeune fille, qu'elle fût noble ou non, s'interdît de lui manquer de respect tout autant que de se trancher la gorge.»*
> (l. 933 à 936)

● **Dans l'œuvre** : les coutumes ont été établies *«bien avant nous, au royaume de Logres»* (l. 931-932), dit la demoiselle séductrice. Le temps du récit arthurien est un temps mythique fortement ancré dans le passé.

La coutume abolie : les coutumes entr'aperçues sont bonnes ou mauvaises, mais personne ne songe à les transgresser. Mieux, Lancelot va en tous points respecter la coutume de Gorre, pourtant mauvaise, et réussir à délivrer les prisonniers en triomphant de Méléagant : il suffit en effet qu'*«un seul des prisonniers vienne à sortir de plein droit pour que tous les autres soient libres»*. Ce faisant, il a aboli la coutume (l. 2975 à 2977).

Les coutumes qui se perpétuent : le *don contraignant* est la première coutume rencontrée au royaume de Logres. Elle entraîne l'abandon de la reine, littéralement «donnée» au sénéchal par un roi frappé d'inertie, impuissant à se rebeller. La coutume, héritée d'un passé lointain, n'en conserve pas moins toute sa force, et s'impose au roi lui-même. La *charrette*, autre mauvaise coutume dont l'existence sera déplorée ultérieurement par la famille du vavasseur● (l. 1900), repousse le cadre de la fiction dans un passé mal défini (*«en ce temps-là»*), mais reste chargée de toute sa puissance maléfique : on se signe sur son passage (l. 239). L'étrange coutume, enfin, qui règle la sécurité des jeunes filles seules en forêt (l. 935) paraît paradoxale : elle conduit à rebours, nous le voyons, à exposer la jeune fille accompagnée. L'auteur tire toutefois un remarquable parti de cet aimable trait d'un folklore ancien : *«la jeune fille accompagnée peut être conquise par les armes»*, ce qui, transposé à la mésaventure de Guenièvre, est riche de conséquences : il reviendrait donc à Lancelot, reconnu vainqueur de Méléagant, d'avoir tous les droits sur la reine, selon la coutume, et leur liaison, légitimée, n'aurait plus rien d'adultère… Ce serait du moins un malicieux arrangement, qui reste sans doute un simple clin d'œil de l'auteur, car il correspond mal à la doctrine courtoise.

● **Rapprochements** : Arthur se présente dans *Cligès*, un autre roman de Chrétien, comme celui qui doit veiller à sauvegarder les coutumes. Nous sommes ici en pays de droit coutumier : le XIIe siècle est encore régi par des «coutumes» (droits seigneuriaux).

Les contes utilisent largement la force magique de la coutume : c'est ce caractère encore primitif, et non politique, que nous rencontrons chez Chrétien.

DROITE VOIE
•

> «*Le droit chemin vont cheminant.*»
> (v. 3003)

• **Dans l'œuvre** : l'expression est un leitmotiv du récit qu'elle scande à la manière d'un refrain. Elle traduit le souci du héros de se hâter vers son but et souligne sa bravoure : rien ne peut détourner ni retarder le chevalier dans sa quête. Il accepte l'infamie de la charrette pour être guidé vers la reine et choisit sans hésiter d'affronter le danger du Passage des Pierres plutôt que de se détourner de son chemin (l. 1562 à 1564). C'est un itinéraire qualifiant que symbolise la droite voie. Déshonoré par la charrette, il lui faut se plier à diverses épreuves avant d'aboutir dans sa quête : seul un chevalier exceptionnel peut secourir la reine et les prisonniers.
Les étapes successives de la «requalification» sont bien soulignées par le récit : elles sont marquées par le don des armes˙ et du cheval qu'on lui fait à cinq reprises pour lui permettre, symboliquement, de reprendre son chemin. Ce sont là les vrais attributs du chevalier. Il se voit ainsi progressivement restauré dans son honneur par ses hôtes qui reconnaissent en lui un chevalier d'exception : Gauvain, la première demoiselle, Bademagu, la femme du sénéchal, la sœur de Méléagant. La droite voie suit toutefois un itinéraire personnel, l'aventure collective est reléguée au second plan.

• **Rapprochements** : l'auteur réutilise l'expression dans un sens plus figuré qu'imagé pour caractériser l'orientation qu'il entend donner à son récit : «*Je ne veux pas le défigurer, le dénaturer, [...] je veux lui faire suivre un bon et droit chemin*» (l. 4489). C'est précisément le chemin contraire que suivra son héros lors des imitations et amplifications postérieures : le roman sera étoffé, ramifié, on inventera même la technique de l'*entrelacement* (plusieurs aventures mêlées et traitées parallèlement).

LA FEMME
•

> «*Qui aime est très docile et exécute vite et de bon cœur ce qui doit plaire à son amie.*»
> (l. 2750 à 2752)

• **Dans l'œuvre** :
Une femme respectée : le statut de la femme dans le conte témoigne de la fin de la rudesse guerrière de l'époque passée. Le discours antiféministe est placé dans la bouche des seuls personnages antipathiques, le chevalier amoureux (l. 1243) et Méléagant (l. 3451). L'un et l'autre parlent de la femme comme d'une marchandise acquise («*ce gain est bel et bon*», l. 1217) ou d'une vile engeance à

239

surveiller. La femme n'est pas un butin gagné par les armes* et le récit en fait une démonstration quasi didactique : le chevalier amoureux échoue piteusement dans son entreprise, ligoté par les hommes de son père, Méléagant n'a pas non plus loisir de goûter le prix de son coup de force, tandis que les jeunes filles seules peuvent se promener en toute sécurité dans les forêts, protégées par la coutume... La reine, enfin, est placée sous la protection de Bademagu, fort attentif à ce qu'elle soit respectée de tous.

Une dame toute-puissante : les jeunes filles *«desconseilliees»* sont arbitres du tournoi organisé pour trouver mari, Guenièvre multiplie les exigences auprès de Lancelot. *«Celui qui aime est prompt à obéir»*, dit le narrateur. Lancelot accepte en effet par deux fois de sacrifier son honneur à sa dame, en montant dans la charrette, puis en combattant *«au plus mal»*. Le service de la dame passe toutes les valeurs chevaleresques : *«C'était un honneur de faire pour elle tout ce que voulait Amour, même de monter sur la charrette»* (l. 3156 à 3158). Hors l'importante présence féminine du roman, la femme aimée, la dame, joue un rôle de premier plan : c'est la reine qui décide du retour à la cour d'Arthur, faisant patienter les captifs dans un premier temps (l. 3739), puis prenant la tête du cortège (l. 3821). De même observe-t-on que Lancelot doit sa qualification symbolique aux trois femmes qui semblent l'aimer (à divers degrés), avatars peut-être d'une même et unique Femme idéale : la reine lui donne son nom, la femme du sénéchal lui offre les armes vermeilles, la sœur de Méléagant achève la *métamorphose* et le revêt d'une nouvelle *«tenue de chevalier»* (l. 4774 à 4784).

Ce roman de chevalerie fait la part belle au public féminin qui forme la grande partie de son auditoire à la cour de Marie de Champagne. Pour reprendre la jolie formule de D. Poirion, Lancelot pourrait être *«le rêve d'amour d'une lectrice»*.

● **Rapprochements** : la Femme est donc un mythe, une image toute-puissante, plus proche de la fée des contes que de l'héroïne romanesque dans la littérature. La vénération dont elle est l'objet rappelle toutefois la célébration de la lyrique courtoise, des chansons de troubadours au *Roman de la Rose* de Guillaume de Lorris.

GORRE ET LOGRES
●

> *«le pays [Gorre] d'où nul ne revient jamais, ni serf ni gentilhomme, à moins d'y être né.»*
> (l. 1378 à 1380)

● **Dans l'œuvre** : Gorre, *«le royaume dont nul ne revient»*, paraît bien suggérer un Autre Monde, peut-être celui de la mort qui, au Moyen Âge, inspirait une crainte superstitieuse : des «prisonniers» y sont retenus sans chaînes ni prison, séparés simplement du monde de Logres par de *mauvais passages*. Au moins peut-on observer que ces deux mondes sont rigoureusement antithétiques :

Une terre inhospitalière : «*un torrent noir, grondant, rapide et boueux*» (l. 2195), telle est la première évocation du royaume de Gorre. La suite du récit n'en réserve pas de plus riante description, les lieux sont estompés, le regard s'attarde et revient sur l'imposant donjon du roi Bademagu, le héros se fourvoie dans une forêt où il ne rencontre que pièges et embuscades. Les autres héros de Logres, passés à Gorre, sont tout aussi malmenés : la reine, qui ne quitte pas le château (l. 3717) souffre physiquement de sa réclusion et de son inquiétude pour le sort de Lancelot. Amaigrie, affaiblie, elle est atteinte dans sa beauté (l. 3030) et, silhouette spectrale, frôle volontairement la mort (l. 3024). Keu n'est plus qu'un pantin souffreteux et invalide (l. 3514), incapable d'assurer sa propre défense, trop facile à accuser et que l'on «*mène voir*» comme s'il se fut agi d'un objet de curiosité. Le preux Gauvain, enfin, est retrouvé sans voix, ballotté par les flots (l. 3697) : il n'est plus qu'un homme de fer «*rouillé*»... Logres, en contrepoint, laisse le souvenir d'un pays aux rites d'accueil toujours joyeux, aux repas festoyants (l. 1856), aux goûts raffinés, voire d'un certain luxe (témoin la couverture de soie jaune constellée d'or sur le premier lit, formant un tel contraste avec les simples «*draps tachés de sang*» de Guenièvre, (l. 3489).

Gorre, le pays de l'ombre : l'alternance régulière jour-nuit y est abolie. La notion de durée s'effrite, résultant de la perte des repères temporels. La lumière diurne elle-même ne vient plus à aucun moment éclairer la scène : tout se définit par la négative, le visage de la reine qui «*a perdu ses couleurs*» (l. 3797), l'absence de décor où évoluent les personnages, la tristesse qui vient toujours balayer la joie naissante (*cf.* l. 3768 à 3775). La vie semble abandonner peu à peu les héros, diminués ; ainsi la tentative de suicide de la reine puis celle de Lancelot paraissent-elles découler inexorablement de cet ordre du monde. Seule la nuit d'amour tranche avec cet univers sinistre. Encore est-ce le secret d'une nuit, cachée aux yeux du lecteur comme aux yeux des proches (l. 3287), transgression peut-être de la seule joie interdite au monde de Logres ? Par opposition, le royaume de Logres est un monde de lumière, dans le goût du Moyen Âge où l'on appréciait couleurs et luminosité (*cf.* vitraux, enluminures). Quelques passages sont particulièrement riches à cet égard, notamment l'évocation d'une salle de château richement éclairée (l. 709), l'exquise blondeur des cheveux de la reine (l. 1016), la magnificence des armes de tournois et la luxuriance des «couleurs» de blason (l. 4171 à 4214).

● **Rapprochements** : le voyage dans l'Autre Monde a probablement pour origine la légende de la descente aux Enfers, dont l'illustration par Virgile (*Énéide*, livre VI) est connue et admirée des clercs au XIIe siècle. Ce mythe du voyage dans l'Au-Delà a pris corps avec la fresque grandiose de *La Divine Comédie* (Dante), et notamment la première partie, *L'Enfer* (écrite de 1304 à 1307). Le voyage initiatique s'y effectue sous la conduite de Virgile d'abord, puis de Béatrice, la femme aimée.

LIT (MOTIF DU)
●

« il y en avait déjà un autre, plus grand et plus luxueux : si l'on en croit le conte, ce lit promettait tous les délices imaginables. »
(l. 330 à 332)

● **Dans l'œuvre** : par métonymie, le motif du lit évoque clairement la quête amoureuse et la représentation d'une femme idéale.
Le choix du lit du premier soir est assez explicite : contre l'interdiction de son hôtesse, le chevalier s'approprie *« le plus haut, le plus beau »*, le plus riche aussi (ce lit était *« digne d'un roi »* (l. 368). Le signe se lit aisément : transgression d'un interdit, lit d'un roi. Ce lit est une anticipation de sa nuit d'amour avec la reine Guenièvre.
Sa deuxième nuit d'aventure propose une double lecture : le lit y est à la fois symbole d'une violence charnelle qui le conduit à la nausée, et démonstration de la plus parfaite chasteté, digne d'un « frère convers ». Ces deux éléments, constitutifs de l'amour courtois, permettent de lire la suite du récit : la *fidélité absolue* du cœur de l'amant est le corollaire de sa *chasteté*, et la *pureté* de son amour n'a rien de commun avec cet avilissant spectacle de chair.
Le troisième lit mentionné est celui de Guenièvre : synthèse des précédents, il permet à Lancelot de goûter la joie la plus grande, celle précisément que promettait le premier lit, par anticipation. C'est le lit de l'amour et de l'amante. Le narrateur n'a rien à en dire, tout a déjà été dit...
L'austère lit de repos du tournoi (l. 3999) ne doit sans doute pas plus retenir l'attention que la clandestinité du héros, qui suffit à justifier ce passage, sorte de récit dans le récit. Venu incognito, Lancelot se fait passer pour son « contraire », joue *« au pire »* et se loge comme un manant. Sa rude paillasse s'inscrit dans ce registre de l'inversion, sacrifice aimablement consenti, par amour pour la dame qui l'exige.
Le lit magnifique proposé par la sœur de Méléagant est *« haut et beau »*, comme le premier. C'est que la jeune fille lui prodigue ses soins comme à un enfant et lui *« donne vie nouvelle »*. *« Revivifié »*, Lancelot vit une véritable re-naissance auprès de cette demoiselle si pleine de sollicitude : la douceur de ce moment évoque un amour maternel.
Les trois composantes d'une représentation mythique de femme aimée ont été évoquées : la mère, la sœur, l'amante. Les trois sont un peu mêlées tout au long du roman.

● **Rapprochements** : le lit est une pièce essentielle du mobilier au Moyen Âge : la table, par exemple, n'avait d'existence que fugace, au moment des repas, et se constituait de plateaux et de tréteaux rapi-

rapidement assemblés. Le lit, lui, était installé en permanence dans la «salle» et n'était pas relégué loin du regard comme il l'est de nos jours. Donnant lieu à diverses interprétations psychanalytiques, le lit s'est avéré être un meuble «signifiant» dans les contes (Perrault, Grimm). Au pays du rêve et du féerique, le lit est souvent le lieu du passage de la vie à la mort, de la renaissance et de la métamorphose.

MENSONGE ET FAUX-SEMBLANT
●

«il se composa l'apparence et le visage d'un homme admirable.»
(l. 4479-4480)

● **Dans l'œuvre** :
Le monde de l'apparence : par deux fois, c'est paradoxalement l'anneau magique de Lancelot qui vient attester la réalité (château-piège, l. 1702, et Pont de l'Épée, l. 2277). Les deux lions si effrayants n'existaient pas et n'étaient peut-être que la représentation fantasmée de la peur du héros. Par deux fois également une *«fausse nouvelle»* a failli conduire la reine, puis Lancelot, à se donner la mort : la rumeur *«court et vole»* au pays de Gorre, elle est anonyme, irréfléchie et imprudente. C'est une mise à l'épreuve.
La mise en scène : l'épisode du viol simulé (l. 767) malmène singulièrement la patience du héros. Plus tard, c'est le tournoi de Noauz qui lui donne l'occasion d'être confronté au bon vouloir de sa dame et d'avoir à feindre couardise et lâcheté (l. 4225 à 4230). Plus que caprice inconsistant de la part de la dame, la mise en scène est en réalité une épreuve à laquelle est soumis le héros : épreuve de bravoure et d'obéissance. Elle participe de son itinéraire qualifiant.
Le mensonge : le piège du nain (l. 3665), la lettre mensongère (l. 3799), le visage de preux que se compose Méléagant pour tenter d'abuser son père et ses hôtes (l. 4495) sont autant de faux, tous inspirés par la duplicité de cet anti-héros. Seul Bademagu refuse de se laisser abuser et comprend la félonie de son fils. Sa réplique est accablante et expose longuement ce thème courtois par excellence : seule la modestie est louable. Méléagant et ses hommes sont les seuls à mentir, Lancelot ne manque jamais à sa parole, pas plus qu'Arthur ni Gauvain pour lesquels le narrateur se plaît à le souligner : *«Le roi qui jamais n'a manqué à sa parole.»* Mensonge et faux-semblant sont antinomiques des valeurs courtoises.

● **Rapprochements** : la liaison des thèmes de l'amour et du mensonge, souvent explorée par la littérature, a trouvé avec *Dom Juan* son illustration la plus achevée. Certes les personnages de Molière ou de la littérature moderne ont acquis une richesse psychologique qui n'est pas de mise pour le héros arthurien. Notons simplement que la doctrine courtoise tient ici la place qu'occupe la religion chez Molière, et que Dom Juan est un héros anticourtois.

MERVEILLEUX
•

*«Cette dame qu'il implorait était une fée qui lui avait donné
l'anneau et l'avait élevé quand il était enfant.»*
(l. 1696-1697)

● Dans l'œuvre :
Le monde de la merveille : le chevalier parcourt dans sa quête un
espace magique où, premier mauvais présage, il se voit contraint
d'obéir à un nain, figure maléfique, et de monter dans une charrette
dont la seule vue porte malheur (l. 240). Triomphant d'une lance
enflammée (l. 372), il échappe ensuite au piège d'une porte coulissante, dans un château où l'on ne voit âme qui vive ; déjouant toutes
les embûches, confondant parfois songe et réalité, le chevalier va bel
et bien affronter un monde étrange, le pays de Gorre *«dont nul ne
revient»* mais où tout le monde le connaît... Or, une fois franchi le
terrifiant «pont-épée» (l. 2192), c'est paradoxalement son anneau
magique qui le ramène à la réalité et dissipe l'hallucination de deux
lions entrevus (l. 2274). La nouvelle, *«qui toujours court et vole»*,
semble enfin régenter à sa guise ce monde fabuleux.
Un monde de signes : se découpant avec netteté sur ce paysage mal
défini, deux signes patents confirment le caractère hors du commun
du chevalier : transgressant l'interdit de son hôtesse, le chevalier
charreté a «usurpé» un lit *«digne d'un roi»* et a triomphé de
l'épreuve qui devait châtier l'imposteur. N'a-t-il pas plus simplement
pris la place qui lui était réservée, lui seul le sachant ? Peu de temps
après, l'*inscription prédictive du cimetière* (l. 1376) porte au grand jour
la mission exceptionnelle qui sera sienne et dévoile son devenir. La
réalité du présent vient étrangement seconder un futur déjà «écrit».
La symbolique des chiffres participe enfin de ce merveilleux environ-
nant : le chiffre impair, et notamment le chiffre trois, domine tout le
récit. Certes, le rythme ternaire est riche d'une indéniable efficacité
dans ce cadre de récit oral où il importe de faciliter l'appel à la
mémoire : moins didactique que la simple répétition, il martèle mali-
cieusement des faits essentiels perdus dans la densité de la narration.
Le chiffre trois est aussi, pour le lecteur du XIIe siècle, celui de la
Sainte Trinité, donc de l'unité divine et par là même le chiffre parfait. Le retour du motif est donc triple : trois défis, trois vertiges
surprenants, trois passages à franchir pour entrer au pays de Gorre,
trois chevaliers à affronter avant Méléagant, trois combats avec ce
dernier... L'impair, par nature asymétrique, s'accommode fort bien
d'un récit aux multiples relances et rebondissements. Rien dans ce
conte n'est gratuit ni achevé.

● Rapprochements : l'aisance avec laquelle l'auteur nous fait cir-
culer de manière presque «logique», sinon rationnelle, dans le
monde du merveilleux évoque certaine familiarité avec cet univers.
C'est le monde féerique du folklore celte et de l'enchanteur Merlin

que nous retrouvons ici : dans les contes, il est usuel d'attribuer une valeur magique aux chiffres, de lire dans le présent les signes du futur ou encore d'admettre le prodige sans le comprendre et sans la moindre glose (*cf.* la lance•). C'est également l'univers des autres romans arthuriens de Chrétien et des œuvres en prose qu'il a inspirées. Nous retrouvons l'évocation de cet univers merveilleux, riche de sa simple fonction poétique, dans les *Lais* de Marie de France.

NOM PROPRE
•

> «*Lancelot du Lac, c'est le nom du chevalier.*»
> (l. 2648)

• Dans l'œuvre : sur la toile de fond d'un récit riche en détails et en péripéties, seuls se détachent quelques personnages, d'emblée désignés comme protagonistes : ils sont *nommés*, alors que les autres, simples «utilités» dans la trame narrative, ne le sont pas. Arthur, Gauvain et Keu sont désignés par leur nom depuis le début : ces héros du roman arthurien sont censés être bien connus du lecteur-auditeur. La reine, en revanche, est toujours désignée par son titre, deux fois seulement suivi de son nom (l. 792 et 2331) : la reine Guenièvre est d'abord l'épouse du roi et, secrètement, la dame à laquelle «appartient» Lancelot. Méléagant et Bademagu, enfin, sont désignés plus tardivement car personne ne les connaît à la cour d'Arthur. Demoiselles, chevaliers, vavasseurs• ne sont que des personnages de rencontre sur lesquels l'auteur ne souhaite pas voir s'attarder le lecteur : ce sont des «emplois» plus que des rôles. Anonymes, ils annoncent et préparent une situation à venir, anticipent les agissements de l'un des protagonistes.

La désignation du héros, au contraire, mérite de retenir toute l'attention : un mystérieux chevalier, à peine entrevu au début du récit, va en devenir le héros éponyme sous le nom de *chevalier de la charrette*, ce qui est assez dire le rôle déterminant de ce véhicule d'infamie. Marqué du sceau du déshonneur, le chevalier n'a de cesse que d'abolir la charrette. Sa quête prend en effet la forme d'une lente réhabilitation que soulignent ses diverses dénominations :

1. La charrette, que l'auteur s'amuse à décliner sous diverses formes, est durant trois jours le seul trait distinctif de ce chevalier «*charreté*», «*charreton*» ou «*charretier*». Son exploit au cimetière vaut toutefois au *chevalier de la charrette* une nouvelle désignation, insolite car prédictive : «*celui qui* [...] *délivrera*». Il refuse néanmoins de dire son nom : toujours anonyme, le héros est *désigné*.

2. Le chevalier entame un nouveau cycle d'épreuves. Il va avoir maintenant à affronter le danger en chevalier, debout et en armes•. Il ne lui est presque plus fait grief de la charrette, sinon par ses opposants* : la rumeur s'est tue. Le héros est tour à tour appelé «*chevalier de la charrette*» ou simplement désigné comme «*le chevalier*». Il est *reconnu* dans sa qualité de chevalier.

3. C'est lors du premier combat contre Méléagant que son nom lui est enfin donné : survenant à mi-récit, cette révélation est riche de symbole. Elle organise le conte en deux grandes parties : le découpage calendaire est achevé, la perception du temps s'effrite à partir de cet instant. Les épreuves proprement chevaleresques sont terminées : Lancelot va maintenant avoir à se qualifier comme chevalier hors du commun. Le plus révélateur est certainement que son nom lui a été *donné*, comme s'il n'avait pas eu lui-même pouvoir de le révéler, et *donné par la femme aimée*. Peut-être est-ce là le plus bel hommage de Chrétien de Troyes à son mécène et la plus belle illustration de la doctrine courtoise. Lancelot, comme l'auteur, est tout entier dévoué à sa dame (*cf.* Prologue).

● **Rapprochements** : «*C'est par le nom qu'on connaît l'homme*» : ainsi parle la mère de Perceval (v. 562) dans le conte du même nom. Ce motif revient souvent dans l'œuvre de Chrétien de Troyes, qui accorde grande importance au nom. L'une des qualités de Gauvain, nous l'apprenons par d'autres romans, est de ne jamais hésiter à donner son nom.

PAROLE DONNÉE
●

> «*Le roi est consterné, mais lui confie néanmoins la mission,*
> *car il n'a jamais manqué à sa parole.*»
> (l. 128-129)

● **Dans l'œuvre** : on sait toute l'importance pour l'intrigue des *promesses* (*covant*), *dons*, *contre dons* et *serments* : c'est un jeu de promesses échangées qui déclenche l'aventure et provoque ce que l'on nomme souvent «l'enlèvement de la reine». Au *covant* de Méléagant, Keu répond par un *don contraignant* exigé du roi... et obtenu par l'entremise de la reine! Le *don contraignant* est un engagement qui suppose généralement risque ou danger, mais auquel – c'est l'usage – on ne se dérobe pas : c'est du moins l'attitude du roi.

Le *don contraignant* ou le *don/contre don* (*guerredon*), sorte de promesse en blanc qui lie son auteur, parcourt tout le récit : c'est souvent le moyen pour le héros d'avancer dans sa quête (informations de la demoiselle du carrefour, libération de la tour en guise de *guerredon*). L'engagement est remarquable à deux titres : il exige de son bénéficiaire un sacrifice (Lancelot contraint de déroger au code chevaleresque pour offrir à la jeune fille qui la demande la tête du chevalier orgueilleux) et doit être absolument respecté (ainsi Lancelot tient-il sa promesse à la lettre en «partageant» le lit de la demoiselle séductrice).

Plus fort, le *serment* engage son auteur devant Dieu : l'usage en est moins banalisé, il relève d'occasions exceptionnelles (le duel judiciaire, l'autorisation de quitter la prison le temps du tournoi). Le *serment* est acte solennel, matériellement bien distinct des invocations usuelles adressées à Dieu et à ses saints, qui sont plutôt simples rituels de type conjuratoire : «*Par saint Pierre*», «*Par Dieu en qui je crois...*». Le serment repose sur un support sacré (les reliques des saints par exemple) qui peut n'être que verbal. Il ne peut être bafoué. La parole vaut droit, elle engage et lie, quel que soit le sacrifice, à l'instar des deux amants unis par leur promesse.

● **Rapprochements** : comme chez Chrétien, le *serment* joue un rôle primordial dans la légende de *Tristan* : seule la parole d'Yseut devant Dieu peut en effet l'innocenter. Pour ne pas être parjures, les amants ont eu recours à la ruse d'une étonnante mise en scène préalable : la parole donnée, elle, ne souffrait aucun compromis.
C'est sur la scène du théâtre classique que nous retrouvons avec le plus de fréquence le *serment* (lexique amoureux de la tragédie, *cf.* Racine) tandis que les invocations à Dieu et à ses saints, banalisées, sont devenues les jurons des valets de Molière. Une distinction de plus en plus manifeste s'est opérée entre la parole «noble», promesse qui engage l'honneur (répertoire tragique ou langue classique) et une parole «vulgaire» qui a figé, souvent sous une forme dialectale et vide de sens, les jurons du valet de comédie (Sganarelle).

RELIGION
●

> «*il s'incline devant elle et reste en adoration, car il n'a autant de foi en aucune sainte relique...*»
> (l. 3356-3357)

● **Dans l'œuvre** : tout le récit paraît empreint de religiosité : les marques de la foi chrétienne sont, au XIIe siècle, autant de repères plus ou moins diffus pour un monde qui se soumet à la puissance divine et reconnaît l'autorité de l'Église.
Le respect des rituels : le temps même du conte est scandé par la liturgie des heures canoniales (*cf.* Lexique), de trois heures en trois heures. La journée du chevalier commence généralement à l'heure de prime[•], éventuellement après avoir entendu chanter la messe (*cf.* aube du deuxième jour, l. 386), et s'achève à vêpres[•]. Les fêtes religieuses sont également l'occasion de se réunir, comme le rappelle le narrateur commentant le rassemblement au pied de la tour pour le premier combat contre Méléagant (l. 2555). Le récit lui-même débutait, comme ce fut souvent le cas d'autres romans de l'auteur, un jour de fête religieuse : la formule est ici l'équivalent du «*il était une fois*» des contes.
Les invocations à Dieu, aux saints et aux reliques : elles sont fréquentes, encore que certainement plus souvent teintées de superstition, de l'ordre du rituel conjuratoire, que de piété réelle, comme en témoigne le proverbe forgé pour la charrette : «*Quand charrette verras et rencontreras, fais ton signe de croix et de Dieu souviens-toi, qui du malheur te gardera.*» Les *serments* sont en revanche des actes de

soumission à l'autorité suprême de Dieu. La *parole sacrée*, inscription prophétique sur une tombe du cimetière, investit enfin le chevalier d'une mission divine. Aussi certains critiques ont-ils pu voir dans ce récit la transposition de la mission du Christ, ressuscité pour sauver les hommes. L'enfermement de Lancelot dans la tour peut alors être interprété comme son séjour au tombeau, l'Épée comme le symbole de la croix, etc. L'utilisation du *lexique religieux* participe toutefois d'une liturgie toute païenne : deux scènes essentielles (le peigne trouvé près de la fontaine et la nuit d'amour) sollicitent ainsi le sacré pour traduire la totale vénération de Lancelot. Mais cet usage même du lexique religieux, détourné au profit de la célébration de la dame, invite à ne voir avec certitude dans ce texte qu'une religion de la femme aimée, thème infiniment plus courtois que chrétien.

● **Rapprochements** : la vénération de la femme aimée est un thème de la lyrique courtoise (*cf.* chansons des troubadours et «adoration» de la dame), qui a aussi gagné le vocabulaire de la galanterie et le lexique précieux au XVIIe siècle.

RETOUR ET MOTIFS RÉCURRENTS
●

> *«Ah! Fortune! Comme ta roue a tourné pour moi de cruelle façon!*
> *[...] j'étais en haut, maintenant je suis tout en bas...»*
> (l. 4638 à 4640)

● **Dans l'œuvre** : symbolisé par le motif païen de la *Roue de Fortune* qu'évoque Lancelot emmuré, le thème du retour est une constante de ce récit à la structure circulaire. Le cadre est sans surprise : fêtes religieuses, saisons, heures marquent le temps d'un retour attendu. La régularité calendaire des sept premiers jours de la quête lui donne un rythme régulier qui vient en contrepoint de la discontinuité de l'aventure. De même que «*sous le sycomore l'herbe restait toujours fraîche*», quelle que fût la saison, il s'agit bien de retour et non de renouveau : le temps revient au point initial, et trouve à la fin du récit la cour d'Arthur inchangée.
Autour des protagonistes se presse un grand nombre de personnages secondaires qui ne sont chacun que la reprise d'un modèle primitif : les demoiselles, les chevaliers, les pères, les vavasseurs•..., tous préfigurent la clôture du récit, comme s'il avait fallu «répéter» et préparer l'aboutissement d'une quête dont les moindres détails ont déjà été réglés. Les motifs récurrents abondent comme autant d'échos qui se répondent sur cet itinéraire : rites d'accueil, repas, châteaux, lits, rivière, défis...
Le retour au point de départ borne toujours l'aventure : enlevée à la cour du roi Arthur, la reine y revient, emmenant avec elle les prisonniers qui retrouvent le pays de Logres. Gauvain et Keu, pour leur part, viennent reprendre leur place à la cour d'Arthur. Lancelot à son tour revient à la cour d'où le lecteur présume qu'il était parti, de

même que, prisonnier au pays de Gorre, il était venu réintégrer sa prison abandonnée le temps d'un tournoi. L'espace du récit est un espace clos et immuable où chacun retrouve sa place, prêt à repartir vers de nouvelles aventures : autant dire qu'il n'est jamais vraiment achevé.

● **Rapprochements** : la récurrence est le propre du refrain, de la chanson (*cf.* troubadours). C'est aussi un motif fréquent du conte comme de tout texte de tradition orale. L'invention de la Table Ronde et des chevaliers du roi Arthur a fondé sur la récurrence le prodigieux succès de ces récits : *Continuations*, *Lancelot en prose*, *Quête du Graal* amplifient à l'envi le motif du retour. Lancelot, Gauvain, Yvain sont des héros sans âge, toujours prêts pour de nouvelles aventures.

TOUR
●

« [il] aperçoit juste devant lui une tour si puissante que personne n'en avait jamais vu de telle, il ne pouvait en exister de plus impressionnante. »
(l. 2285 à 2288)

● **Dans l'œuvre :**
Un élément du décor : la tour, construction féodale s'il en est, est un motif essentiel du décor, qui vient à six reprises ponctuer des moments importants du récit : la tour d'où Lancelot manque de tomber à l'aube du deuxième jour (l. 405), la tour du château de Bademagu d'où le roi et son fils observent le passage du Pont de l'Épée, puis au pied de laquelle se déroulent les deux premiers combats avec Méléagant. Plus impressionnantes, la tour-prison (l. 4611), construite pour soustraire Lancelot à la vie (et à la fin du roman?), et la tour du roi Arthur au pied de laquelle s'achève, non sans solennité, le dernier acte. Peu décrite, excepté la première, longuement « située » au premier soir (l. 302), ainsi que la tour-prison, la tour ne laisse pas d'être imposante, farouche, inaccessible.
Un symbole courtois : le thème de l'*inaccessibilité de la dame* est un motif usuel des chansons de troubadours. La lyrique occitane a souvent retravaillé sous le thème de l'*« amour de loin »*, que les poètes de langue d'oïl transposent en métaphore* (féodale) de la verticalité. Deux évocations sont particulièrement significatives à cet égard : la tour de la première hôtesse, au premier jour, rappelée comme en écho par la tour de Bademagu lors du premier combat entre Méléagant et Lancelot. La première occupe une position défensive, donjon veillant sur une ville fortifiée; la seconde, figure plus classique, est en quelque sorte une métonymie de la puissance du roi : il surveille depuis la tour, y occupe une place privilégiée lors des affrontements, y invite qui il veut honorer, et sous son ombre rend aussi la justice... Au premier jour, abandonné à sa contemplation, le chevalier *se*

249

penchait pour suivre des yeux le cortège de la dame entr'aperçue (l. 400). Lors du premier combat, c'est à lui de *lever les yeux* vers la dame en haut de la tour : le chiasme figuré par ce jeu de regards rétablit ici l'ordre courtois de la logique amoureuse ; c'est à la dame qu'il revient d'exercer une domination, topographique comme figurée. Si l'on songe que la dame est aussi la reine, la métaphore n'en est que plus riche de sens.

La métaphore* du regard : ce thème est une constante lyrique des chansons de troubadours ; une dame suzeraine, d'un rang supérieur au chevalier, le tient fasciné sous le pouvoir de son regard. La dame noble a tout pouvoir de domination sur le cœur et les yeux du chevalier, la métaphore de la tour transpose le thème dans le registre lyrique courtois de l'amant soumis au « service » de sa dame. Lancelot, à peine nommé, en donne le meilleur exemple en oubliant tout pour Guenièvre, y compris de se défendre. Resterait alors à s'interroger sur la terrible fin réservée au chevalier enfermé dans sa tour, coupé de tout regard, incapable de voir et d'être vu (l. 4610 à 4615) : Chrétien de Troyes arrêtait là son roman, laissant à un autre le soin de délivrer éventuellement son héros. N'était-ce pas là une issue impitoyable, mais symboliquement conforme à la doctrine courtoise, puisque, nous le savons, il ne pouvait durablement retrouver Guenièvre ?

● **Rapprochements** : la tour est un élément familier de l'architecture byzantine qui avait alors grande influence sur l'Italie et la France. Les historiens d'art nous rapportent que, au XIIe siècle, on trouvait à Rome nombre d'artistes byzantins (auteurs notamment de mosaïques). Au XIIIe siècle, un chroniqueur, Villehardouin, disait toute son admiration pour les tours de Constantinople.

arçon : l'une des pièces qui forme le corps de la selle.

armes, armure : lorsque le chevalier revêt ses armes (ou les retire), il faut entendre qu'il s'agit des pièces de l'armure, soit le haubert et le heaume (maintenu par des lacets), qui ne peuvent être endossés ni ôtés sans aide. Chausses et écu complètent l'équipement du chevalier.

bretèche : ouvrage de fortification percé de meurtrières.

chausses : pièces de tissu qui recouvrent les jambes et les pieds à la manière de bas; si le chevalier est armé, ce terme désigne la protection en maille d'acier qui s'enfile par-dessus les chausses de tissu (*cf.* Gauvain au Pont sous l'Eau).

chemise : sous-vêtement blanc en toile, parfois en soie.

complies : voir *heures*.

congé : «autorisation» de partir que l'on demande à son hôte ou à son seigneur. Demander et accorder un congé est un rite de l'étiquette courtoise.

cotte (ou *tunique*) : robe longue portée sur la chemise.

destrier : cheval de combat, monture du chevalier, rapide et robuste.

écu : au XIIe siècle, l'écu est oblong et recouvre tout le corps. Il est fait de bois recouvert de cuir ou de toile, et renforcé de métal. Le chevalier le porte suspendu au cou et passe le bras dans les courroies pour combattre.

étrivière : courroie par laquelle l'étrier est suspendu à la selle.

feutre : support de feutre situé près de l'arçon de la selle, destiné à maintenir la lance à la verticale lors des déplacements ou avant un combat.

fontaine : synonyme de source

aménagée. La margelle ou le «perron» permettent un accès plus aisé au cavalier.

haubert : cotte de mailles à manches, fendue sur les côtés, si lourde que le chevalier ne peut la revêtir ni l'ôter sans aide.

heaume : casque souvent muni d'un «nasal» (pièce métallique protégeant le nez), maintenu fixé au haubert par des lacets.

héraut : officier chargé des proclamations solennelles et de la transmission des messages.

heures : la journée est découpée selon les heures canoniales des prières ou offices religieux : matines (minuit), laudes (3 heures du matin), prime (6 heures), tierce (9 heures), midi, none (15 heures), vêpres (18 heures), complies (21 heures). La journée du chevalier se déroule de prime à vêpres.

lance : pièce essentielle de l'armement du chevalier; longue, lourde, faite de bois massif, la lance sert à porter l'assaut et à désarçonner l'adversaire quand elle ne le blesse pas mortellement.

logis : il ne s'agit pas d'une habitation précise, mais du lieu où le chevalier itinérant trouve abri pour la nuit (généralement un château).

maisonnée : ce collectif désigne habituellement tous ceux qui sont attachés à une «maison» : famille, mais aussi jeunes valets et serviteurs.

muid : unité de mesure pour les liquides, les graines et le sel. Emploi usuel dans les textes littéraires pour mesurer des sommes d'argent.

none : voir *heures*.

ordalie : épreuve judiciaire, jugement de Dieu (en principe par les éléments naturels : l'eau, le feu).

ANNEXES

251

palefroi : monture réservée aux dames, parfois utilisée aussi pour les promenades et les voyages.

prime : voir *heures.*

roncin : grand et gros cheval, monture des écuyers et des valets. Ce terme serait à l'origine de «rosse» en français. C'est une sorte de cheval de trait.

vair : fourrure d'un écureuil au dos gris-bleu et au ventre blanc (petit-gris).

valet : le terme désigne un âge et non une condition sociale. Le valet est généralement un jeune noble qui se destine au métier des armes et fait son apprentissage en «servant» les chevaliers, les assistant dans les contraintes quotidiennes (domestiques ou militaires, c'est le valet qui aide à revêtir ou ôter l'armure).

vassal : noble engagé envers un seigneur dans des liens de dépendance féodale. Dans le cas d'une simple interpellation, ce peut être une marque de mépris (*cf.* le chevalier du gué).

vavasseur : vassal au second degré.

vêpres : voir *heures.*

adjuvant : personnage positif qui apporte son aide au héros dans sa quête.

champ lexical : ensemble de termes se rapportant à une même notion.

concision : art d'exprimer beaucoup de choses en peu de mots.

énonciation : ensemble de marques et de signes de la langue qui permet de préciser la situation de communication, d'actualiser l'énoncé dans un contexte bien défini.

hyperbole : mise en valeur d'une idée par un procédé d'exagération.

litote : inverse de l'hyperbole, procédé qui consiste à atténuer le plus possible l'expression.

périphrase : figure de style qui consiste à utiliser un groupe de mots au lieu d'un seul, mais avec le même sens.

métaphore : image, comparaison dépourvue de terme de comparaison explicite.

opposant : personnage négatif qui vient gêner la progression du héros.

ANNEXES

ÉDITION BILINGUE DE L'ŒUVRE

Le Chevalier de la Charrette ou Le Roman de Lancelot, traduction, préface et notes de C. Méla, Paris, L.G.F., « Le Livre de Poche », coll. « Lettres gothiques », 1992.

OUVRAGES D'ENSEMBLE

● Emmanuèle Baumgartner, *Yvain et Lancelot. La charrette et le lion,* Paris, PUF, coll. « Études littéraires », 1992.
● Emmanuèle Baumgartner, *Le Récit médiéval,* Paris, Hachette supérieur, coll. « Contours littéraires », 1995.
● Anne Berthelot, *Le Chevalier à la charrette, le chevalier au lion,* Paris, Nathan, coll. « Balises », 1995.
● Jean Frappier, *Chrétien de Troyes, l'homme et l'œuvre,* Paris, Hatier, 1968.
● Daniel Poirion, *Œuvres complètes de Chrétien de Troyes,* Paris, Gallimard, « Bibliothèque de la Pléiade », Introduction, 1994.
● Michel Zink, *Introduction à la littérature française du Moyen Âge,* Paris, L.G.F., « Le Livre de Poche », 1993.

ŒUVRES CITÉES

● Béroul, *Le Roman de Tristan,* traduction et notes de P. Jonin, Paris, Champion, 1982.
● Chrétien de Troyes, *Le Chevalier au Lion,* traduction et notes de C. Buridant et J. Trotin, Paris, Champion, 1972.

SUR LE CONTEXTE HISTORIQUE

● Georges Duby, *Le Moyen Âge, 987-1460,* Histoire de France, Paris, Hachette, coll. « Pluriel », 1994.

- *Excalibur,* film de John Boorman, 1981.
- *Lancelot du Lac,* film de Robert Bresson (Luc Simon interprétant Lancelot), 1974.
- *Perceval le Gallois,* film d'Éric Rohmer, 1978.
- *Les Chevaliers de la Table Ronde,* film de Richard Thorpe (Robert Taylor interprétant Lancelot).
- *Lancelot,* film de Jerry Zucker.

Imprimé en France par Hérissey à Évreux - N° 75951
Dépôt légal : N° 566/03/97 - Collection N° 10 - Édition N° 02
16/7175/9